#홈스쿨링
#혼자공부하기

우등생
국어

Chunjae
Makes
Chunjae

▼

우등생 국어 5-2

기획총괄	박상남
편집개발	김한나, 김주남, 이성희
디자인총괄	김희정
표지디자인	윤순미, 김효민
내지디자인	박희춘, 우혜림
제작	황성진, 조규영

발행일	2023년 6월 1일 초판 2023년 6월 1일 1쇄
발행인	(주)천재교육
주소	서울시 금천구 가산로9길 54
신고번호	제2001-000018호
고객센터	1577-0902

스마트폰으로 QR코드를 스캔해 주세요

우등생 온라인 학습 활용법

01 학년, 학기 선택

02 과목 선택

마이페이지

국어

스케줄표

온라인 학습북
개념 강의
서술형 논술형 강의

학습 자료실
듣기 자료
개념 웹툰
정답과 풀이
교과서 문법 다지기

· 학년별, 과목별로 제공되는 서비스 내용에는 차이가 있습니다.

마이페이지에서 첫 화면에 보일
스케줄표의 종류를 선택할 수 있어요.

통합 스케줄표
우등생 국어, 수학, 사회, 과학 과목이 함께 있는 12주 스케줄표

꼼꼼 스케줄표
과목별 진도를 회차에 따라 나눈 스케줄표

스피드 스케줄표
온라인 학습북 전용 스케줄표

| 과목 클릭 | 온라인 학습북 클릭 | 개념강의 / 서술형 논술형 강의 / 단원평가 |

❶ 개념 강의

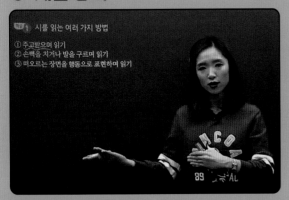

*온라인 학습북 단원별 주요 개념 강의

❷ 서술형 논술형 강의

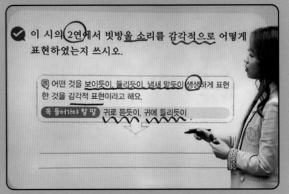

*온라인 학습북 서술형 논술형 강의(3~4년)

❸ 단원평가

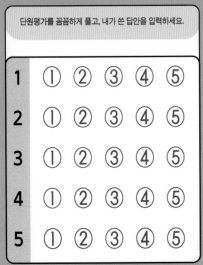

① 내가 푼 답안을 입력하면

② 채점과 분석이 한번에

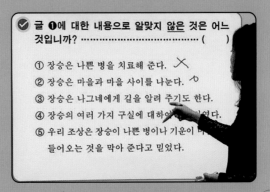

③ 틀린 문제는 동영상으로 꼼꼼히 확인하기!

· 스마트폰의 동영상 구동이 느릴 경우, 기본으로 설정된 비디오 재생 프로그램을 다른 앱으로 교체해 보세요.
· 사용자 사용 환경에 따라 서비스가 원활하지 않을 시에는 컴퓨터를 통한 접속을 권장합니다. 우등생 홈스쿨링 홈페이지(https://home.chunjae.co.kr)로 접속하거나 검색 엔진에서 우등생 홈스쿨링을 입력하여 접속해 주세요.

홈스쿨링 꼼꼼 스케줄표(24회)
우등생 국어 5-2

꼼꼼 스케줄표는 교과서 진도북과 온라인 학습북을
24회로 나누어 꼼꼼하게 공부하는 학습 진도표입니다.

우등생 홈스쿨링 홈페이지에는
다양한 스케줄표가 있어요!

● 교과서 진도북   ● 온라인 학습북

1. 마음을 나누며 대화해요

1회 교과서 진도북 9~15쪽	**2**회 교과서 진도북 16~22쪽	**3**회 온라인 학습북 4~9쪽
월 일	월 일	월 일

2. 지식이나 경험을 활용해요

4회 교과서 진도북 23~28쪽	**5**회 교과서 진도북 29~34쪽	**6**회 온라인 학습북 10~15쪽
월 일	월 일	월 일

3. 의견을 조정하며 토의해요

7회 교과서 진도북 35~40쪽	**8**회 교과서 진도북 41~46쪽	**9**회 온라인 학습북 16~21쪽
월 일	월 일	월 일

4. 겪은 일을 써요

10회 교과서 진도북 47~51쪽	**11**회 교과서 진도북 52~56쪽	**12**회 온라인 학습북 22~27쪽
월 일	월 일	월 일

절취선

● 교과서 진도북　　● 온라인 학습북

5. 여러 가지 매체 자료

13회 교과서 진도북 57~62쪽	**14**회 교과서 진도북 63~70쪽	**15**회 온라인 학습북 28~33쪽
월　　일	월　　일	월　　일

6. 타당성을 생각하며 토론해요

16회 교과서 진도북 71~80쪽	**17**회 교과서 진도북 81~84쪽	**18**회 온라인 학습북 34~39쪽
월　　일	월　　일	월　　일

7. 중요한 내용을 요약해요

19회 교과서 진도북 85~97쪽	**20**회 교과서 진도북 98~106쪽	**21**회 온라인 학습북 40~46쪽
월　　일	월　　일	월　　일

8. 우리말 지킴이

22회 교과서 진도북 107~111쪽	**23**회 교과서 진도북 112~116쪽	**24**회 온라인 학습북 47~52쪽
월　　일	월　　일	월　　일

절취선

QR로 학습 스케줄을 편하게 관리!

공부하고 나서 날개에 있는 QR코드를 스캔하면
온라인 스케줄표에 학습 완료 자동 체크!

1회
국어
1. 마음을 나누며

학습
완료!

2회
국어
1. 마음을 나누며
대화해요

교과서 진도북 16~22쪽

※ 스케줄표에 따라 해당 페이지 날개에
[진도 완료 체크] QR이 들어가 있어요!

1
단원

진도 완료
체크

 동영상 강의
개념 / 서술형 · 논술형 문제 / 단원 평가

 온라인 채점과 성적 피드백
정답을 올리기만 하면 채점과 성적 분석이 자동으로

 온라인 학습 스케줄 관리
밀린 공부는 없나 내 스케줄표로 꼼꼼히 체크하기

우등생 온라인 학습

단원	영역	제재 이름	지은이	나온 곳	우등생
1 단원	국어 ㉮	「니 꿈은 뭐이가?」	박은정	『니 꿈은 뭐이가?』 – 웅진주니어, 2010.	16쪽
2 단원	국어 ㉮	「줄다리기, 모두 하나 되는 대동 놀이」	문화재청 엮음	『어린이 문화재 박물관 2』 – (주)사계절 출판사, 2006.	25쪽
		「조선의 냉장고 '석빙고'의 과학」	윤용현	『전통 속에 살아 숨 쉬는 첨단 과학 이야기』 – (주)교학사, 2012.	27쪽
3 단원	국어 ㉮	글 ㉮ (「영국 초등학교 1.6킬로미터 달리기 도입」)	방승언	『나우뉴스』 – 2016. 3. 18.	42쪽
5 단원	국어 ㉯	자료 ㉮ (「걸어서 만나는 세계적인 생태 천국, 창녕 우포늪」)	이정화	대한민국 구석구석 누리집 (http://korean.visitkorea.or.kr)	59쪽
		「허준」		「허준」 제22~23회 – (주)문화방송, 2000.	60쪽

『니 꿈은 뭐이가?』

우리나라 최초의 여자 비행사이자 독립 운동가인 권기옥 여사에 대한 이야기를 담은 그림책이에요. 일제 강점기라는 암울한 시대에 가난과 여성이라는 장벽을 넘어 꿈을 이루고 많은 이들에게 희망과 새로운 미래를 안겨 주었던 권기옥의 이야기가 감동적으로 펼쳐진답니다.

『어린이 문화재 박물관 2』

어린이들에게 우리 문화유산의 참된 가치와 아름다움을 바로 알게 하기 위해 기획된 시리즈로 2권에는 무형 문화재·민속자료를 소개해요.

생생한 사진과 삽화가 실려 있어, 우리 문화유산을 보다 쉽게 이해할 수 있어요.

『전통 속에 살아 숨 쉬는 첨단 과학 이야기』

열기를 가두는 난방 시스템 '온돌', 장기 숙성 전통의 '된장', 음향과 합금 기술의 백미인 '종(鍾)' 등 전통 과학 기술을 자세하게 정리하였어요. 우리 역사에서 다루어졌던 많은 과학 기술과 과학 기술이 접목된 문화유산들을 살펴보며 우리나라 고유의 과학 기술과 선조들의 슬기를 배울 수 있어요.

단원	영역	제재 이름	지은이	나온 곳	우등생
5 단원	국어 ㉯	「어느 독서광의 일기」		「지식 채널 이(e): 어느 독서광의 일기」 – 한국교육방송공사, 2006.	62쪽
		「마녀사냥」	이규희	『악플 전쟁』 – 별숲, 2013.	63쪽
6 단원	국어 ㉯	「기계를 더 믿어요」	한상순	『뻥튀기는 속상해』 – (주)푸른책들, 2009.	81쪽
7 단원	국어 ㉯	「내 귀는 건강한가요」 (원제목: 「속삭이는 소리 안 들려도 난청? …… 하루 2시간 이어폰, 귀 건강 망쳐」)	박정환	『브릿지경제신문』 – 2017. 6. 26.	87쪽
		「존경합니다, 선생님」	퍼트리샤 폴라코 글, 유수아 옮김	『존경합니다, 선생님』 – 아이세움, 2015.	88쪽
		「식물의 잎차례」	장 앙리 파브르 글, 추돌란 옮김	『파브르 식물 이야기』 – (주)사계절출판사, 2011.	98쪽
		「한지돌이」	이종철	『한지돌이』 – (주)보림출판사, 2017.	100쪽

『악플 전쟁』

인터넷상에서 얼굴과 이름을 숨긴 채 거짓말과 욕설로 상대의 인격을 파괴시키는 행동을 통해 사람을 대하는 예의가 어떠해야 하는지 이야기하는 책이에요. 이 책을 통해서 '상대를 존중하고 배려하는 태도'의 필요성을 배우게 됩니다.

『뻥튀기는 속상해』

아이들의 일상과 사물을 새로운 시선으로 바라보고 다양한 빛깔과 향기와 맛으로 표현했어요. 동시에서 느낄 수 있는 따뜻한 아이의 마음과 참신한 발상이 가득 담겨 있답니다.

『존경합니다, 선생님』

글쓰기를 좋아하는 학생인 퍼트리샤가 성격이 고약하기로 소문난 켈러 선생님의 글쓰기 반에 들어가서 벌어지는 이야기예요. 깐깐하고 고약한 선생님의 지도 방식 이면에는 아이들을 향한 사랑과 애정이 가득했답니다.

구성과 특징

교과서 진도북

1 쉽고 재미있게 개념 익히기

✓ 재미있는 개념 웹툰도 함께 보아요!

마음을 나누며 대화해요 **1**

지식이나 경험을 활용해요 **2**

2 『국어』 교과서로 공부하고 『단원 평가』로 확인하기!

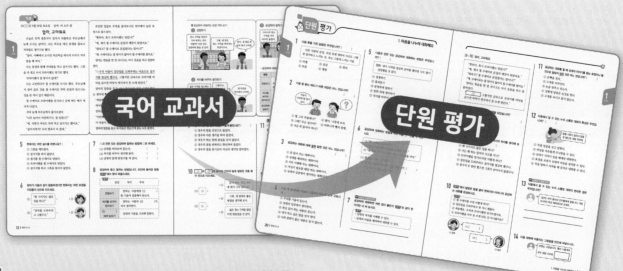

국어 교과서

단원 평가

3 교과서에 실린 문제는 자습서로 꼼꼼하게!

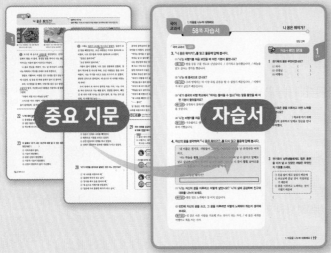

중요 지문

자습서

✓ 「자습서」는 국어 교사용 지도서를 반영한 <교과서 문제 답안 모음집> 입니다.

온라인 학습북

① 개념 학습

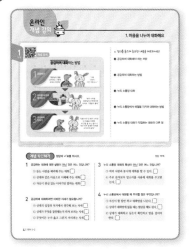

✅ 선생님의 강의를 듣고 확인 문제를 풀어요!

② 서술형·논술형 평가

✅ 어려운 서술형 논술형 문제도
강의를 들으며 차근차근 공부해요!

③ 단원 평가 풀고 성적 피드백 받기

✅ 채점과 성적 분석이 한번에!

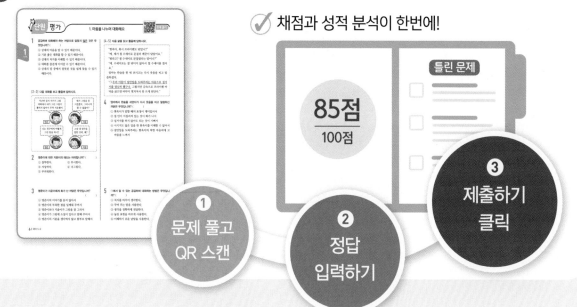

차례

개념
웹툰

등장인물 소개

손오공을 잡아라

승훈이가 오공이의 꾐에 넘어가 감옥에 갇혀 있던 손오공을 풀어 주었어요.
삼장은 사람들의 안전을 위해 오공을 다시 가두려고 해요.
도망친 오공을 잡으러 떠난 승훈이와 삼장 일행의 이야기를 살펴볼까요?

오공

천계에서 죄를 짓고 감옥에 갇혔어요.
꾀가 많고 도술을 잘 부려요.

승훈

씩씩하고 호기심이 많은 아이예요.
실수로 풀어 준 오공을 다시 잡아야
하는 처지에 놓였어요.

삼장

승훈이와 함께 오공을 잡으러 다녀요.
고집이 세고 대장 노릇 하기를
좋아해요.

팔계

삼장의 경호원이에요. 늠름하고
냉철하지만 음식 냄새를 맡으면
돼지로 변해요.

오정

삼장의 비서예요. 영리하고 기계를
잘 다뤄요. 흥이 많고 노는 것도
좋아해요.

우마왕

삼장을 짝사랑하고 오공을 싫어하는
요괴예요. 힘이 세지만 단순하고
화를 잘 내요.

나는 공부할 준비가 되었나? ✔️ 표를 해 보자.

- 책상은 깨끗이 정리했니? ✔️
- 엉덩이는 바짝 붙이고 앉았니? ☐
- 연필과 지우개는 책상에 놓여 있니? ☐
- 연필깎이는 가까이에 두었니? ☐
- 화장실에 갔다 오지 않아도 괜찮겠니? ☐

다 괜찮다면,

이제 내 목소리에 귀 기울일 준비가 되었니?
다른 문은 다 닫고, 나와 이야기할 마음이 되었다면

자, 책장을 넘겨 볼까?

1

마음을 나누며 대화해요

공감하며 대화를 해야지!
상대의 말을 경청하고, 처지를
바꾸어 생각해서 말해야지!

거기 너! 왜 손오공을 풀어 준 거야?

저, 저는 잘 모르는 일이에요.

안 그럴게, 가지 마!

싫어요! 또 부처님께 이를 거죠?

개념 웹툰

어떤 대화가 공감하는 대화일까요?
삼장이 가르쳐 주는 공감하는 대화를
스마트폰에서 확인하세요!

개념1 공감하며 대화해야 하는 까닭

① 상대의 처지를 이해할 수 있기 때문입니다.
② 처지를 바꾸어 생각하면 상대의 마음을 알 수 있기 때문입니다.
③ 상대에게 공감하며 말하면 기분 좋은 대화를 할 수 있기 때문입니다.
④ 대화를 즐겁게 이어 갈 수 있기 때문입니다.

활동 공감하는 대화의 예

개념2 공감하며 대화하는 방법

경청하기	• 말하는 사람에게 주의를 기울여 집중해서 듣기 • 말이나 행동으로 맞장구치기
처지를 바꾸어 생각하기	• 말하는 사람의 처지가 되어 생각하기 • 자신과 상대의 처지가 어떻게 다른지 생각하기
공감하며 말하기	• 상대의 기분을 고려해 말하기 • 자신의 잘못은 없는지 생각하며 말하기

활동 공감하며 대화하기

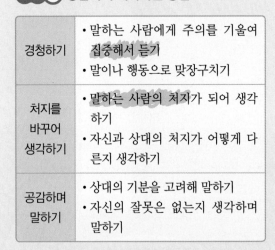

❍ 경청하기   ❍ 처지를 바꾸어 생각하기   ❍ 공감하며 말하기

개념3 누리 소통망 대화의 좋은 점

① 멀리 떨어져 있어도 대화할 수 있습니다.
② 말할 기회가 없을 때 매체로 대화할 수 있습니다.
③ 직접 말하기 어려운 주제에 대해서도 문자로 이야기할 수 있습니다.
④ 많은 사람에게 자신의 생각을 전할 때 편리하게 이용할 수 있습니다.

활동 누리 소통망 대화의 예

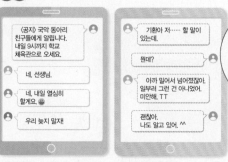

❍ 여러 사람과 대화할 때   ❍ 직접 말하기 어려울 때

> 누리 소통망은 '소셜 네트워크 서비스[SNS]'를 다듬은 말로, 온라인에서 자유롭게 글이나 사진 따위를 올리거나 나누는 것을 말해요.

개념4 예절을 지키며 누리 소통망에서 대화하기

① 바르고 고운 말을 씁니다.
② 상대가 싫어하는 말을 하지 않습니다.
③ 자신의 의견만 너무 강요하지 않습니다.
④ 이상한 말이나 지나친 줄임 말을 쓰지 않습니다.
⑤ 그림말 등을 적절히 활용하여 자신의 마음을 효과적으로 전합니다.

활동 예절을 지키지 않은 상황의 예

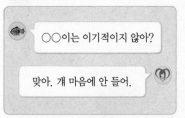
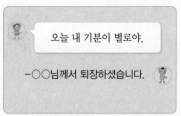

❍ 대화방에 없는 친구를 험담하는 경우   ❍ 자신이 할 말만 하고 나가는 경우

준비

1 상대의 말을 듣는 태도 생각하기

2 상대의 처지를 어떻게 고려할지 생각하기

3 상대에게 자신의 생각을 말하는 태도 생각하기

📍 공감하는 대화란?
상대의 말에 관심을 가지고 잘 듣고, 상대의 처지와 마음을 이해하며 주고받는 대화입니다.

> **공감(共 함께 공 感 느낄 감)**
>
> 남의 감정, 의견, 주장 따위에 대하여 자기도 그렇다고 느낌. 또는 그렇게 느끼는 기분.

➡ 공감하는 대화의 예

---

1 **①**~**②**에서 지윤이가 한 잘못이 <u>아닌</u> 것은 어느 것인가요? (   )

① 명준이가 좋아할 말만 하였다.
② 명준이의 처지를 생각하지 않았다.
③ 명준이의 기분을 이해해 주지 않았다.
④ 명준이의 이야기에 관심을 갖지 않았다.
⑤ 명준이에 대한 배려 없이 자기가 하고 싶은 말만 하였다.

2 지윤이가 명준이와 공감하는 대화를 하려면 ㉠과 ㉡ 대신 어떻게 말해야 할지 골라 번호를 쓰세요.

> ① 그렇게 말해 줘서 고마워.
> ② 그래? 무슨 일이야? 어서 말해 봐.
> ③ 별것도 아닌 일이네. 그게 왜 서운해?
> ④ 그랬구나. 나라도 많이 서운했을 것 같아.

(1) ㉠: (   ) (2) ㉡: (   )

3 **③**에서 지윤이의 대화 태도에 대해 바르게 말한 친구는 누구인가요?

> 태현: 친구니까 명준이가 이해했어야 해.
> 슬비: 친구의 기분을 배려하지 않은 것은 잘못이야.
> 시야: 지윤이는 솔직하게 말했으니 아무 잘못이 없어.

(   )

4 공감하며 대화해야 하는 까닭입니다. 빈칸에 들어갈 알맞은 말을 보기 에서 찾아 쓰세요.

> **보기**
>
> 공감   마음   즐겁게

(1) 대화를 _____ 이어 갈 수 있기 때문이다.

(2) 상대의 처지나 _____ 을 이해할 수 있기 때문이다.

(3) 상대에게 _____ 하며 말하면 기분 좋은 대화를 할 수 있기 때문이다.

1단원

20○○년 8월 26일 토요일　날씨: 비 오다 갬

엄마, 고마워요

오늘은 친척 결혼식이 있어서 외출하신 부모님께서 늦게 오시는 날이다. 나는 부모님 대신 동생을 돌보고 저녁밥도 챙기기로 했다.

"엄마, 아빠께서 오시면 피곤하실 테니까 우리가 저녁밥을 해 먹자."

나는 동생과 함께 저녁밥을 먹고 설거지도 했다. 그릇을 다 씻고 나서 프라이팬도 닦기로 했다.

'프라이팬이 잘 닦이지 않네?'

나는 고민하다가 철 수세미를 쓰기로 했다. 부모님께서 냄비 같은 것을 철 수세미로 박박 문질러 닦으시는 것을 본 적이 있기 때문이다.

철 수세미로 프라이팬을 문지르니 금세 찌든 때가 벗겨져 나갔다.

저녁 늦게 부모님께서 돌아오셨다.

"너무 늦어서 미안하구나. 잘 있었니?"

"예. 저희가 저녁도 차려 먹고 설거지도 했어요."

"설거지까지? 우리 현욱이 다 컸네."

흐뭇한 얼굴로 부엌을 둘러보시던 엄마께서 놀란 표정으로 물으셨다.

"현욱아, 혹시 프라이팬도 닦았니?"

"예. 제가 철 수세미로 문질러 깨끗이 닦았어요."

"뭐라고? 철 수세미로 문질렀다는 말이니?"

"예. 수세미로는 잘 닦이지 않아서 철 수세미를 썼어요."

엄마는 한숨을 한 번 쉬시고는 다시 웃음을 띠고 말씀하셨다.

"㉠우리 아들이 집안일을 도와주려는 마음으로 설거지를 열심히 했구나. 그렇지만 금속으로 프라이팬 바닥을 긁으면 바닥이 벗겨져서 못 쓰게 된단다."

엄마의 말씀을 듣고 나니 부모님의 일을 도와드렸다는 생각에 뿌듯했던 나는 금세 부끄러워졌다.

"죄송해요, 엄마. 집안일을 도와드리려다가 오히려 프라이팬만 망가뜨렸어요."

엄마는 웃으며 나를 꼭 안아 주셨다.

"미안해하지 않아도 돼. 집안일을 도와주려고 한 현욱이 마음이 엄마는 정말 고마워."

엄마의 말씀을 듣고 내 마음은 한순간에 봄눈 녹듯 풀렸다.

---

5 현욱이는 어떤 실수를 하였나요? (　　　　)

① 그릇을 깨뜨렸다.

② 설거지를 하지 않았다.

③ 접시를 철 수세미로 닦았다.

④ 프라이팬을 철 수세미로 닦았다.

⑤ 설거지를 하고 그릇을 말리지 않았다.

6 엄마가 다음과 같이 말씀하셨다면 현욱이는 어떤 표정을 지었을지 선으로 이으세요.

(1) "왜 시키지도 않은 짓을 하니?"　·　·①

(2) "엄마를 도와주려고 그랬구나."　·　·②

7 ㉠과 관련 있는 공감하며 말하는 방법에 ○표 하세요.

(1) 상대를 바라보며 듣는다.　(　　　)

(2) 처지를 바꾸어 생각해 본다.　(　　　)

(3) 상대의 말에 맞장구를 쳐 준다.　(　　　)

8 공감하며 듣고 말하는 방법입니다. 빈칸에 들어갈 말을 보기에서 찾아 써넣으세요.

보기		
공감	처지	주의

경청하기	말하는 사람에게 (①　　　)를 기울여 집중해서 듣는다.
처지를 바꾸어 생각하기	말하는 사람의 (②　　　)가 되어 생각한다.
(③　　　) 하며 말하기	상대의 기분을 고려해 말한다.

♥ 공감하며 대화하는 방법 익혀 보기

1 경청하기

청소 구역을 번갈아 가며 바꾸는 것이 어떨까? 다른 일도 경험하면 좋을 것 같아.

그래, 네 말은 청소 구역을 바꾸자는 의견이구나.

맞아, 내 말을 잘 들어 줘서 고마워.

정우 선미

2 처지를 바꾸어 생각하기

넓은 구역을 청소하는 학생은 힘든 일을 오랫동안 하게 돼.

그렇구나. 내가 너처럼 ㉠

내 마음을 알아줘서 고마워.

3 공감하며 말하기

그러니까 청소 구역을 자주 바꾸면 좋겠어.

㉡

내 말에 공감하며 말해 줘서 정말 고마워.

아니야. 네가 힘들었던 것을 미리 알아주지 못해서 미안해.

• 공감하며 대화하는 방법

방법	활동	할 수 있는 말
경청하기	말하는 사람에게 주의를 기울여 집중해서 듣기	• 그렇구나. • 그래서 어떻게 되었어? • 네 말이 그런 뜻이구나.
처지를 바꾸어 생각하기	말하는 사람의 처지가 되어 생각하기	㉢
공감하며 말하기	상대의 처지를 생각하면서 말하기	• 네가 무척 힘들었겠구나. • 다음에는 잘할 수 있을 거야.

9 **1**에서 선미는 정우의 말을 어떻게 들었나요? (　　　)

① 정우의 말을 건성으로 들었다.

② 정우와 다른 생각을 하며 들었다.

③ 정우가 하는 말에 관심을 갖지 않았다.

④ 정우의 말을 반복하고 확인하며 들었다.

⑤ 정우의 말을 듣기보다 자신의 생각만 말하였다.

10 ㉠ 과 ㉡ 에 들어갈 선미의 말로 알맞은 것을 찾아 선으로 이으세요.

(1) ㉠ •

(2) ㉡ •

• ① 혼자 하는 것도 아닌데 뭐가 그리 힘드니?

• ② 그래. 네 말대로 좋은 방법을 생각해 보자.

• ③ 넓은 청소 구역을 맡았다면 힘들었을 것 같아.

11 교과서 문제

㉢에 들어갈 '할 수 있는 말'로 알맞은 것을 모두 고르세요. (　　,　　)

① 그걸 왜 나한테 말해?

② 네가 정말 슬펐을 것 같아.

③ 나라도 정말 화가 났을 거야.

④ 너는 항상 네 기분만 중요하니?

⑤ 그건 네 생각일 뿐이지 내 생각은 아니야.

12 친구들이 평소 대화하는 모습에 대해 말하였습니다. 다음 친구들에게 할 수 있는 말을 보기 에서 고르세요.

보기
① 상대를 배려하며 말하는 게 더 중요해.
② 상대의 말을 끝까지 주의를 기울여 잘 들어야 해.

(1) 정우: 친구의 말을 끝까지 듣지 않은 적이 있어.	(　　)
(2) 소미: 사실을 말하는 것뿐이라며 친구의 기분을 상하게 한 적이 있어.	(　　)

1. 마음을 나누며 대화해요 | **13**

가

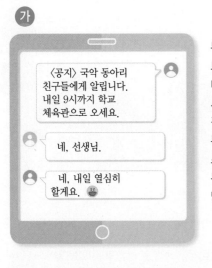

〈공지〉 국악 동아리 친구들에게 알립니다. 내일 9시까지 학교 체육관으로 오세요.

네, 선생님.

네, 내일 열심히 할게요. ☕

누리 소통망은 '소셜 네트워크 서비스[SNS]'를 다듬은 말로, 온라인에서 자유롭게 글이나 사진 따위를 올리거나 나누는 것을 말해요. 누리 소통망에서 상대와 나누는 대화를 누리 소통망 대화라고 해요.

나

다

1
그림말이 너무 많으니까 보기에 어지럽다.

그래. 이것은 좀 너무했다.

2
걔, 정말 싫지 않니?

그래. 자기가 공주인 줄 알아!

아무도 안 볼 테니까 험담 좀 할까?

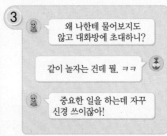

3
왜 나한테 물어보지도 않고 대화방에 초대하니?

같이 놀자는 건데 뭘. ㅋㅋ

중요한 일을 하는데 자꾸 신경 쓰이잖아!

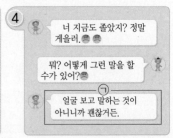

4
너 지금도 졸았지? 정말 게을러. 😴

뭐? 어떻게 그런 말을 할 수가 있어? 😠

⊙ 얼굴 보고 말하는 것이 아니니까 괜찮거든.

---

13 **가**에서 알 수 있는 누리 소통망 대화의 특성은 무엇인가요? ( )

① 얼굴을 직접 보면서 대화한다.
② 상대방의 대답을 받을 수 없다.
③ 주로 말소리로 정보를 전달한다.
④ 정보를 주고받는 데 오랜 시간이 걸린다.
⑤ 한 번에 여러 사람과 소식을 주고받을 수 있다.

14 **나**에서 소희가 누리 소통망을 사용한 까닭은 무엇인가요? ( )

① 친구에게 화가 덜 풀려서
② 다른 친구들이 있을 때 사과하려고
③ 친구가 먼저 사과해 주기를 바라서
④ 자신은 아무런 잘못이 없다고 생각해서
⑤ 친구에게 사과하고 싶은데 직접 말하기가 서먹하고 어려워서

15 **다**의 1 ~ 3 중에서 다음과 같이 예절을 지키지 <u>않은</u> 대화를 찾아 번호를 쓰세요.

(1) 친구가 없는 대화방에서 친구를 나쁘게 말하였다.
( )

(2) 장난스럽게 그림말을 너무 많이 써서 뜻을 알 수가 없다.
( )

(3) 마음대로 대화방에 초대하여 상대를 곤란하게 하였다.
( )

🗂 서술형·논술형 문제

16 **다**의 4 에서 ⊙과 같이 말하는 친구에게 조언하는 말을 써 보세요.

➡ 누리 소통망 대화에서는 얼굴이 보이지 않기 때문에

_____

_____

가

공감한다는 것을 무엇으로 보여 주지?

댓글을 달아서 내 생각을 전할 수 있어.

내 느낌을 표정으로 보여 줄 수 있을까? (⌒⌒, T.T, ⌒⌒;)

나

빨리 학교에 가고 싶다. 다들 어떻게 지낼까?

정훈

그래, 누리 소통망으로 연락해 볼까?

빨리 나아서 학교에 가고 싶어. 모두 보고 싶어요.(ㅠㅠ.ㅠㅠ)

① ②

③ 얼른 나아서 건강하게 돌아오렴.

보고 싶어. 사랑해, 친구야~ ♥

④ 선생님, 고맙습니다. 빨리 나을게요. 모두 정말 고마워. (\⌒^/)

1
단원

진도 완료
체크

17 〔가〕와 같이 누리 소통망 대화에서 상대의 말에 공감한다는 것을 어떻게 표현할 수 있는지 모두 고르세요.

(,)

① 추천하는 글을 남긴다.
② 아무 말도 하지 않는다.
③ 자신의 대화명을 바꾼다.
④ 대화방에서 말없이 나간다.
⑤ 공감을 표현하는 댓글을 단다.

18 다음 대화 글에 가장 어울리는 그림말을 선으로 이으세요.

(1) 내가 아끼던 색연필이 부러져 버렸어. · · ① (○.○)?

(2) 드디어 내일이면 신나는 방학 시작이야! · · ② (ㅜㅜ)

(3) 뭐라고? 도대체 무슨 일이야? · · ③ (^^)//

19 〔나〕에서 정훈이는 누리 소통망으로 누구와 대화하고 있습니까?

( )

20 〔나〕에서 정훈이가 받은 답글과 <u>관계없는</u> 말은 어느 것입니까?

① 격려하는 말　　② 공감하는 말
③ 응원하는 말　　④ 충고하는 말

( )

21 〔나〕에서 친구들과 같이 정훈이에게 보낼 답글을 써 보세요.

니 꿈은 뭐이가?

'무엇인가'의 평안도 방언(사투리).

· 글쓴이: 박은정
· 글의 특징: 우리나라 최초의 여성 비행사 권기옥에 대한 이야기입니다.

❶ '나'는 어려웠던 가정 형편 때문에 힘들게 학교에 다녔어.

❶ 하늘을 나는 비행기를 보고 '나'는 비행사가 되기로 결심했지.

❷ 비행기를 타고 일본과 싸우기 위해 중국의 비행 학교에 들어갔어.

❸ '나'는 우리나라 최초의 여자 비행사가 되어 꿈을 이루었어.

❶ 조그만 내 손으로 조물조물 집안일하고, 공장에서
　　　　　　　주물러 만지는 모양
일해서 쌀을 사 왔네. 동생들 밥을 먹이니 나는 좋은데
어머니는 마음이 많이 아프다고 하셨어.

나 홀로 한글을 깨쳤어. 어느 날 목사님이 그러셨어.
너는 똑똑하니 학교를 공짜로 보내 주겠다고.

참말로 기뻤어야. 아침밥 짓고 동생을 업고 만날 학교
에 나갔네. 일 등을 못 하면 분해서 잠이 안 왔어야.

보라, 내 열일곱 살 때야. 너덜너덜 짚신 신고 덜컹덜컹
소달구지 탔지. 가난한 조선 사람들은 자동차도 잘 몰랐어.
소가 끄는 수레
그런데

"사람이 괴물 타고 하늘을 난대!"

스미스란 미국 사람이 비행기를 타고 온다네? 온 마
을이 들썩들썩. 내 마음도 들썩들썩.

구름처럼 몰려온 저 사람들 좀 봐. 구름을 뚫고 쇳덩
이 괴물이 혼자만 날아올라. 이 산 위로 쑥, 저 하늘로
쌩 솟구치고 돌아 나와 못 가는 곳이 없네.

"사람들아, 이 날개를 봐. 정말 자유로워."

저 비행기란 놈이 그러네. 나는 땅에 딱 붙어 서서 두
발만 동동 굴렀어.

바로 그날 밤, 잠을 못 잤지. 바로 그날 밤, 꿈이 생겼지.
비행기를 처음 본 날 밤
'여자라고 못 하겠어? 조선 사람이라고 왜 못 하겠어?
얼른얼른 커서 꼭 비행사가 될 거야.'
　　　　　　'나'에게 생긴 꿈

니 꿈은 뭐이가?

나는 하늘을 훨훨 날고 싶었어야.

중심 내용 ❶ 어려운 집안 형편 때문에 힘들게 학교에 다녔던 나는 비행기를 보고 비행사가 되겠다는 꿈이 생겼어.

---

22 '나'에 대해 잘못 말한 것은 어느 것인가요? (　　　)

① 동생들을 돌보았다.　　② 공장에서 일을 했다.

③ 집안 형편이 어려웠다.　④ 홀로 한글을 깨쳤다.

⑤ 학교에 다니지 못했다.

23 이 글에서 '내'가 사는 '조선'에 대해 알 수 있는 점은 무
엇인가요? (　　　)

① 지하자원이 많다.

② 기술이 발달했다.

③ 관광 산업이 발달했다.

④ 자동차 기술이 발달했다.

⑤ 산업이 발달하지 않아 가난했다.

24 조선에 비행기를 타고 온 미국 사람은 누구인가요?

(　　　　　　　　　)

25 비행기를 처음 본 사람들은 비행기를 보고 무엇이라고
하였나요?

(　　　　　　　　　)

26 비행기를 보고 '내'가 하였을 생각과 거리가 먼 것은 어
느 것인가요? (　　　)

① 놀랍다.　　　　　② 신기하다.

③ 자유롭다.　　　　④ 걱정스럽다.

⑤ 비행사가 되고 싶다.

2 그때는 일본이 조선을 다스리고 있었어. 일본이 조선 땅을 빼앗았거든. 조선 사람들은 거리로 몰려나와 소리쳤어. 나도 친구들과 거리로 몰려나와 소리쳤어.

일제 강점기

"일본은 물러가라!"

"조선 땅에서 물러가라."

사람이 많이 잡혔네. 나도 일본 경찰에게 잡혔네. 경찰이 학교에 못 다니게 하네. 조선 사람들은 힘을 모아 싸웠어. 나는 무기를 나르고 돈을 모으다가 또 잡혔어. 깜깜한 감옥으로 끌려갔어. 내 손으로 내 나라를 되찾는 게 죄야?

우리 땅에서 또 싸우다 잡히면 죽을 거야. 나는 가족을 떠나 중국으로 가는 배를 탔지. 깜깜한 밤바다, 빼앗긴 내 나라 이제 다시는 못 갈지 몰라. 못 가는 곳이 없던데, 저 비행기란 놈은……

'그래! 진짜로 비행사가 되는 거야. 비행기를 타고 날아가서 일본과 싸우는 거야!'

니 꿈은 뭐이가?

나는 하늘을 훨훨 날고 싶었어야.

중국의 중학교부터 들어갔어. 2년 반 만에 영어와 중국어를 다 배웠지. 중국의 비행 학교를 찾아갔어.

"여자는 들어올 수 없소!"

여자는 날 수 없다네? 중국에서도.

나는 윈난성의 장군 당계요를 찾아갔어.

배 타고 기차 타고 걷고 또 걸어갔어야.

앞만 바라보며 드넓은 중국 땅을 가로질러 갔어야.

당계요 장군은 많이 놀랐지.

"여자가 어떻게 여기 왔나?"

"세상을 돌고 돌아 왔어요."

"여자가 왜 여기 왔나?"

"하늘을 날고 싶어서요."

"여자가 왜 비행사가 되려 하나?"

"내 나라를 빼앗아 간 일본과 싸우려고요!"

"…… 좋다!"

당 장군은 비행 학교에다 편지를 썼어. 여자가 자기 나라를 되찾으려고 왔으니 꼭 들여보내라고 썼어.

> • 알 수 있는 점: 당시에 여자는 남자에 비해 사회 활동에 제약이 많고 여성에 대한 차별이 심했다.

🖊️**중심 내용 2** 우리 땅에서 독립 운동을 하기가 어려워지자 나는 비행기를 타고 일본과 싸우려고 중국으로 갔어.

---

27 당시 조선의 상황은 어떠하였나요? (   )

① 나라가 남북으로 분단되었다.

② 일본이 강제로 나라를 빼앗았다.

③ 평화로운 시절을 보내고 있었다.

④ 같은 민족끼리 전쟁을 하고 있었다.

⑤ 경제가 발달하여 풍족한 생활을 누리고 있었다.

28 '내'가 하였을 생각으로 알맞은 것은 어느 것인가요?

(   )

① '내 나라를 되찾아야 해.'

② '훌륭한 학자가 되고 싶어.'

③ '장사를 해서 돈을 벌어야 해.'

④ '내 손으로 비행기를 만들겠어.'

⑤ '일본에 가서 훌륭한 화가가 되고 싶어.'

29 위의 대화를 공감하는 대화로 꾸몄습니다. 빈칸에 들어갈 말을 **보기** 에서 골라 기호로 쓰세요.

> **보기**
> ㉠ 좋다! 네가 비행사가 될 수 있게 내가 힘써 보마.
> ㉡ 그렇구나. 내가 너라도 빼앗긴 나라를 되찾기 위해 모든 노력을 다했을 거다.

 우리나라를 일본에 빼앗겼어요. 비행사가 되어 일본과 싸우고 싶어요!

• 처지를 바꾸어 생각하기

 (1) (   )

• 공감하며 말하기

 비행 학교에 들어갈 수 있게 도와주세요.

 (2) (   )

3 드디어 비행 학교 학생이 되었어. 남학생들과 똑같이 훈련했지. 빙글빙글 어지러움을 견디는 훈련, 비행기를 조종하고 고치는 기술까지 배웠어. 너무 힘들고 위험했어야. 학생들이 많이 떠났지만 나는 하루하루가 행복했어. 내 꿈을 따라서 산다는 게 꿈만 같았거든.

'언젠가 내 나라를 자유롭게 만들 거야. 반드시 저 하늘을 훨훨 날아갈 거야.'

처음으로 비행기를 타는 날. 비행기에 올라타서 배운 대로 움직였지. 훌쩍! 날아올라, 깜짝! 너무 놀라 비행기가 부릉부릉, 눈앞이 기우뚱기우뚱. 잘 날다가 뚝 떨어지기도 해. 펑 터지기도 해. 조종간을 꽉, 이를 악물었지.

'진짜로 날고 있나?'

얼른 아래를 내려다봤더니…….

아름다워!

끝없는 산과 들과 강물이, 두 발목을 딱 붙들던 온 세상이 눈앞에서 너울너울 춤을 추네.

"이 세상아! 내 날개를 봐. 정말 자유로워. 구름을 뚫고 온몸이 날아올라."

내 이름은 <u>권기옥</u>. 사람들이 그러지, 처음으로 하늘을
<small>우리나라 최초의 여자 비행사</small>
난 우리나라 여자라고.

나는 하늘을 훨훨 날고 싶었어야. 온 세상이 너더러 날 수 없다고 말해도 날고 싶다면 이 세상 끝까지 달려가 보라. 어느 날 니 몸이 훨훨 날아오를 거야. 니 꿈을 <u>좇으며</u> 자유롭게 살게 될 거야.

보라, 니 꿈은 뭐이가?

📝 **중심 내용** **3** 나는 비행 학교에서 남학생들과 똑같이 훈련을 받고 우리나라 여자로서는 처음으로 하늘을 날았어.

> 조종간 조종사가 항공기의 비행 방향과 운동 방향을 조종하는 막대 모양의 장치. 또는 그 장치의 손잡이.

> 좇으며 목표나 꿈, 이상, 행복 따위를 추구하며.
> 예 꿈을 <u>좇으며</u> 사는 사람들은 늘 행복하다.

30 비행 학교에서 '나'의 생활은 어떠하였나요? (   )
① 훈련이 힘들어서 곧 학교를 떠났다.
② 비행기를 고치는 기술을 배우지는 않았다.
③ 여자라서 위험한 훈련을 직접 하지는 않았다.
④ 여자라서 주로 학생들을 가르치는 일을 했다.
⑤ 남학생들과 함께 힘들고 위험한 훈련을 이겨 냈다.

31 비행 학교에서 '내'가 행복했던 까닭은 무엇인가요?
(   )
① 훈련 도중에 나라가 해방되어서
② 꿈을 따라서 산다는 게 꿈만 같아서
③ 비행 학교에서 훌륭한 남편을 만나서
④ 비행 훈련을 받으면서 돈을 벌 수 있어서
⑤ 여자의 몸으로 비행 훈련을 받는다며 주위의 인기를 끌어서

32 이 이야기의 주인공인, 우리나라 최초의 여자 비행사의 이름은 무엇인가요?
(   )

🗂 **서술형·논술형 문제**

33 이 글을 읽고 느낀 점을 누리 소통망을 이용하여 쓰세요.

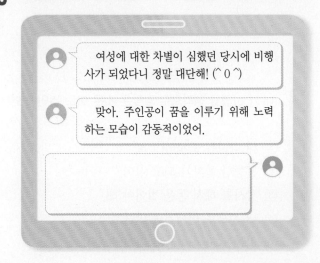

국어 교과서 58쪽

3. 「니 꿈은 뭐이가?」를 읽고 물음에 답해 봅시다.

(1) '나'는 비행기를 처음 보았을 때 어떤 기분이 들었나요?

예시 답안〉 발을 동동 구를 정도로 신났습니다. / 신기하고 놀라웠습니다. / 하늘을 날고 싶다는 생각을 했습니다.

(2) '나'는 왜 중국으로 갔나요?

예시 답안〉 우리 땅에서는 더 이상 독립 운동을 할 수 없었기 때문입니다. / 비행사가 되고 싶었기 때문입니다.

(3) '내'가 중국의 비행 학교에서 "여자는 들어올 수 없소!"라는 말을 들었을 때 어떤 기분이 들었을까요?

예시 답안〉 공정하지 못하다는 마음이 들었을 것입니다. / 억울하다는 생각이 들었을 것입니다.

(4) '나'는 비행기를 처음 탔을 때 어떤 마음이 들었나요?

예시 답안〉 자유롭다고 생각했습니다. / 세상이 아름답다고 느꼈습니다. / 꿈을 이루어 기뻤습니다.

4. 자신의 꿈을 생각하며 「니 꿈은 뭐이가?」를 다시 읽고 물음에 답해 봅시다.

> 내 이름은 권기옥. 사람들이 그러지, 처음으로 하늘을 난 우리나라 여자라고.
> 나는 하늘을 훨훨 날고 싶었어야. 온 세상이 너더러 날 수 없다고 말해도 날고 싶다면 이 세상 끝까지 달려가 보라. 어느 날 니 몸이 훨훨 날아오를 거야. 니 꿈을 좇으며 자유롭게 살게 될 거야.
>
> 보라, 니 꿈은 뭐이가?
>

(1) '나'는 자신의 꿈을 이루려고 어떻게 살았나요? '나'의 삶에 공감하며 친구와 대화를 나누어 보세요.

예시 답안〉 힘든 일도 노력해서 잘 이겨 냈습니다.

(2) 빈칸에 자신의 꿈을 쓰고, 그 꿈을 이루려면 어떻게 노력해야 하는지 생각해 보세요.

예시 답안〉 내 꿈은 아픈 사람을 치료해 주는 의사가 되는 거야. / 내 꿈은 세계를 여행하고 책을 쓰는 거야.

🔍 **자습서 확인 문제**

1
단원

1 권기옥의 꿈은 무엇이었나요?
   (1) 의사   (   )
   (2) 선생님   (   )
   (3) 비행사   (   )

2 권기옥은 꿈을 이루려고 어떤 노력을 하였나요?

(   ) 학교에 가기 위해 열심히 공부하고 당계요 장군을 만나 부탁했다.

3 권기옥이 남학생들에게도 힘든 훈련을 이겨 낼 수 있었던 까닭은 무엇인지 기호를 쓰세요.

> ㉠ 돈을 많이 벌고 싶었기 때문에
> ㉡ 부모님께 혼날 것이 걱정되었기 때문에
> ㉢ 꿈을 이루려고 노력하는 것이 기뻤기 때문에

(   )

1 다음 뜻을 가진 낱말은 무엇입니까? (   )

> 다른 사람의 감정, 의견 등에 대하여 자신도 그렇게 생각하고 느끼는 것. 또는 그렇게 느끼는 기분.

① 타협   ② 공감   ③ 회의
④ 토론   ⑤ 협동

2 다음 중 듣는 태도가 바른 대답은 어느 것입니까?

(   )

지윤아, 너에게 할 말이 있어.

① 뭘 그리 꾸물대니?   ② 됐어. 나중에 보자.
③ 그래? 무슨 일이야?   ④ 바쁘니까 빨리 말해.
⑤ 지금 꼭 들어야 하니?

3 공감하는 대화에 대해 잘못 말한 것은 어느 것입니까?

(   )

① 잘 들어 주는 대화이다.
② 상대를 배려하는 대화이다.
③ 서로 이해해 주는 대화이다.
④ 자신이 필요할 때만 하는 대화이다.
⑤ 상대의 입장에서 생각하는 대화이다.

4 다음 중 공감하는 대화에 어울리는 태도를 모두 고르시오. (,   )

① 주의를 기울여 듣는다.
② 상대의 입장에서 생각한다.
③ 관심 있어 하는 내용만 듣는다.
④ 내가 하고 싶은 말을 먼저 한다.
⑤ 나와 관련이 없는 내용은 듣지 않는다.

5 다음과 관련 있는 공감하며 대화하는 방법은 무엇입니까? (   )

> 정화: 내가 너처럼 열심히 준비를 했다면 나도 많이 실망했을 것 같아.

① 경청하기
② 흘려듣기
③ 분명하게 말하기
④ 말한 뒤에 생각하기
⑤ 처지를 바꾸어 생각하기

6 공감하며 대화하는 방법에 따라 다음 ㉠~㉢을 짝 지으시오.

> ㉠ "왜 그래? 무슨 일이야?"
> ㉡ "힘내. 다음에는 더 잘할 수 있을 거야."
> ㉢ "내가 네 입장이었다면 나라도 서운했을 거야."

(1) 관심을 가지고 잘 듣기: (   )
(2) 처지를 바꾸어 상대의 마음 생각하기: (   )
(3) 공감하며 격려하는 말 하기: (   )

📋 서술형·논술형 문제

7 공감하며 대화하면 어떤 점이 좋은지 보기 와 같이 한 가지만 더 써 보시오.

보기
• 상대의 처지를 이해할 수 있다.
• 상대의 마음을 배려하며 대화할 수 있다.

[8~10] 엄마, 고마워요

> "현욱아, 혹시 프라이팬도 닦았니?"
> "예. 제가 철 수세미로 문질러 깨끗이 닦았어요."
> "뭐라고? 철 수세미로 문질렀다는 말이니?"
> "예, 수세미로는 잘 닦이지 않아서 철 수세미를 썼어요."
> 엄마는 한숨을 한 번 쉬시고는 다시 웃음을 띠고 말씀하셨다.
> " ㉠ 그렇지만 금속으로 프라이팬 바닥을 닦으면 바닥이 벗겨져서 못 쓰게 된단다."

8 현욱이는 무엇으로 프라이팬을 닦았습니까?

( )

9 ㉠ 에 들어갈, 어머니가 현욱이의 처지를 생각해 보는 말은 어느 것입니까? ( )

① 왜 시키지도 않은 일을 하니?
② 너는 왜 하는 일마다 사고를 치니?
③ 프라이팬을 망가뜨리면 어떻게 하니?
④ 집안일을 도와주려고 설거지를 열심히 했구나.
⑤ 설거지 두 번만 했으면 그릇이 남아나지 않겠구나.

10 【보기】에서 알맞은 말을 골라 현욱이와 어머니의 공감하는 대화를 완성하시오.

> **보기**
> ① 철 수세미를 쓰면 어떻게 하니?
> ② 집안일을 도와주려고 한 거니 괜찮아.
> ③ 죄송해요. 오히려 프라이팬만 망가뜨렸어요.
> ④ 프라이팬을 아주 못 쓰게 만든 건 아니잖아요?

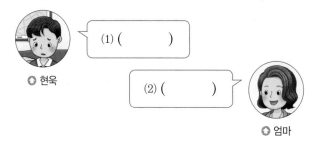

(1) ( )

(2) ( )

○ 현욱

○ 엄마

11 공감하는 대화를 할 때 상대의 이야기를 듣는 표정이나 몸짓으로 알맞지 <u>않은</u> 것은 어느 것입니까? ( )

① 손뼉을 친다.
② 고개를 끄덕인다.
③ 눈을 맞추고 웃는다.
④ 상황에 알맞은 손짓을 한다.
⑤ 고개를 숙이고 들지 않는다.

12 다음에서 알 수 있는 누리 소통망 대화의 특성은 무엇입니까? ( )

> 말할 기회가 없어서 말을 못 했는데, 정말 미안해.

① 직접 얼굴을 보고 말한다.
② 파일을 자유롭게 주고받을 수 있다.
③ 상대가 가까이 있을 때에만 대화한다.
④ 표정을 보면서 상대의 마음을 짐작할 수 있다.
⑤ 직접 말하기 어려울 때 문자로 대화할 수 있다.

🗂️ **서술형·논술형 문제**

13 다음에서 알 수 있는 누리 소통망 대화의 편리한 점은 무엇입니까?

> 〈공지〉 국악 동아리 친구들에게 알립니다. 내일 9시까지 학교 체육관으로 오세요.

_____

_____

14 다음 대화에 어울리는 그림말을 빈칸에 써넣으시오.

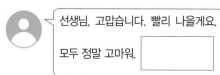

> 선생님, 고맙습니다. 빨리 나을게요.
>
> 모두 정말 고마워. [ ]

1단원

진도 완료 체크

[15~20] 니 꿈은 뭐이가?

가 그때는 일본이 조선을 다스리고 있었어. 일본이 조선 땅을 빼앗았거든. 조선 사람들은 거리로 몰려나와 소리쳤어. 나도 친구들과 거리로 몰려나와 소리쳤어.
"일본은 물러가라!"
"조선 땅에서 물러가라."

나 우리 땅에서 또 싸우다 잡히면 죽을 거야. 나는 가족을 떠나 중국으로 가는 배를 탔지. 깜깜한 밤바다, 빼앗긴 내 나라 이제 다시는 못 갈지 몰라. 못 가는 곳이 없던데, 저 비행기란 놈은……
'그래! 진짜로 비행사가 되는 거야. 비행기를 타고 날아가서 일본과 싸우는 거야!'

다 중국의 중학교부터 들어갔어. 2년 반 만에 영어와 중국어를 다 배웠지. 중국의 비행 학교를 찾아갔어.
"여자는 들어올 수 없소!"
여자는 날 수 없다네? 중국에서도.
나는 윈난성의 장군 당계요를 찾아갔어.

라 처음으로 비행기를 타는 날. 비행기에 올라타서 배운 대로 움직였지. ㉠ ! 날아올라, ㉡ ! 너무 놀라 비행기가 부릉부릉, 눈앞이 기우뚱기우뚱. 잘 날다가 ㉢ 떨어지기도 해. ㉣ 터지기도 해. 조종간을 꽉, 이를 악물었지.
'진짜로 날고 있나?'
얼른 아래를 내려다봤더니……
아름다워!
끝없는 산과 들과 강물이, 두 발목을 딱 붙들던 온 세상이 눈앞에서 너울너울 춤을 추네.

15 글 가에서 떠올릴 수 있는 역사적 사건은 무엇입니까?
(   )
① 임진왜란   ② 삼일 운동   ③ 환경 운동
④ 육이오 전쟁   ⑤ 민주화 운동

16 '내'가 비행사가 되겠다고 다짐한 까닭은 무엇입니까?
• 비행기를 타고 날아가서 [   ]과 싸우려고

17 글 다에서 당시의 사회적 분위기에 대해 알 수 있는 점은 무엇입니까? (   )
① 여자는 남자보다 배울 기회가 많았다.
② 남자는 여자보다 돈을 벌기 어려웠다.
③ 여자는 절대로 학교를 다닐 수 없었다.
④ 여자도 남자와 같이 사회 활동이 자유로웠다.
⑤ 여자는 남자보다 사회 활동이 자유롭지 못했다.

18 글 다에서 '나'는 윈난성의 장군 당계요를 찾아가 어떤 부탁을 하였겠습니까? (   )
① 일본에 가게 해 달라는 것
② 중학교에 들어가게 해 달라는 것
③ 중국에서 장사를 하게 해 달라는 것
④ 비행 학교에 들어가게 해 달라는 것
⑤ 우리 땅으로 돌아갈 수 있게 해 달라는 것

19 글 라의 ㉠ ~ ㉣에 어울리는 말을 보기에서 찾아 번호로 쓰시오.

보기
① 펑   ② 뚝   ③ 홀쩍   ④ 깜짝

(1) ㉠ : (   )   (2) ㉡ : (   )
(3) ㉢ : (   )   (4) ㉣ : (   )

📋 서술형·논술형 문제
20 이 글을 읽고 누리 소통망으로 대화하였습니다. 다음 의견에 공감하는 답글을 써 보시오.

당시에 여자가 비행사가 되기는 오늘날보다 더 힘들었을 거야. 정말 대단하다고 생각해.

2

지식이나 경험을 활용해요

더 알고 싶은 것이 있으면 이 책을 읽어 봐. 내용이 어려울지도 몰라.

잘못했어요! 제발 꺼내 주세요!

부처님께 일렀더니 손오공을 오백 년 동안 감옥에 가두셨어.

오공아, 일어나! 요괴 잡아야지!

개념 웹툰

승훈이가 삼장의 이야기를 잘 이해할 수 있었던 까닭은 무엇일까요? 스마트폰에서 확인하세요!

개념 ① 지식이나 경험을 활용해 글을 읽으면 좋은 점

① 글 내용을 더 쉽게 이해할 수 있습니다.
② 글 내용에 흥미를 가지고 읽을 수 있습니다.
③ 글 내용을 깊이 이해할 수 있습니다.
④ 이미 아는 내용과 비교하며 글을 읽을 수 있습니다.

지문 아는 내용과 비교하며 「줄다리기, 모두 하나 되는 대동 놀이」 읽기 예

개념 ② 지식이나 경험을 활용해 글을 읽는 방법

① 글과 관련 있는 내용을 조사합니다.
② 책을 고를 때 책 내용과 관련한 지식이나 경험을 떠올리며 읽을 수 있을지 생각합니다.
③ 글을 읽다가 잘 모르는 내용이 나오면 먼저 관련 있는 지식을 공부합니다.
④ 글을 골라 읽을 때에는 관련 지식이나 경험이 많은 것으로 고릅니다.

지문 지식이나 경험을 활용하며 「조선의 냉장고 '석빙고'의 과학」 읽기 예

개념 ③ 체험한 일을 떠올리며 감상이 드러나는 글 쓰기

① 글로 쓸 체험을 떠올립니다.
② 글에 들어갈 체험과 감상의 내용을 간단히 정리합니다.
③ 처음, 가운데, 끝에 들어갈 내용을 정리합니다.
④ 체험과 감상이 잘 드러나게 글을 씁니다.

활동 체험한 일을 떠올리며 글을 쓸 때 쓸 내용

체험을 쓸 때	• 인상 깊은 체험을 중심으로 씁니다. • 본 것, 한 것, 들은 것 등을 자세히 풀어 씁니다.
감상을 쓸 때	• 체험에 대한 생각이나 느낌이 생생하게 전달되도록 씁니다.

개념 ④ 지식이나 경험을 활용해 함께 글 고치기

① 글 내용에 대해 보충해야 할 부분을 말합니다.
② 읽는 사람의 처지에서 이해하기 쉽게 말해 줍니다.
③ 글의 목적이 분명한지 살펴보고 말해 줍니다.

활동 평가 기준표 예

구분	평가 기준
내용	• 체험한 일을 자세히 풀어 썼는가? • 글 내용이 정확한가? • 어떤 일인지 이해하기 쉬운가?
조직	• 글 내용에 따라 문단을 구분했는가? • 처음, 가운데, 끝으로 나누었는가? • 사실과 의견을 구분해 썼는가?
표현	• 체험한 일을 생생하게 표현했는가? • 정확한 표현을 사용했는가? • 알기 쉬운 표현을 사용했는가?

줄다리기, 모두 하나 되는 대동 놀이

· 글의 특징: 줄다리기를 하는 과정과 까닭, 줄다리기에 담긴 조상의 지혜에 대해 설명하는 글입니다.

1 준비하는 과정이 더 즐거운 영산 줄다리기

줄다리기는 줄을 당길 때보다 줄다리기를 준비하는 과정에 더 많은 뜻이 있습니다. 영산 줄다리기는 어른들보다 아이들이 먼저 겨룹니다. 작은 줄을 만들어 어른들이 하는 것처럼 아이들이 경기를 벌이지요. 아이들 줄다리기가 끝나고 어느 편이 이겼다는 소리가 돌면 그제야 장정들이 나섭니다. ㉠장정들은 집집을 돌면서 짚을
나이가 젊고 기운이 좋은 남자.
모아 마을 사람들과 함께 줄을 만들지요. 음력 정월은
농한기라서 마을 사람이 모두 모여 줄을 만드는 일에만
농사일이 바쁘지 아니하여 여유가 많은 때.
매달릴 수 있어요.

줄다리기하는 모습을 실제로 본 적 있나요? 줄다리기에 쓰이는 줄은 엄청나게 굵답니다. 옛날에는 어른이 줄 위에 걸터앉으면 발이 땅에 닿지 않을 정도였다고 해요. 요즈음 ㉡영산 줄다리기에 쓰는 줄은 예전에 비하여 훨씬 가늘고 짧아졌는데도 굵기가 1.5미터, 길이가 40미터가 넘습니다. 또 암줄, 수줄로 나누어져 있지요.

암줄, 수줄 줄다리기에서 각각 암컷과 수컷을 상징하는 줄. 암줄은 수줄의 머리를 끼울 수 있게 만든 둥근 고리가 있음.

줄을 다 만들면 여러 마을에서 모인 농악대가 앞장을 서고, 그 뒤로 수백 명의 장정이 줄을 어깨에 메고서 줄다리기할 곳으로 줄을 옮깁니다. 그리고 노인들과 아이들, 여자들이 행렬 끝에 서서 쫓아갑니다. 이렇게 줄을 메고 가는 모습을 멀리서 보면, 마치 용이 꿈틀거리는 것 같답니다.

드디어 ㉢줄을 당길 장소에 다다르면 양편에서는 상대의 기를 누르려고 있는 힘을 다하여 함성을 질러요. 이 소리에 영산 지방 전체가 쩌렁쩌렁 울릴 정도이지요.

그렇지만 장소에 도착하자마자 줄을 당기는 것은 아닙니다. 한동안 암줄과 수줄을 합하지 않고 어르기만 하
상대를 놀리며 달래거나 장난하기만.
다가 어느 정도 시간이 지난 뒤에야 암줄에 수줄을 끼우고 비녀목을 지릅니다. 그러고 나서 양편에서 서로 힘차게 줄을 당겨서 승부를 가리지요. 이때 모두 신이 나서 자기편을 응원합니다.

중심 내용 1 아이들의 줄다리기가 끝나면 마을 사람이 모여 줄을 만들고, 다 만든 줄을 줄다리기할 곳으로 옮긴 뒤 함성을 지르다가 줄다리기를 합니다.

비녀목 줄다리기에서, 암줄에 수줄을 끼울 때 벗겨지지 않게 하려고 수줄 가닥 사이에 끼우는 나무.

2 단원

---

1 이 글을 읽을 때 도움이 되는 지식이나 경험을 떠올렸습니다. 알맞지 <u>않은</u> 것은 어느 것인가요? ( )

① 운동회 때 해 본 줄다리기

② 우리나라 민속 놀이 중 하나

줄다리기

③ 줄을 돌리는 사람과 뛰는 사람이 있다.

④ 뒤로 눕듯이 당기면 더 세게 당길 수 있다.

교과서 문제

2 음력 정월에 사람들이 모여 함께 줄을 만들 수 있었던 까닭은 무엇인가요?

· 음력 정월은 [   ]라서 사람들이 모여

줄을 만들 수 있기 때문에

3 다음은 ㉠~㉢ 중 어느 부분을 읽으면서 한 생각일까요?

줄다리기를 하는 줄의 굵기가 15센티미터 정도일 것이라고 생각했는데 영산 줄다리기는 그것보다 열 배나 더 굵은 줄을 사용하는 놀이라니 놀라워.

( )

4 영산 줄다리기를 하는 순서대로 번호를 쓰세요.

① 줄다리기할 곳으로 줄을 옮김.
② 아이들이 줄다리기 경기를 함.
③ 마을 사람이 모두 모여 줄을 만듦.
④ 암줄에 수줄을 끼우고 서로 줄을 당김.

( ) → ( ) → ( ) → ( )

2 풍년을 기원하는 줄다리기

우리 조상들은 왜 줄을 만들어 서로 당기는 놀이를 했을까요? 그것은 농사와 관련이 깊어요. 오랜 세월 동안 농사를 지어 온 우리 조상들의 가장 큰 소망은 <u>풍년</u>이었어요. 농사가 잘되려면 물이 가장 중요하고요. 그런데 우리 조상들은 용이 물을 다스리는 신이라고 생각했답니다. 그래서 용을 닮은 줄을 만들고 흥겹게 줄다리기를 해서 용을 기쁘게 하려고 했어요. 물의 신인 용을 즐겁고 기쁘게 해야 풍년이 들 테니까요.

또 조상들은 계절이 바뀌는 이유가 신들끼리 힘겨루기를 하기 때문이라고 생각했답니다. 봄부터 가을까지는 착한 신들의 힘이 세지만 추운 겨울에는 악한 신들의 힘이 더 세진다고 여겼어요. 그래서 새해의 첫 달인 <u>정월</u>에 힘이 약해진 착한 신들을 도울 수 있는 놀이를 했답니다. 그것이 바로 여럿이 힘을 모아 겨루는 윷놀이나 줄다리기였던 거예요.

줄다리기 (그림 위 작은 글씨)
반대말 - 흉년
음력 1월

✏️ **중심 내용 2** 농사를 짓는 우리 조상들은 물을 다스리는 용을 기쁘게 하고 계절을 다스리는 착한 신들을 돕는 의미로 정월에 줄다리기를 하였습니다.

풍년 곡식이 잘 자라고 여물어 평년보다 수확이 많은 해.
기원(祈빌 기 願원할 원) 바라는 일이 이루어지기를 빎.

---

3 마음을 한데 모으는 놀이

조상들은 <u>대보름</u>이면 모든 일을 제쳐 두고 줄다리기 준비에 정성을 쏟았어요. 그리고 마을 사람이 모두 함께 줄다리기를 했지요. 온 마을이 참여해서 집집마다 짚을 거두고 놀이에 필요한 돈과 일손을 내어 줄을 만들어 놀이를 한다는 게 생각 처럼 쉬운 일은 아니 랍니다. 그런데도 해 마다 줄다리기를 거 르는 법이 없었어요. 여기에는 봄기운이 시작되는 정월에 풍년을 기원하고, 줄다리기라는 큰 행사를 치르면서 마을 사람들이 마음을 한데 모아 무사히 한 해 농사를 지으려는 지혜가 담겨 있어요. 영산 줄다리기는 1969년에 **국가 무형 문화재**로 지정되었답니다.

음력 1월 15일 (그림 위 작은 글씨)

✏️ **중심 내용 3** 줄다리기에는 봄기운이 시작되는 정월에 풍년을 기원하고 마을 사람들이 마음을 한데 모아 무사히 농사를 지으려는 조상의 지혜가 담겨 있습니다.

국가 무형 문화재 연극, 무용, 음악, 기술과 같이 형태가 없는 문화재로, 그 가치와 중요성을 인정받아 국가에서 지정한 문화재.

🎓 교과서 문제

5 조상들은 왜 용을 닮은 줄을 만들어 줄다리기를 했나요? (　　　)

① 용이 무서운 동물이라고 믿어서
② 용이 계절을 다스린다고 생각해서
③ 불의 신인 용을 달래서 화재를 막으려고
④ 물의 신인 용을 기쁘게 해서 풍년이 들게 하려고
⑤ 물의 신인 용을 기쁘게 해서 시원한 여름을 보내려고

6 글의 내용으로 보아, 제목 '줄다리기, 모두 하나 되는 대동 놀이'에 쓰인 '대동'의 뜻은 무엇일까요? (　　　)

① 풍년이 들다.　　② 소리를 지르다.
③ 모두가 즐겁다.　　④ 아이가 크게 자라다.
⑤ 여럿이 힘을 합치다.

🎓 교과서 문제

7 줄다리기에 담긴 조상의 지혜는 무엇인가요? (　　　)

① 건강한 몸을 만들려는 지혜
② 우수한 지도자를 뽑으려는 지혜
③ 계절의 원리를 이해하여 농사를 지으려는 지혜
④ 마음을 한데 모아 자연을 보호하고자 하는 지혜
⑤ 사람들의 마음을 한데 모아 농사를 지으려는 지혜

8 다음은 글을 읽으며 윤지가 한 생각입니다. 어떤 내용을 떠올렸는지 표에 알맞은 번호를 쓰세요.

① 또 다른 국가 무형 문화재에는 무엇이 있는지 궁금해.

② 풍물놀이도 풍년을 기원하며 많이 해 왔다고 배웠어.

(1) 이미 아는 내용을 떠올림.	
(2) 더 알아보고 싶은 내용을 떠올림.	

조선의 냉장고 '석빙고'의 과학

· 글쓴이: 윤용현
· 글의 특징: 석빙고의 원리에 대하여 설명하는 글입니다.

1 여름철 무더위가 시작되면 누구나 냉장고 속의 시원한 얼음과 아이스크림, 그리고 선풍기와 에어컨 등을 떠올릴 것이다. 이것은 더위를 이기려는 한 방법이다. 그렇다면 우리 조상들은 무더위를 이기려고 어떻게 노력했을까? 우리 조상들이 살던 시대에도 냉장고가 있었을까? 결론적으로 말하자면 냉장고는 아니지만 냉장고 역할을 하는 석빙고가 있었다.

중심 내용 **1** 더위를 이기기 위해 우리 조상들에게는 냉장고 역할을 하는 석빙고가 있었다.

2 현대인의 생활필수품인 냉장고는 냉기나 얼음을 인공적으로 만드는 기계 장치이지만, 빙고는 겨울에 보관
  (찬 기운.)
해 두었던 얼음을 봄·여름·가을까지 녹지 않게 효과적으로 보관하는 냉동 창고이다. 우리나라에서 얼음을 보관하기 시작했다는 기록은 『삼국사기』에 나타난다. 또한 신라 시대 때에는 얼음 창고에 관한 일을 맡아보던 '빙고전'이라는 기관이 있었다고 한다. 고려 시대에 얼음을 보관하여 사용한 기록은 『고려사』에 나타나는데, 음력 4월에 임금에게 얼음을 진상한 기록이 있고 또 법으로 해마
  (진귀한 물품이나 지방의 토산물 따위를 임금이나 고급 관리에게 바침.)
다 6월부터 입추까지 신하들에게 얼음을 나누어 준 기록
  (24절기 중 하나로, 가을이 시작된다고 하는 때. 양력으로 8월 8일이나 9일경.)
이 있다.

조선 시대에는 서울 한강가에 얼음 창고를 만들었는데, 동빙고와 서빙고를 두었다. 동빙고는 왕실의 제사에 쓰일 얼음을 보관했고, 서빙고는 음식 저장용, 식용, 또는 의료용으로 쓸 얼음을 왕실과 고급 관리들에게 공급했다. 조선 시대의 빙고는 정식 관청이었으며, 얼음의 공급 규정을 법으로 엄격히 규정할 만큼 얼음의 공급을 중요하게 여겼다.

한겨울의 얼음을 보관했다가 쓰는 기술을 장빙이라고 했다. 우리나라는 여름과 겨울의 기온 차가 커서 옛날부터 장빙 기술이 크게 발달했다. 장빙 기술을 활용한 석빙고는 현재 일곱 개가 남아 있는데, 남한에는 경주, 안동, 영산, 창녕, 청도, 현풍에 각각 한 개가, 북한 해주에 한 개가 남아 있다. 그중 가장 완벽한 것이 바로 경주의 석빙고이다.

중심 내용 **2** 조상들은 빙고를 만들어 얼음을 보관해 왔다. 우리나라는 옛날부터 장빙 기술이 크게 발달했는데 장빙 기술을 활용한 석빙고 중 가장 완벽한 것이 경주의 석빙고이다.

9 '빙고'에 대해 바르게 이해한 것을 모두 고르세요.
(,)

① 얼음을 보관하는 창고였다.
② 조선 시대에 처음 사용하였다.
③ 오늘날의 냉장고 역할을 하였다.
④ 물을 얼려 얼음을 만드는 도구이다.
⑤ 냉기를 인공적으로 만드는 장치이다.

10 조선 시대 동빙고와 서빙고의 역할을 선으로 이으세요.

(1) 동빙고 ·   · ① 왕실 제사에 쓰일 얼음을 보관하였다.

(2) 서빙고 ·   · ② 왕실과 고급 관리들의 식용, 의료용 얼음을 보관하였다.

11 한겨울의 얼음을 보관했다가 쓰는 기술을 무엇이라고 하였나요?
( )

12 이 글을 읽으면서 다음과 같은 지식을 떠올리면 어떤 점이 좋을지 알맞은 것에 ○표 하세요.

> 기체는 온도가 높은 기체가 위로 올라가면서 열이 이동한다.

(1) 옛날에 공기가 맑았던 까닭을 이해하는 데 도움이 될 것이다. ( )
(2) 얼음을 오랫동안 보관할 수 있는 원리를 이해하는 데 도움이 될 것이다. ( )

❸ 보물인 경주 석빙고는 1738년에 만들었으며, 입구에서부터 점점 깊어져 창고 안은 길이 14미터, 너비 6미터, 높이 5.4미터이다. 석빙고는 온도 변화가 적은 반지하 구조로 한쪽이 긴 흙무덤 모양이며, 바깥 공기가 들어오지 않도록 출입구의 동쪽은 담으로 막고 지붕에는 구멍을 뚫었다.

지붕은 이중 구조인데 바깥쪽은 열을 효과적으로 막아 주는 진흙으로, 안쪽은 열전달이 잘되는 화강암으로

_{진흙+화강암}

만들었다. 천장은 반원형으로 기둥 다섯 개에 장대석이

_{돌층계나 축대를 쌓는 데 쓰는, 길게 다듬어 만든 돌.}

걸쳐 있고, 장대석을 걸친 곳에는 밖으로 통하는 공기구멍이 세 개가 나 있다. 이 구멍은 아래쪽이 넓고 위쪽은 좁은 직사각형 기둥 모양인데, 이렇게 함으로써 바깥에서 바람이 불 때 빙실 안의 공기가 잘 빠져나온다. ㉠즉, 열로 데워진 공기와 출입구에서 들어오는 바깥의 더운 공기가 지붕의 구멍으로 빠져나가기 때문에 빙실 아래의 찬 공기가 오랫동안 머물 수 있어 얼음이 적게 녹는 것이다. 또한 지붕에는 잔디를 심어 태양열을 차단했고, 내부 바닥 한가운데에 배수로를 5도 경사지게 파서 얼음

에서 녹은 물이 밖으로 흘러 나갈 수 있는 구조를 갖추어 과학적이다.

여기에다가 석빙고의 얼음을 왕겨나

_{벼의 겉에서 맨 처음 벗긴 굵은 껍질.}

짚으로 싸 보관했다. 왕겨나 짚은 단열 효과를 높이기도

_{열이 통하지 않도록 막는 효과.}

하지만, 얼음이 약간 녹을 때 주변 열도 흡수하므로 왕겨나 짚의 안쪽 온도가 낮아져 얼음을 오랫동안 보관할 수 있다.

✏️**중심 내용 ❸** 석빙고는 이중 구조로 된 지붕과 세 개의 공기구멍, 물을 배수하기 위한 경사진 배수로 등 과학적인 구조를 갖추고 있다.

❹ 석빙고는 자연 그대로의 순환 원리에 맞춰 계절의 변화와 돌, 흙, 바람, 지형 등을 활용해 자연 상태에서 가장 효과적으로 얼음을 오랫동안 저장할 수 있는 구조로 되어 있다. 이러한 시설은 세계적으로도 드문데 조상들의 과학적인 지혜를 한껏 엿볼 수 있다.

✏️**중심 내용 ❹** 석빙고는 자연 상태에서 가장 효과적으로 얼음을 오랫동안 저장할 수 있는 시설로서, 조상들의 과학적인 지혜를 엿볼 수 있다.

---

13 석빙고의 지붕은 어떤 구조로 되어 있는지 다음 단면도에 알맞은 재료 이름을 써넣으세요.

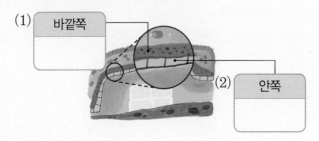

(1) 바깥쪽

(2) 안쪽

🍪 **교과서 문제**

14 경주 석빙고가 과학적이라고 말할 수 있는 까닭 세 가지를 모두 고르세요. (　　,　　,　　)

① 지붕에 잔디를 심어 태양열을 차단했다.
② 더운 공기가 빠져나가도록 지붕에 구멍이 있다.
③ 얼음에서 녹은 물은 배수로를 통해 흘러 나간다.
④ 기둥 다섯 개에는 아름다운 무늬가 새겨져 있다.
⑤ 한 번에 많은 얼음을 꺼낼 수 있게 출입구가 넓다.

15 ㉠을 잘 이해한 그림에 ○표 하세요.

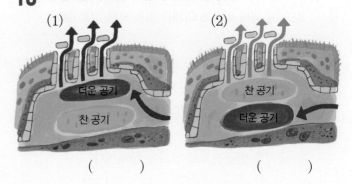

(1) 더운 공기 / 찬 공기

(2) 찬 공기 / 더운 공기

(　　　　)　　　　(　　　　)

16 석빙고에 대해 바르게 말한 것에 모두 ○표 하세요.

(1) 세계 여러 곳에서 찾아볼 수 있다. (　　　)
(2) 자연 그대로의 순환 원리를 활용했다. (　　　)
(3) 조상들의 과학적인 지혜가 담겨 있다. (　　　)

17 체험한 일을 글로 쓰려고 합니다. 다음 떠올린 내용을 항목에 따라 표에 정리하세요.

> ㉠ 경주 문화재 견학
> ㉡ 지난 겨울방학 때, 경주에서
> ㉢ 조상들의 지혜와 예술성에 감탄했다.
> ㉣ 천마총, 불국사, 석굴암 등을 관람하였다.

체험한 일	㉠	(1) 언제 어디에서	
(2) 체험 내용		(3) 생각이나 느낌	

18 다음 체험 내용과 어울리는 감상을 선으로 이으세요.

체험		감상
(1) 천마총 관람	• ①	암벽 안에 앉아 있는 부처가 인자해 보였다.
(2) 불국사 관람	• ②	오래된 소나무가 불국사를 지키는 군사들 같았다.
(3) 석굴암 관람	• ③	천마가 하늘로 날아오를 것 같았다.

19 글의 처음, 가운데, 끝에 들어갈 내용을 정리하였습니다. (1)~(3)에 들어갈 내용을 보기 에서 고르세요.

처음	• ((1)) • 가는 길
가운데	• 천마총, 불국사, 석굴암 • ((2))
끝	• 돌아오는 길 • ((3))

보기
> ㉠ 여행하게 된 까닭
> ㉡ 여행을 마친 감상, 생각한 점
> ㉢ 천마총, 불국사, 석굴암에 대한 느낌

(1) (   ) (2) (   ) (3) (   )

[20~22] 다음 글을 읽고 물음에 답하세요.

가 상설 전시실 바로 위에는 '한글 놀이터'와 '한글 배움터' 그리고 '특별 전시실'이 있었다. 아이들이 놀면서 한글을 배울 수 있는 '한글 놀이터', 한글에 익숙하지 않은 사람들을 위해 마련한 '한글 배움터'는 모두 체험과 놀이를 하면서 한글을 이해하도록 만들어졌다는 점이 흥미로웠다. '특별 전시실'에서는 국립한글박물관 개관 기념 특별전을 진행했는데, '세종 대왕, 한글문화 시대를 열다'라는 기획 아래 세종 대왕의 업적과 일대기, 세종 시대의 한글문화, 세종 정신 따위를 주제로 한 전통적인 유물과 이를 현대적으로 해석한 현대 작가의 작품을 만날 수 있었다.

나 박물관을 관람하면서 책과 화면으로만 봤던 한글 유물을 직접 볼 수 있어서 신기하고 즐거웠다. 그뿐만 아니라 날마다 세 번씩 운영하는 해설이 있는 관람 프로그램을 활용하면 더 많은 지식을 쌓으며 관람할 수 있겠다는 생각이 들었다. 이번 관람으로 국어 시간에 배웠던 한글을 더 생생하고 자세하게 배우는 소중한 기회를 얻어서 무척 뿌듯했다.

20 글쓴이가 체험한 일은 무엇인가요?

➡ 한글 놀이터, 한글 배움터, (   )을 관람하였다.

21 글 가 와 나 는 주로 무엇을 중심으로 썼는지 이으세요.

(1)	가	•	• ①	체험에 대한 감상
(2)	나	•	• ②	체험한 내용

🖎 서술형·논술형 문제

22 이와 같은 글을 쓰는 방법을 보기 와 같이 두 가지만 더 써 보세요.

보기
> 인상 깊은 체험을 중심으로 쓴다.

_____

_____

가 국립한글박물관을 찾았다. 국립한글박물관은 '한글'로만 기록한 한글 자료와 한글을 활용한 작품들을 전시해 놓은 곳이다. 국립한글박물관은 용산 국립중앙박물관 옆에 있다. 우리 가족은 집 근처에서 지하철을 타고 가서 '박물관 나들길'을 이용해 박물관까지 걸어갔다. 이정표를 따라 걷다 보니 큰 박물관 건물이 눈에 들어왔다.

나 처음 발끝이 닿은 장소는 2층 '한글이 걸어온 길' 상설 전시실이었다. 전시실 이름처럼 '한글이 걸어온 길'을 주제로 마련한 상설 전시실은 총 3부로 구성되었다. 1부 주제는 '새로 스물여덟 자를 만드니'로, 세종 25년 한글이 그 모습을 드러내던 때를 살펴볼 수 있었고, 2부 주제는 '쉽게 익혀서 편히 쓰니'이며, 마지막으로 3부 주제는 '세상에 널리 퍼져 나아가니'이다. 상설 전시실의 이름이 한글의 역사를 잘 말해 주는 것 같았다.

	글에 대한 의견
민주	내 경험으로는 지하철역에서 국립한글박물관까지 걸어가는 길 주변 건물의 모습이 인상 깊었다. 글 가 에 이런 부분을 덧붙이면 글이 더 생생하게 느껴질 것이다.
동호	문장 중간중간에 감상을 넣어 주면 글쓴이가 어떻게 느꼈는지 알 수 있어서 좋을 것 같다. 지금은 글 가 와 나 모두 체험에 비해 감상이 부족해 보인다.
정욱	글 나 에서 '발끝이 닿은 장소'보다는 '발길이 닿은 장소'가 더 자연스럽다.
성민	상설 전시실이라는 낱말의 뜻이 조금 어려워 보인다. 간단히 뜻을 설명해 주면 좋겠다.
유원	글 나 에서 한글을 설명할 때 4학년 1학기 때 배운 『훈민정음해례본』 내용도 함께 설명하면 읽는 사람이 이해하기 쉬울 것이다.

23 글 가 에서 글쓴이가 찾아간 곳은 어디인가요?

( )

24 글에 대한 민주의 의견에 대해 바르게 말한 것을 모두 고르세요. (,)

① 가 에서 사실과 다른 부분을 지적하였다.
② 가 에 체험 시간을 쓰라는 의견을 말하였다.
③ 가 와 관련된 자신의 경험을 활용해서 말하였다.
④ 가 글을 더 생생하게 쓸 수 있는 방법을 말하였다.
⑤ 가 에서 잘못 알고 있는 부분을 고치도록 말하였다.

25 동호는 글쓴이가 쓴 글에서 무엇이 부족해 보인다고 하였나요?

( )

26 정욱이와 성민이가 말한 의견은 다음 평가 기준 중 무엇과 관련이 있나요? ( )

① 사실과 의견을 구분하여 썼는가?
② 체험한 일을 자세히 풀어 썼는가?
③ 글 내용에 따라 문단을 구분했는가?
④ 처음, 가운데, 끝으로 나누어 썼는가?
⑤ 정확하고 알기 쉬운 표현을 사용했는가?

27 이와 같이 친구의 글을 읽고 자신의 의견을 말하는 방법으로 알맞지 않은 것은 어느 것인가요? ( )

① 읽는 사람의 입장에서 고칠 점을 생각한다.
② 함께 만든 평가 기준에 맞추어 말하면 좋다.
③ 고칠 점과 함께 좋은 점에 대한 의견도 말한다.
④ 글쓴이의 감상보다 나의 감상이 옳다고 말한다.
⑤ 같은 의견이라도 상대가 기분 나쁘지 않게 말한다.

1 현장 체험학습을 계획할 때 지식이나 경험 활용하기

내가 가 본 곳 가운데에서 친구들이 좋아할 만한 곳을 추천할 수 있을 것 같아.

체험학습 장소를 친구들에게 설명할 때 수업 시간에 배운 지식을 활용하면 좋겠어.

활동을 계획할 때에도 지식이나 경험을 활용할 수 있어.

2 현장 체험학습을 계획할 때 무엇을 정해야 할지 이야기하기

시간에 따라 어떻게 이동할지 계획해야 할 것 같아.

각 장소에서 어떤 활동을 할지도 정해야 해.

어디서 어떤 것을 먹을지도 중요해.

3 현장 체험학습 계획에 대한 발표 자료 만들기

컴퓨터 프로그램을 이용해 사진과 동영상을 보여 주는 것이 어떨까?

안내 책자를 만들어 나누어 주고 그것을 중심으로 발표하는 것이 좋을 것 같아.

시청각 설명 자료를 만들면 효과적일 것 같아.

4 발표할 내용을 정해 발표 연습하기

나는 교실을 현장 체험학습 장소라고 생각하고 직접 교실에서 움직이며 발표할 거야.

나는 역할극을 보여 주며 설명하고 싶어.

나는 해설사가 되어서 장소를 설명할 거야.

2
단원

---

28 **1**에서 떠올린 현장 체험학습 장소와 추천하는 까닭을 선으로 이으세요.

(1) 민속 박물관 · · ① 독립운동의 역사를 배울 수 있다.

(2) 독립 기념관 · · ② 조상들의 생활 모습을 엿볼 수 있다.

(3) 119 안전 체험관 · · ③ 안전하게 생활하는 방법을 배울 수 있다.

29 **2**에서 계획할 내용으로 알맞지 <u>않은</u> 것은 어느 것인가요? (　　　)

① 체험 활동 계획
② 식사나 간식 계획
③ 시간에 따른 이동 계획
④ 현장 체험학습을 가서 느낀 점
⑤ 현장 체험학습 장소까지 가는 교통편

30 **3**에서 친구들에게 보여 줄 발표 자료에는 어떤 내용이 있을지 보기 와 같이 한 가지만 더 써 보세요.

보기
· 입장료 · 관람 시간
· 교통편 약도 · 현장 체험학습 장소 사진

(　　　　　　　　　　)

31 위와 같이 현장 체험학습 장소에 대해 발표하는 자세로 알맞지 <u>않은</u> 것은 어느 것인가요? (　　　)

① 제시한 자료만 그대로 읽으면서 발표한다.
② 강조하고 싶은 부분은 자세하게 발표한다.
③ 발표할 항목을 떠올려서 순서대로 발표한다.
④ 발표에 사용하는 자료는 반드시 출처를 밝힌다.
⑤ 자신이 계획한 체험 내용과 특징을 중심으로 발표한다.

[1~4] 줄다리기, 모두 하나 되는 대동 놀이

영산 줄다리기는 어른들보다 아이들이 먼저 겨룹니다. 작은 줄을 만들어 어른들이 하는 것처럼 아이들이 경기를 벌이지요. 아이들 줄다리기가 끝나고 어느 편이 이겼다는 소리가 돌면 그제야 장정들이 나섭니다. 장정들은 집집을 돌면서 짚을 모아 마을 사람들과 함께 줄을 만들지요. 음력 정월은 ㉠농한기라서 마을 사람이 모두 모여 줄을 만드는 일에만 매달릴 수 있어요.

줄다리기하는 모습을 실제로 본 적 있나요? 줄다리기에 쓰이는 줄은 엄청나게 굵답니다. 옛날에는 어른이 줄 위에 걸터앉으면 발이 땅에 닿지 않을 정도였다고 해요. 요즈음 영산 줄다리기에 쓰는 줄은 예전에 비하여 훨씬 가늘고 짧아졌는데도 굵기가 1.5미터, 길이가 40미터가 넘습니다. 또 암줄, 수줄로 나누어져 있지요.

1 이 글의 중심 글감은 무엇입니까? (   )

① 농사짓기   ② 줄 만들기
③ 음력 정월   ④ 영산 줄다리기
⑤ 운동회 줄다리기

2 글에서 짐작할 수 있는 ㉠의 뜻은 무엇입니까? (   )

① 추수할 때   ② 모내기할 때
③ 농사를 시작할 때   ④ 농사일이 바쁠 때
⑤ 농사일이 한가할 때

3 이 글을 읽을 때 도움이 될 만한 경험을 쓰시오.

(   )

4 오늘날 영산 줄다리기에 쓰이는 줄에 대해 바르게 설명한 것을 모두 고르시오. (,   )

① 가죽으로 만든다.   ② 옛날보다 더 굵다.
③ 굵기가 1.5미터이다.   ④ 암줄과 수줄이 있다.
⑤ 길이는 20미터 정도이다.

[5~7] 줄다리기, 모두 하나 되는 대동 놀이

우리 조상들은 왜 줄을 만들어 서로 당기는 놀이를 했을까요? 그것은 농사와 관련이 깊어요. 오랜 세월 동안 농사를 지어 온 우리 조상들의 가장 큰 소망은 풍년이었어요. 농사가 잘되려면 물이 가장 중요하고요. 그런데 우리 조상들은 용이 물을 다스리는 신이라고 생각했답니다. 그래서 용을 닮은 줄을 만들고 흥겹게 줄다리기를 해서 용을 기쁘게 하려고 했어요. 물의 신인 용을 즐겁고 기쁘게 해야 풍년이 들 테니까요.

5 무엇에 대해 설명하고 있습니까?

• 우리 조상들이 _____

6 우리 조상들의 생각을 다음과 같이 정리하였습니다. 빈칸에 알맞은 말을 써넣으시오.

> 농사가 잘되려면 (①   )이 가장 중요하다.

↓

> (②   )은 물을 다스리는 신이다.

↓

> 줄다리기를 해서 용을 기쁘게 하면 (③   )이 든다.

7 이 글을 읽을 때 떠올릴 수 있을 만한 지식으로 알맞은 것에 모두 ○표 하시오.

(1) 우리 문화는 농사를 중심으로 발달하였다.
(   )

(2) 지구는 하루에 한 번 도는데 이것을 자전이라고 한다.
(   )

(3) 예로부터 우리 조상들은 용을 신령스러운 동물로 여겼다.
(   )

[8~10] 조선의 냉장고 '석빙고'의 과학

조선 시대에는 서울 한강가에 얼음 창고를 만들었는데, 동빙고와 서빙고를 두었다. 동빙고는 왕실의 제사에 쓰일 얼음을 보관했고, 서빙고는 음식 저장용, 식용, 또는 의료용으로 쓸 얼음을 왕실과 고급 관리들에게 공급했다. 조선 시대의 빙고는 정식 관청이었으며, 얼음의 공급 규정을 법으로 엄격히 규정할 만큼 얼음의 공급을 중요하게 여겼다.

한겨울의 얼음을 보관했다가 쓰는 기술을 장빙이라고 했다. 우리나라는 여름과 겨울의 기온 차가 커서 옛날부터 장빙 기술이 크게 발달했다.

8 조선 시대의 빙고에 대해 **잘못** 말한 것은 어느 것입니까? (   )

① 정식 관청이었다.
② 동빙고와 서빙고가 있었다.
③ 얼음 공급 규정을 법으로 정하였다.
④ 동빙고는 왕실 제사에 쓰일 얼음을 보관했다.
⑤ 서빙고의 얼음은 누구나 자유롭게 쓸 수 있었다.

9 다음 두 낱말의 뜻으로 보아, 두 낱말에 쓰인 '빙' 자는 어떤 뜻을 나타내겠습니까? (   )

> • 빙고: 얼음 창고.
> • 장빙: 얼음을 보관했다가 쓰는 기술.

① 얼음   ② 기술   ③ 보관
④ 창고   ⑤ 여름

10 이 글을 읽던 현수가 알고 있던 점과 궁금한 점은 무엇인지 쓰시오.

> 현수: 석빙고에 얼음을 보관할 수 있다고 들었는데, 얼음이 녹지 않게 하는 방법은 무엇이었을까?

(1) 알고 있던 점	( )에 얼음을 보관할 수 있다.
(2) 궁금한 점	석빙고의 ( )이 녹지 않게 보관하는 ( )

[11~14] 조선의 냉장고 '석빙고'의 과학

석빙고는 온도 변화가 적은 반지하 구조로 한쪽이 긴 흙무덤 모양이며, 바깥 공기가 들어오지 않도록 출입구의 동쪽은 담으로 막고 지붕에는 구멍을 뚫었다.

지붕은 이중 구조인데 바깥쪽은 열을 효과적으로 막아 주는 진흙으로, 안쪽은 열전달이 잘되는 화강암으로 만들었다. 천장은 반원형으로 기둥 다섯 개에 장대석이 걸쳐 있고, 장대석을 걸친 곳에는 밖으로 통하는 공기 구멍이 세 개가 나 있다. 이 구멍은 아래쪽이 넓고 위쪽은 좁은 직사각형 기둥 모양인데, 이렇게 함으로써 바깥에서 바람이 불 때 빙실 안의 공기가 잘 빠져나온다. 즉, ㉠열로 데워진 공기와 출입구에서 들어오는 바깥의 더운 공기가 지붕의 구멍으로 빠져나가기 때문에 빙실 아래의 찬 공기가 오랫동안 머물 수 있어 얼음이 적게 녹는 것이다.

11 석빙고가 반지하 구조로 만들어진 까닭은 무엇입니까?

• 반지하 구조는 [   ] 가 적기 때문에

12 석빙고에 공기구멍이 있는 까닭은 무엇입니까? (   )

① 내부를 잘 보기 위해서
② 더운 공기를 내보내기 위해서
③ 석빙고의 얼음을 꺼내기 위해서
④ 빗물이 안으로 들어가게 하기 위해서
⑤ 찬 공기를 안으로 들여보내기 위해서

13 석빙고 지붕의 이중 구조에서, 바깥의 더운 열기를 차단하기 위해 쓰인 재료는 무엇입니까?

(   )

📋 **서술형·논술형 문제**

14 ㉠과 관련된, 과학 시간에 배운 지식을 써 보시오.

_____

_____

15 체험한 일을 떠올리며 감상이 드러나는 글을 쓰는 방법으로 알맞지 <u>않은</u> 것은 어느 것입니까? (   )

① 보고 듣고 느낀 것 등을 쓴다.
② 인상 깊은 체험이 잘 드러나게 쓴다.
③ 인물의 성격과 사건을 구분하여 쓴다.
④ 글 내용에 따라 문단을 구분하여 쓴다.
⑤ 체험에 대한 생각이나 느낌이 잘 드러나게 쓴다.

16 다음 문장은 어떤 내용을 중심으로 표현하였습니까?

(   )

> '특별 전시실'에서는 국립한글박물관 개관 기념 특별전을 진행했는데, '세종 대왕, 한글문화 시대를 열다'라는 기획 아래 세종 대왕의 업적과 일대기, 세종 시대의 한글문화, 세종 정신 따위를 주제로 한 전통적인 유물과 이를 현대적으로 해석한 현대 작가의 작품을 만날 수 있었다.

① 체험 내용을 중심으로 썼다.
② 체험한 까닭을 중심으로 썼다.
③ 체험하고 난 뒤의 감상을 간단히 썼다.
④ 누구와 체험을 하였는지 중심으로 썼다.
⑤ 특별 전시실에서 느낀 점을 중심으로 썼다.

17 다음 문단은 글의 처음, 가운데, 끝 부분 중 어느 부분에 들어가는 것이 가장 어울립니까?

> 박물관을 관람하면서 책과 화면으로만 봤던 한글 유물을 직접 볼 수 있어서 신기하고 즐거웠다. 그뿐만 아니라 날마다 세 번씩 운영하는 해설이 있는 관람 프로그램을 활용하면 더 많은 지식을 쌓으며 관람할 수 있겠다는 생각이 들었다. 이번 관람으로 국어 시간에 배웠던 한글을 더 생생하고 자세하게 배우는 소중한 기회를 얻어서 무척 뿌듯했다.

(   ) 부분

18 친구의 글을 함께 읽고 고치는 방법으로 알맞지 <u>않은</u> 것은 어느 것입니까? (   )

① 글의 단점만 간단히 말해 준다.
② 일정한 평가 기준을 정해서 생각해 본다.
③ 글 내용에서 보충해야 할 부분도 생각해 본다.
④ 나의 지식과 경험을 활용해 고칠 점을 생각한다.
⑤ 글 내용이 정확한지 생각해 보고 고칠 점을 말한다.

19 다음 친구들은 어떤 평가 기준으로 의견을 말하였는지 선으로 이으시오.

민주	체험의 이름만 쓰지 말고 무엇을 어떻게 체험하였는지 더 자세하게 써 주면 좋을 것 같다.
동호	문장 중간중간에 감상을 넣어 주면 글쓴이가 어떻게 느꼈는지 알 수 있어서 좋을 것 같다.
성민	상설 전시실이라는 낱말의 뜻이 조금 어려워 보인다. 간단히 뜻을 설명해 주면 좋겠다.

(1) 민주 •

• ① 알기 쉬운 표현을 사용하였는가?

(2) 동호 •

• ② 체험한 일을 자세히 풀어 썼는가?

(3) 성민 •

• ③ 생각이나 느낌을 생생하고 다양하게 표현하였는가?

서술형·논술형 문제

20 독립기념관으로 현장 체험학습을 계획할 때 어떤 것을 정해야 할지 보기와 같이 한 가지만 더 쓰시오.

> **보기**
> • 준비물   • 출발 시간   • 식사 계획
> • 체험학습 장소까지 가는 방법

(   )

의견을 조정하며 토의해요 **3**

자, 다들 문제를
정확하게 파악하고 좋은
의견을 말해 주세요.

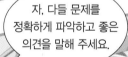

그런데 손오공은
어떻게 잡으실 거예요?

아! 그걸
생각 못 했네.

틀림없어요.
원숭이들이
모여 있는 곳에서
대장 노릇을 하고
있을 거예요.

오공이 정말
여기에 있을까?

개념 웹툰

의견을 조정하는 방법은 무엇일까요?
스마트폰에서 확인하세요!

개념 ① 토의 과정에서 의견을 조정하는 방법

방법	내용
문제 파악하기	• 해결하려는 문제를 정확히 파악한다. • 여러 사람의 다양한 의견을 들어 본다.
의견 실천에 필요한 조건 따지기	• 문제를 해결하기에 적합한 의견인지 생각한다. • 자료를 찾아 의견을 뒷받침한다.
결과 예측하기	• 의견대로 실천했을 때 결과를 생각한다. • 의견을 실천했을 때 일어날 수 있는 문제점을 예측해 본다.
반응 살펴보기	• 의견에 대한 토의 참여자의 생각을 듣는다. • 어떤 의견을 더 따르고 싶어 하는지 살펴본다.

활동 토의 과정에서 의견을 조정하는 방법 예

우리가 토의로 해결하려고 했던 문제는 무엇이었죠?

◎ 문제 파악하기

의견을 실천하려면 무엇이 필요한지 따질 필요가 있겠군요.

◎ 의견 실천에 필요한 조건 따지기

만약 의견을 실천한다면 어떤 결과가 따를까요?

◎ 결과 예측하기

다른 분들의 생각은 어떠한가요?

◎ 반응 살펴보기

개념 ② 토의에서 자신의 의견을 뒷받침할 자료 찾아 읽기

① 의견을 말할 때는 의견을 뒷받침하는 근거 자료를 제시하며 말합니다.
② 자료에 따른 읽기 방법을 활용해 뒷받침하고 싶은 의견을 찾아 정리합니다.

활동 자료에 따른 읽기 방법 예

기사문, 보도문	책
• 찾고 싶은 자료와 관련한 낱말을 컴퓨터로 검색한다. • 신문 기사나 뉴스의 제목을 중심으로 훑어 읽는다. • 의견을 뒷받침하는 기사문이나 보도문을 찾아 자세히 읽는다. • 필요한 내용을 정리하고 날짜, 신문 또는 방송 이름을 쓴다.	• 찾고 싶은 자료와 관련한 책을 찾는다. • 찾은 책의 차례를 살펴본다. • 내용을 건너뛰며 읽으면서 의견을 뒷받침하는 내용을 찾는다. • 의견을 뒷받침하는 내용을 좀 더 자세히 읽는다. • 필요한 내용을 정리하고 글쓴이와 출판사를 쓴다.

개념 ③ 찾은 자료를 정리해 알기 쉽게 표현하기

① 중요한 정보를 중심으로 간단하게 요약합니다.
② 사진이나 그림으로 나타냅니다.
③ 차례나 단계 또는 도표를 이용해 나타냅니다.
④ 자료 배치나 글씨 크기를 다르게 해 나타냅니다.

활동 자료를 알기 쉽게 표현하는 방법 예

• 차례나 단계로 나타내기

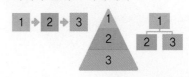

• 도표로 나타내기

가 그림을 보고 회의에서 어떤 일이 일어나는지 살펴봅시다.

1 오늘은 미세 먼지가 심하니 외부 활동을 자제해 주시길 바랍니다. 체육 수업은 교실에서 하겠습니다.

날이 갈수록 심해지는 미세 먼지에 어떻게 대처해야 할까요?

2 마스크를 쓰고 생활합니다. 마스크가 몸에 해로운 미세 먼지를 막아 주기 때문입니다.

3 학교 곳곳에 공기 청정기를 설치합니다. 공기 청정기가 공기를 깨끗하게 해 줄 것입니다.

4 공기 청정기가 없는 곳은 어떻게 하나요? 그럼 공기 청정기가 설치된 곳에서만 지내야 하나요?

5 마스크를 쓰는 것은 안 불편한 줄 아십니까? 마스크를 쓰면 답답하고 숨을 쉬기 어렵습니다.

6 하루 종일 공기 청정기를 켜 놓으면 전기 소모가 많을 수 있습니다.

7 미세 먼지를 걸러야 하는데 그깟 전기가 중요합니까? 정말 뭘 모르시는군요.

8 공기 청정기를 설치하면 쓰고 난 마스크를 버리지 않아도 되니 환경을 보호할 수 있습니다.

9 마스크를 쓰면 추운 겨울에도 얼굴을 따뜻하게 할 수 있습니다.

---

1 체육 수업을 교실에서 실시하게 된 까닭은 무엇인가요?
( )

① 비가 와서
② 미세 먼지가 심해서
③ 체육관 공사를 하는 중이어서
④ 친구들이 교실에서 수업하기를 원해서
⑤ 체육 수업을 교실에서 하는 요일이어서

🦪 교과서 문제

2 토의 주제는 무엇인가요?

· [   ] 에 대처하는 방안

3 어떤 의견이 제시되었는지 모두 고르세요.
(,)

① 체육 수업을 없애야 한다.
② 마스크를 쓰고 생활해야 한다.
③ 학교 임시 방학을 실시해야 한다.
④ 교실 창문을 절대 열어서는 안 된다.
⑤ 학교 곳곳에 공기 청정기를 설치해야 한다.

🦪 교과서 문제

4 각각의 토의 장면에 나타난 문제는 무엇인지 빈칸에 들어갈 알맞은 말을 보기 에서 찾아 쓰세요.

보기
| 근거 | 비판 | 예의 | 동의 |

장면	문제점
(1) **4**, **5**	· 상대의 의견을 [ ] 하기만 했다.
(2) **6**, **7**	· 상대를 무시하는 듯한 말을 했다. · 상대에게 [ ] 를 지키지 않았다.
(3) **8**, **9**	· 토의 주제와 관련 없는 [ ] 를 말했다.

나 토의할 때 어떠한 문제가 일어날 수 있는지 알아봅시다.

ㄱ 과/와 관련한 문제

환경을 보호할 수 있습니다.

겨울에도 따뜻하게 지낼 수 있습니다.

• 상황: 토의 주제와 관련 없는 근거를 말함.

ㄴ 과/와 관련한 문제

에이, 그게 말이나 됩니까?

정말 아무것도 모르시는군요.

에? 아, 저는 뭘 하든 상관없습니다.

• 상황: 토의 예절에 어긋나게 행동함.

ㄷ 과/와 관련한 문제

시간이 부족해 의견을 조정하지 못한 채 끝날 것 같아.

• 상황: 토의 시간이 부족해 의견을 조정하지 못함.

5 그림 ⑫에서 여자아이가 잘못한 점은 무엇인가요?

( )

① 높임말을 쓰지 않았다.
② 다른 사람의 의견을 무시했다.
③ 타당하지 않은 근거를 들었다.
④ 발언권을 얻어 말하지 않았다.
⑤ 문제를 해결하는 데 무관심한 태도를 지녔다.

6 가 의 과정에서 의견을 조정하지 않으면 어떤 일이 일어날지 모두 고르세요. (,)

① 토의 시간이 줄어든다.
② 앞으로 토의를 할 수 없게 된다.
③ 말하는 사람끼리 갈등이 생긴다.
④ 문제를 합리적으로 해결할 수 없다.
⑤ 한 사람이 정한 의견을 따르게 된다.

🍣 교과서 문제

7 토의할 때 어떤 문제가 일어날 수 있는지 생각하며 ㄱ ~ ㄷ 에 들어갈 알맞은 말을 선으로 이으세요.

(1) ㄱ •　　　　　• ① 토의 태도

(2) ㄴ •　　　　　• ② 토의 진행

(3) ㄷ •　　　　　• ③ 의견 및 근거

📝 서술형·논술형 문제

8 학급 회의나 토의를 하면서 어려웠던 일을 한 가지 써 보세요.

_____

_____

잠시 뒤

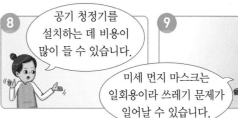

🍥 **교과서 문제**

9 사회자가 토의로 해결할 문제를 다시 물어본 까닭은 무엇인가요? (   )

① 토의 주제를 정하려고

② 사회자가 토의 주제를 잊어버려서

③ 토의 중 다시 물어봐야 할 단계여서

④ 토의로 해결할 문제를 정확하게 파악하기 위해서

⑤ 친구들이 토의로 해결할 문제가 무엇인지 물어서

10 친구들이 낸 의견대로 실천했을 때 어떤 문제가 일어날 수 있는지 선으로 이으세요.

의견		문제점
(1) 공기 청정기를 설치하면	· · ㉠	비용이 많이 들 수 있다.
(2) 마스크를 사용하면	· · ㉡	쓰레기 문제가 일어날 수 있다.

11 의견을 조정하는 과정에서 상대를 배려하며 말하지 <u>않은</u> 사람은 누구인가요?

(   )

12 의견을 조정하는 과정에서 길러야 할 참여 태도가 <u>아닌</u> 것에 ×표 하세요.

(1) 다른 사람의 의견을 존중한다. (   )

(2) 자신의 생각을 적극적으로 표현한다. (   )

(3) 결정된 의견이 내 생각과 맞지 않으면 무시한다.

(   )

① 공기 청정기 설치하기와 관련해 그림 가와 그림 나의 의견을 비교해 봅시다.

📍 보기 및 읽기 자료의 특징

보기 자료	사진, 그림, 도표 등

• 눈으로 확인하기 쉽다.
• 한눈에 이해하기 쉽다.

읽기 자료	책, 보고서, 설문 조사 등

• 좀 더 자세한 정보를 제시할 수 있다.
• 글을 읽어야 상세한 정보를 얻을 수 있다.

② 마스크 쓰기와 관련해 그림 다와 그림 라의 의견을 비교해 봅시다.

13 그림 가~라 중 어느 장면에 대한 설명인지 기호를 쓰세요.

(1) 자료를 제시하며 의견을 말하고 있다.	
(2) 아무런 자료 없이 의견을 말하고 있다.	

14 ①, ②에서 제시한 자료의 종류는 무엇인지 쓰세요.

(1) ① 공기 청정기 설치하기와 관련해 의견을 제시할 때	
(2) ② 마스크 쓰기와 관련해 의견을 제시할 때	

15 다음과 같은 특징을 가진 자료를 제시하며 의견을 말한 장면에 ○표 하세요.

특징	• 글을 읽어야 상세한 정보를 얻을 수 있다. • 발표 내용 외에도 더욱 풍부한 정보를 얻을 수 있다.

(다 / 라)

16 의견과 함께 자료를 제시하면 좋은 점은 무엇일지 모두 고르세요. (,)
① 의견과 근거를 이해하기 쉽다.
② 근거를 자세히 확인할 수 있다.
③ 의견과 근거를 길게 말할 수 있다.
④ 발표를 듣지 않고도 의견을 이해할 수 있다.
⑤ 근거가 타당하지 않아도 상대방을 설득할 수 있다.

3 단원
진도 완료 체크

🔎 뉴스를 보고 토의하려고 합니다. 자료를 어떻게 마련할지 생각해 봅시다.

초등학생의 건강 문제를 해결할 방법이 필요합니다.

초등학생 건강 적신호

해결할 문제를 정확하게 파악하기

건강한 학교생활을 하려면 틈새 시간을 어떻게 활용해야 할까요?

건강 달리기를 하면 어떨까?

식물 기르기를 하면 어떨까?

짧은 시간이라도 날마다 달리기를 하면 건강에 효과가 있다는 자료를 찾고 싶어.

교실에서 식물을 기르면 공기가 깨끗해진다는 자료를 찾고 싶어.

달리기, 건강에 큰 효과

신문 기사를 찾아보자.

책을 찾아보자.

관련 기사가 정말 많구나! 이 많은 것을 언제 다 읽어 보지?

읽어야 할 책이 많구나. 이것을 언제 다 읽지?

---

17 토의 주제는 무엇인가요?

• 건강한 학교생활을 하려면 _____

_____

18 두 아이의 자료 찾기 과정을 비교하여 빈칸에 알맞은 답을 써 보세요.

(1) 어떤 의견을 제시하려고 하나요?

(①) 를 하자.	(②) 을 기르자.

(2) 의견을 뒷받침할 자료는 무엇인가요?

달리기가 (①)에 효과가 있다는 자료	식물을 기르면 (②)가 깨끗해진다는 자료

(3) 어떤 방법으로 자료를 찾았나요?

컴퓨터를 활용한 (①) 검색하기	도서관에서 (②) 찾기

(4) 왜 곤란해하나요?

자료가 너무 (많아서 / 적어서) 읽기가 힘들기 때문에

19 누가 찾은 자료의 읽기 방법으로 알맞은지 ○표 하세요.

(1) 찾은 책의 차례를 살펴본다.	👧 🧑
(2) 필요한 내용을 정리하고 글쓴이와 출판사를 쓴다.	👧 🧑
(3) 신문 기사나 뉴스의 제목을 중심으로 훑어 읽는다.	👧 🧑
(4) 필요한 내용을 정리하고 날짜, 신문 또는 방송 이름을 쓴다.	👧 🧑

찬원이가 찾은 건강 달리기와 관련한 자료를 읽어 보세요.

가 세계보건기구[WHO]는 아동 비만을 21세기 최대 건강 문제 가운데 하나로 꼽고 있다. 한국도 예외는 아니다. 교육부에 따르면 2017년을 기준으로 우리나라 초중고 비만 학생은 100명당 약 17.3명인데 해마다 꾸준히 증가하고 있다.

영국의 한 초등학교에서 실시한 건강 달리기 프로그램이 성공을 거두어 큰 관심을 끌고 있다. 이 학교는 날마다 적절한 시간을 정해 1.6킬로미터를 달리게 하고 있다. 학생들을 관찰한 □□대학의 ○ 박사는 "이 학교의 학생들에게는 비만 문제가 보이지 않는다."라고 했다.

미국 일리노이주의 한 학교 역시 건강 달리기로 하루를 시작한다. 이 학교의 학생들은 건강은 물론 집중력도 향상되었고, 우울증과 불안감은 줄어들었다고 한다.

『○○신문』

나

요즘 초등학교에서는 건강 달리기에 많은 관심을 보이고 있습니다. ○○○ 기자의 보도입니다.

한 초등학교 체육관에 아침 여덟 시부터 학생 마흔 명이 모여 있습니다. 가벼운 체조로 몸을 푼 뒤 이어지는 달리기 수업. 체육관에서 웃음소리가 끊이지 않습니다.

건강 달리기에 많은 관심 보여

○○초등학교 건강 달리기

아침마다 운동을 하니까 기분이 상쾌해요. 그래서 공부가 더 잘돼요.

이 학교에서는 삼 년 동안 학생 백 명이 꾸준히 건강 달리기를 실시하여 비만 학생이 해마다 열네 명, 아홉 명, 네 명으로 줄어들었다고 합니다.

5학년 ○○○ 어린이

꾸준히 할수록 효과 커

「○○방송 뉴스」

20 찬원이가 찾은 **가** 자료의 특징은 무엇인가요?
• 많은 내용을 (글 / 그림)(으)로 설명하고 있다.

🎓 교과서 문제

21 찬원이는 자료를 찾아 읽고 다음과 같이 나타냈습니다. 자료를 찾아 어떻게 했나요?

[아동 건강 문제]
• 세계보건기구: 아동 비만은 21세기 최대 건강 문제 가운데 하나
• 교육부: 우리나라 초중고 비만 학생은 100명당 약 17명(2017년 기준)

[건강 달리기의 효과]
• 비만 문제를 해결할 수 있다.
• 집중력이 향상되고, 우울증과 불안감이 줄어든다.

[건강 달리기를 실천한 예]
• 삼 년 동안 건강 달리기를 실시한 초등학교
• 비만 학생이 해마다 열네 명, 아홉 명, 네 명으로 줄어들었다.

(1) 읽기 쉽게 요약했다. ( )
(2) 부족한 내용을 추가했다. ( )

22 찬원이는 찾은 자료를 다음과 같이 새롭게 표현했습니다. ㉠ 에 들어갈 알맞은 말을 쓰세요.

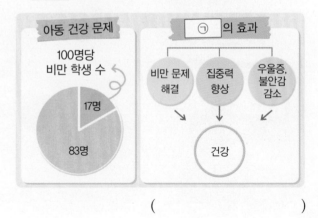

아동 건강 문제

100명당 비만 학생 수

17명

83명

㉠ 의 효과

비만 문제 해결

집중력 향상

우울증, 불안감 감소

건강

( )

23 문제 22와 같이 자료를 표현하면 효과적인 까닭은 무엇일까요?
(1) 글보다 더 자세한 정보를 제공할 수 있기 때문이다.
( )
(2) 글을 읽는 것보다 더 쉽고 빠르게 이해할 수 있기 때문이다.
( )

1 우리 주변에서 해결해야 할 문제 생각하기

2 문제에 따라 토의 주제 정하기

3 토의 주제와 관련해 자신의 의견과 근거 마련하기

4 의견을 뒷받침할 자료를 찾아서 알기 쉽게 표현하기

5 절차에 따라 의견 조정하기

> **문제 파악하기**
> 음식물 쓰레기 문제를 해결할 수 있는 방법
>
> ↓
>
> **의견 실천에 필요한 조건 따지기**
> 자율 배식이 음식물 쓰레기 문제를 해결해 줄 수 있는가?
>
> ↓
>
> **결과 예측하기**
> 먹기 싫은 음식을 가져가지 않아서 남는 음식이 오히려 더 많아질 것이다.
>
> ↓
>
> **반응 살펴보기**
> 자율 배식은 오히려 먹지 않고 남기는 음식이 늘어나는 문제를 불러올 것이다.
>
> **조정한 의견**
> ?

6 **5**에서 조정한 의견을 바탕으로 하여 의견 결정하기

3 단원

---

24 다음은 **1**의 **가**와 **나** 중 어느 장면과 관련된 해결해야 할 문제일지 기호를 쓰세요.

(1)	• 운동장을 이용하는 학생 수가 많다. • 운동장에서 학생끼리 서로 부딪히는 안전사고가 많이 일어난다.	
(2)	• 음식물 쓰레기가 너무 많다. • 음식을 먹고 싶은 만큼 받고 싶다.	

25 **2**에서 토의 주제를 정할 때 생각해야 할 점을 모두 골라 기호를 쓰세요.

> ㉠ 우리 모두와 관련이 있는 문제인가요?
> ㉡ 선생님께서 정해 주신 문제인가요?
> ㉢ 우리가 변화를 이끌어 낼 수 있는 문제인가요?

(   )

26 **나**에 나타난 문제에 대해 **5**에서 의견을 조정해 보았습니다. 조정한 의견으로 알맞은 것에 ○표 하세요.

(1) 자율 배식을 하자.   (   )

(2) 식판에 음식을 받을 때 못 먹는 음식을 미리 말씀드리고 조금만 받자.   (   )

27 토의 주제를 보아 결정한 의견으로 볼 수 <u>없는</u> 것의 번호를 쓰세요. (   )

[1~4]

1 학생들이 모여 무엇을 하고 있습니까?

(토의 / 토론)

2 체육 수업을 교실에서 하게 된 까닭은 무엇입니까?

• ☐ 이/가 심해서

3 준호와 미나가 낸 의견은 무엇입니까?

(1) 준호: ☐ 을/를 쓰고 생활한다.

(2) 미나: 학교 곳곳에 ☐ 을/를 설치한다.

4 장면 ④~⑤에서 학생들이 토의에 참여하는 태도는 어떠합니까? (　　　)

① 상대의 의견을 비판하기만 한다.

② 상대의 말을 끝까지 듣지 않는다.

③ 토의 주제와 관련이 없는 말만 한다.

④ 상대를 바라보지 않고 다른 곳을 보며 말한다.

⑤ 토의 주제가 정해지지 않았는데 의견을 말한다.

[5~7]

5 이 장면은 의견을 조정하는 방법 중 무엇에 해당합니까?

(문제 파악하기 / 결과 예측하기)

6 이 장면에서 해야할 일은 무엇입니까?

(1) 해결하려는 문제를 정확히 파악한다. (　　　)

(2) 의견을 실천했을 때 일어날 수 있는 문제점을 예측해 본다. (　　　)

7 공기 청정기를 설치하면 어떤 문제가 일어날 수 있습니까?

• ☐ 이 많이 들 수 있다.

[8~10]

8 지호의 의견은 무엇입니까?

• 학교 곳곳에 [   ] 을/를 설치하자.

9 그림 **가** 와 **나** 는 무엇이 다릅니까?

• 그림 **가** 에서는 아무런 자료 없이 의견을 말하고 있지만 **나** 에서는 [   ] 에 실린 전문가의 의견을 자료로 제시하고 있다.

10 의견과 근거를 이해하기 더 쉬운 쪽은 어느 쪽이겠습니까?

(**가** / **나**)

11 다음 장면에서 여자아이는 어떤 종류의 자료를 근거로 제시하였는지 쓰시오.

(   )

[12~14]

12 규리는 어떤 의견을 제시하려고 합니까? (   )

① 식물을 기르자.　　② 걸어서 등교하자.
③ 끼니를 거르지 말자.　　④ 체육 수업을 늘리자.
⑤ 건강 달리기를 하자.

📋 서술형·논술형 문제

13 규리의 의견을 뒷받침할 근거의 내용은 무엇일지 쓰시오.

_____

_____

14 규리가 찾으려는 자료를 읽는 방법으로 알맞은 것은 무엇입니까? (   )

① 출판사를 살펴본다.
② 등장인물의 성격을 짐작한다.
③ 글쓴이의 다른 작품도 살펴본다.
④ 감각적 표현을 중심으로 읽는다.
⑤ 의견을 뒷받침하는 기사문이나 보도문을 찾아 자세히 읽는다.

단원 평가

15 자료를 알기 쉽게 표현하는 방법으로 알맞지 <u>않은</u> 것에 ×표 하시오.

(1) 표나 도표로 나타낸다. ( )

(2) 글로 길게 써서 나타낸다. ( )

(3) 사진이나 그림으로 나타낸다. ( )

[16~19]

3 단원
진도 완료 체크

가 세계보건기구[WHO]는 아동 비만을 21세기의 최대 건강 문제 가운데 하나로 꼽고 있다. 한국도 예외는 아니다. 교육부에 따르면 2017년을 기준으로 우리나라 초중고 비만 학생은 100명당 약 17.3명인데 해마다 꾸준히 증가하고 있다.

영국의 한 초등학교에서 실시한 건강 달리기 프로그램이 성공을 거두어 큰 관심을 끌고 있다. 이 학교는 날마다 적절한 시간을 정해 1.6킬로미터를 달리게 하고 있다. 학생들을 관찰한 □□대학의 ○ 박사는 "이 학교의 학생들에게는 비만 문제가 보이지 않는다."라고 했다.

미국 일리노이주의 한 학교 역시 건강 달리기로 하루를 시작한다. 이 학교의 학생들은 건강은 물론 집중력도 향상되었고, 우울증과 불안감은 줄어들었다고 한다.

『○○ 신문』

나

[아동 건강 문제]
• 세계보건기구: 아동 비만은 21세기 최대 건강 문제 가운데 하나
• 교육부: 우리나라 초중고 비만 학생은 100명당 약 17명 (2017년 기준)

[㉠ 의 효과]
• 비만 문제를 해결할 수 있다.
• 집중력이 향상되고, 우울증과 불안감이 줄어든다.

다

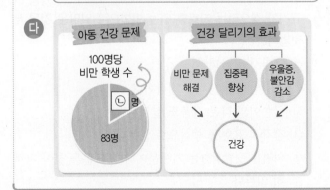

아동 건강 문제
100명당 비만 학생 수
㉡ 명
83명

건강 달리기의 효과
비만 문제 해결 → 집중력 향상 → 우울증, 불안감 감소 → 건강

16 **가**~**다** 자료의 특징이 <u>아닌</u> 것은 무엇입니까? ( )

① **가**는 신문 기사이다.
② **나**는 **가**의 내용을 요약한 것이다.
③ 한눈에 알기 쉽게 표현한 자료는 **가**이다.
④ 아동 비만, 건강 달리기에 대한 자료이다.
⑤ **다**는 **가**의 내용을 도형, 선 등으로 나타냈다.

17 **나**의 ㉠ 에 들어갈 알맞은 말을 쓰시오.

( )

18 **다**의 ㉡ 에 들어갈 알맞은 숫자를 쓰시오.

( )

19 **가**~**다**는 어떤 의견을 뒷받침하는 근거 자료로 활용할 수 있습니까? ( )

① 건강을 위해 건강 달리기를 하자.
② 집중력 향상을 위해 식물을 기르자.
③ 우울증 예방을 위해 전문가 상담소를 만들자.
④ 비만 문제를 해결하기 위해 식사량을 줄이자.
⑤ 미세 먼지 문제에 대처하기 위해 마스크를 쓰자.

🗂 **서술형·논술형 문제**

20 다음 상황과 관련하여 토의 주제를 정해 쓰시오.

모두가 한꺼번에 운동장에 나오니 위험해 보여.

우리도 운동장을 사용하고 싶은데……

겪은 일을 써요

4

개념 웹툰

어떤 과정을 거쳐 글을 써야 할까요?
스마트폰에서 확인하세요!

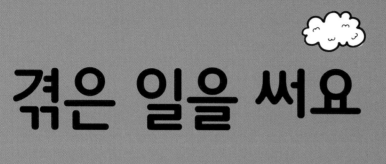

제가 도와
드릴까요?

아, 관음보살
누님께 어떻게
글을 쓰지?

내가 올 때까지
관음보살님께
도와 달라는 편지를
써 놔. 알았어?

네.

글쓰기는 다음과 같은
과정으로 해요.

① 계획하기
② 내용 생성하기
③ 내용 조직하기
④ 표현하기
⑤ 고쳐쓰기

개념 ① 글쓰기의 과정

① 계획하기	글을 쓸 준비를 하는 단계
② 내용 생성하기	쓸 내용을 떠올리는 단계
③ 내용 조직하기	쓸 내용을 나누는 단계
④ 표현하기	직접 글을 쓰는 단계
⑤ 고쳐쓰기	글을 고치는 단계

활동 내용을 조직할 때 생각할 점

쓸 내용 가운데에서 비슷한 내용을 묶어 볼까?

있었던 일을 차례대로 글을 쓸까? 아니면 일이 생긴 까닭, 내 느낌, 화해한 일 세 부분으로 나누어 쓸까?

개념 ② 문장 성분의 호응 관계

① 문장 성분의 호응 관계를 알고 문장의 호응이 이루어지도록 문장을 씁니다.
② 호응하는 서술어가 따로 있는 낱말을 주의해서 씁니다.

결코, 전혀, 별로	'–지 않다', '–지 못하다'와 같은 부정하는 서술어 또는 '안', '못'이 꾸며 주는 서술어와 호응함.

지문 호응 관계를 생각하며 「나만 미워해」 읽기

나는 앞으로 용준이와 놀아 주지 않겠다고 다짐했다. 한참 있다가 ㉠어머니께서 왔다. 문을 열어 보라고 하시는데 어머니의 목소리가 ㉡별로 좋아 보였다. 나는 혼이 날까 봐 살짝 문을 열었다.

㉠ 높임의 대상을 나타내는 말과 서술어의 호응이 알맞게
➡ 어머니께서 오셨다.
㉡ 호응하는 서술어가 따로 있는 낱말과 서술어의 호응이 알맞게
➡ 별로 좋아 보이지 않았다.

개념 ③ 겪은 일이 드러나게 글 쓰기

① 글을 쓰기 전 글을 쓰는 목적, 읽는 사람, 글의 주제, 글의 종류 따위를 정합니다.
② 글감을 정하고 글을 어떻게 쓸지 조직합니다.
③ 글머리를 어떻게 쓸지 정하고 겪은 일이 잘 드러나게 글을 씁니다.
④ 고칠 부분은 없는지 점검합니다.

활동 글머리를 쓰는 방법 예

날씨 표현으로 시작하기	하늘에서 물을 바가지로 퍼붓는 듯 비가 내리는 날이었다.
대화 글로 시작하기	"괜찮아." 드디어 유나가 입을 열었다.
인물 설명으로 시작하기	키가 작고 눈이 동그란 그 친구는 항상 웃는 아이였다.

개념 ④ 매체를 활용해 겪은 일이 드러나는 글 쓰기

① 의견을 주고받기 편리한 매체를 정합니다.
② 매체를 활용할 때의 주의할 점을 알고 글을 씁니다.
③ 매체를 활용해 쓴 글에 대한 의견을 주고받습니다.
④ 주고받은 의견을 바탕으로 글을 고쳐 씁니다.

활동 매체를 활용해 글을 쓰면 좋은 점

매체를 활용하니 의견을 쉽게 주고받을 수 있구나.

글을 고치기 편리해.

여러 사람이 동시에 읽고 의견을 쓸 수 있어.

나만 미워해

"아함! 졸려."

㉠어제저녁에 방에서 컴퓨터를 하는데 졸음이 밀려온다. 안방으로 가서 가만히 누워 있는데 내 동생 용준이가 나를 툭툭 치며 장난을 걸어왔다. 나는 용준이가 또 덤빌까 봐 용준이 손을 잡고 안 놓아주었다. 그러다가 그만 내 눈에 쇳덩어리(용준이 머리)가 '쿵' 하고 부딪쳤다.

"아야!"

나는 너무 아파서 눈물을 글썽였다. 그랬더니 용준이가 혼날까 봐 따라 울려고 그랬다. 나는 결코 용준이를 아프게 한 적이 없는데도 말이다.

"야, 네가 왜 울어?"

그때였다. 아버지께서 눈을 크게 뜨며

㉮"진윤서, 너 왜 동생 울려?"
_{아버지께서 윤서가 동생을 울렸다고 오해해서 하신 말}

하고 큰소리를 내셨다. 나한테만 뭐라고 하시는 아버지를 이해할 수 없었다. 나는 화가 나서 울며 내 방으로 들어가 침대에 누웠다.

'쳇, 나한테만 뭐라고 하고……'

용준이가 문을 똑똑 두드렸다.

"누나야, 문 열어 봐." / "싫어."

나는 앞으로 용준이와 놀아 주지 않겠다고 다짐했다. 한참 있다가 어머니께서
오셨다. 문을 열어 보라고 하시는데 ㉡어머니의 목소리가 별로 좋아 보였다. 나는
_{서술어}
혼이 날까 봐 살짝 문을 열었다.

• **글의 내용:** 윤서가 동생과의 일로 가족에게 서운했던 일을 쓴 글입니다.

📍 문장 성분

주어, 목적어, 서술어와 같이 문장을 구성하는 부분을 말합니다.

> 윤서가 책을 읽는다.
> 주어 목적어 서술어

📍 문장 성분의 호응 관계

시간을 나타내는 말과 서술어의 호응

> 주찬이는 어제 책을 세 시간 동안 읽는다.
> └→ 읽었다

높임의 대상을 나타내는 말과 서술어의 호응

> 할머니가 잠을 잔다.
> └→ 할머니께서 └→ 주무신다

주어와 서술어의 호응

> 키와 몸무게가 늘었다.
> └→ 키가 자라고

---

1 '내'가 화가 난 까닭은 무엇인가요? (   )

① 용준이가 '내' 방 문을 망가뜨려서
② 아버지께서 '나'한테만 화를 내셔서
③ 아버지께서 용준이랑만 놀아 주셔서
④ 문을 열지 않았다고 어머니께 혼이 나서
⑤ 용준이가 '나'와 있었던 일을 아버지께 일러서

2 ㉮와 같은 말을 듣고 '내'가 느꼈을 기분으로 알맞지 <u>않</u>은 것은 무엇인가요? (   )

① 화난다.   ② 속상하다.
③ 미안하다.   ④ 서운하다.
⑤ 억울하다.

3 ㉠이 잘못된 문장인 까닭은 무엇인가요?

• 시간을 나타내는 말과 [   ]가 호응하지
않아서

4 ㉠을 바르게 고쳐 쓴 문장은 어느 것인가요?

(1) 어제저녁에 방에서 컴퓨터를 하는데 졸음이 밀려왔다.   (   )
(2) 어제저녁에 방에서 컴퓨터를 하는데 졸음이 밀려올 것이다.   (   )

5 ㉡을 바르게 고쳐 쓰세요.

• 어머니의 목소리가 별로 _____

4
단원

"윤서야, 너 좋아하는 연속극 해."

"일기 쓸래요."

그때 안방에서 아버지가 불렀다.

"윤서야, 이리 와 봐."

나는 입을 쭉 내밀고 절대 앉기 싫다는 표정으로 아버지 옆에 앉았다.

"왜 울었어?" / "잘못은 용준이가 했는데 저만 야단맞아서요."

"서러웠니?" / "예."

"윤서가 다 컸다고 아빠가 쉽게 생각했어. 미안하구나."

"……."

"용준이 너 이리 와."

아버지의 호령에 용준이가 똥 마려운 아이처럼 쭈뼛쭈뼛 다가왔다.
　　　　　용준이의 모습을 재미있게 표현함.

"누나……, 미안."

용준이가 씩 웃으며 나를 쳐다보았다. 웃음이 나오려는 것을 참고 아버지 쪽으로 얼굴을 돌렸는데 아버지께서 손으로 하트 모양을 만들고 계셨다. 그만 ㉠웃음이 피식 웃어 버렸다. 아버지께서도 웃으셨다. 내 마음이 녹아 버렸다.

"윤서야, 연속극 보고 가."

"그냥 일기 쓸래요." / "그래? 알았다."

나는 내 방으로 들어와서 일기를 썼다.

'역시 가족은 가족이구나. 이런 것이 가족의 정이지.'

 글쓰기의 과정

계획하기
어떻게 쓸지 생각합니다.

↓

내용 생성하기
어떤 내용을 쓸지 정합니다.

↓

내용 조직하기
글 내용을 조직합니다.

↓

표현하기
글을 씁니다.

↓

고쳐쓰기
글을 고칩니다.

6 　　　　 부분에서 높임의 대상과 서술어가 잘못 쓰인 문장을 찾아 밑줄을 그으세요.

7 6에서 밑줄 친 부분을 바르게 고쳐 쓰세요.

_____

8 ㉠을 바르게 고쳐 쓴 문장은 무엇인가요? (　　)
① 웃음이 피식 웃었다.
② 나는 피식 웃어 버렸다.
③ 울음이 피식 울어 버렸다.
④ 웃음이 피식 웃을 것이다.
⑤ 나는 웃음이 피식 웃어 버렸다.

🔖 교과서 문제

9 문장 성분의 호응이 바르게 이루어지도록 글을 써야 하는 까닭은 무엇일까요?

· 문장의 (뜻 / 길이)을/를 바르게 이해할 수 있기 때문이다.

10 다음은 윤서가 이 글을 쓰면서 생각한 내용입니다. 어떤 단계에서 생각한 내용일까요? (　　　　)

내 글을 읽을 사람은 선생님, 부모님, 친구들……

시나 동화보다는 내 경험이 잘 드러난 글을 쓰는 것이 좋겠어.

쉽고 재미있게 읽을 수 있는 글을 쓰고 싶어.

① 계획하기　　② 생성하기　　③ 조직하기
④ 표현하기　　⑤ 고쳐쓰기

[11~12] 다음 문장을 읽고 물음에 답하세요.

> ㉠ 우리가 환경을 보호해야 하는 까닭은 환경 파괴의 피해가 결국 우리에게 <u>돌아오는 것이라고</u> 생각한다.
>
> ㉡ 할아버지는 얼른 밥을 다 먹고 또 일하러 나가셨다.
>
> ㉢ 어제저녁 우리 가족은 함께 동네 공원으로 산책을 <u>나간다.</u>

교과서 문제

11 ㉠~㉢ 문장에서 밑줄 친 부분을 고쳐 써야 하는 까닭을 찾아 선으로 이으세요.

(1) ㉠ · · ① 주어와 서술어의 호응 관계가 바르지 않아서

(2) ㉡ · · ② 시간을 나타내는 말과 서술어의 호응 관계가 바르지 않아서

(3) ㉢ · · ③ 높임의 대상을 나타내는 말과 서술어의 호응 관계가 바르지 않아서

12 ㉠~㉢ 문장에서 밑줄 친 부분을 바르게 고쳐 쓴 것에 ○표 하세요.

(1) ㉠	① 돌아오기 때문이다
	② 돌아오는 것이라고 생각할 것이다
(2) ㉡	① 할아버지께서는 얼른 밥을 다 먹고
	② 할아버지께서는 얼른 진지를 다 잡수시고
(3) ㉢	① 나갔다
	② 나갈 것이다

13 '결코, 전혀, 별로'와 같은 낱말 뒤에는 어떤 서술어가 어울리는지 **보기**에서 골라 빈칸에 알맞은 말을 써넣으세요.

> **보기**
> 있다　　　못하다　　　안　　　부

- '결코, 전혀, 별로'와 같은 낱말은 '-지 않다', '-지 [   ]'와 같은 부정하는 서술어 또는 '[   ]', '못'이 꾸며 주는 서술어와 호응한다.

14 다음 문장에서 밑줄 친 부분을 바르게 고쳐 쓴 것은 무엇인가요? (　　　)

> 나는 친구가 거짓말을 한 것이 결코 <u>바른 행동이라고 생각한다.</u>

① 바른 행동이었다.
② 바른 행동을 했다.
③ 바른 행동이었다고 생각한다.
④ 바른 행동을 했다고 생각한다.
⑤ 바른 행동이 아니라고 생각한다.

4단원

진도 완료 체크

서술형·논술형 문제

15 '전혀'를 넣어 문장이 되도록 고쳐 쓰세요.

- 선생님 말은 <u>전혀</u> 들어 본 내용이었다.

➡ _____

_____

16 다음 중 문장 성분의 호응이 잘못된 문장은 무엇인가요? (　　　)

① 날씨가 <u>그다지</u> 덥지 않다.
② 나는 게임하는 것을 <u>별로</u> 좋아하지 않는다.
③ 나는 <u>결코</u> 친구에게 나쁜 말을 하지 않았다.
④ 나는 지호의 생각을 <u>도저히</u> 이해할 수 있다.
⑤ 그 숙제를 해내는 일은 <u>여간</u> 어려운 일이 아니다.

① 글쓰기 계획하기

② 글 내용 생성하기

- 기억에 남은 일을 친구들과 이야기하기
- 친구들과 이야기를 나눈 뒤에 자신이 글로 쓰고 싶은 일이나 생각을 생각그물로 정리하기
- 자신이 쓴 겪은 일 또는 생각 가운데에서 다음에 해당하는 것을 차례대로 지우기

  - 내용을 자세히 풀어 쓸 수 없는 것
  - 주제가 잘 드러나지 않는 것
  - ㉠

- 어떤 글감으로 글을 쓸지 정하기

③ 글 내용 조직하기

- 처음-가운데-끝으로 나누어 일어난 일을 정리하거나 생각 또는 느낌의 변화를 쓸 수 있다.
- 시간의 순서, 장소의 변화에 따라 글을 쓸 수 있다.
- 일이 일어난 원인과 결과를 중심으로 글을 쓸 수 있다.

④ 글쓰기

- 글머리를 어떻게 시작할지 정하고 글을 써 본다.

방법	예
날씨 표현으로 시작하기	하늘에서 물을 바가지로 퍼붓는 듯 비가 내리는 날이었다.
대화 글로 시작하기	"괜찮아." 드디어 유나가 입을 열었다.
인물 설명으로 시작하기	키가 작고 눈이 동그란 그 친구는 항상 웃는 아이였다.
㉡ 이나 격언으로 시작하기	"가는 날이 장날"이라더니 해변은 축제 때문에 사람들로 가득했다.
의성어나 의태어로 시작하기	꼼지락꼼지락, 희조는 이불 속에서 나올 생각을 안 한다.
상황 설명으로 시작하기	10월의 어느 날, 드디어 반대항 축구 대회가 열리는 날이었다.

⑤ 고쳐쓰기

17 **①**의 과정에서 정해야 할 사항이 <u>아닌</u> 것은 무엇인가요? (   )

① 쓰는 목적 ② 읽는 사람
③ 글의 주제 ④ 글의 종류
⑤ 글을 읽을 장소

18 **②**의 과정에서 ㉠ 에 들어갈 수 있는 내용을 두 가지 고르세요.

① 누구나 경험할 만한 것 ② 글을 읽는 사람이 흥미를 느낄 만한 것 ③ 장소나 등장인물의 변화가 너무 많은 것

(,   )

19 **④**의 과정에서 글머리를 시작하는 방법으로 ㉡ 에 들어갈 알맞은 말을 쓰세요.

(   )

🗂 서술형·논술형 문제

20 **④**의 '대화 글로 시작하기' 방법으로 글머리를 써 보세요.

21 **⑤**의 고쳐쓰기 과정에서 점검해야 할 사항이 <u>아닌</u> 것은 무엇인가요? (   )

① 글의 주제가 잘 드러났는가?
② 제목이 글 내용과 어울리는가?
③ 주제와 관련한 내용으로 글을 썼는가?
④ 유행어와 줄임 말을 충분히 넣어 썼는가?
⑤ 읽는 사람이 흥미를 느낄 만한 글머리인가?

4 단원

📍 매체를 활용해 겪은 일이 드러나는 글 쓰기의 단계

| 1단계 | 활용할 매체 정하기 | • 의견을 조정하는 방법으로 학급에서 활용할 매체 정하기 |

| 2단계 | 매체를 활용할 때 주의할 점 알기 | • 읽기 쉽게 글자 크기와 줄 간격 등을 조정하기
• 저작권 침해하지 않기 |

지호가 올린 글은 이 책의 내용과 너무 비슷한데?

| 3단계 | 매체를 활용해 글 쓰기 | • 글을 쓸 때 생각해야 할 점을 살펴보고 쓰기
• 읽는 사람이 쉽게 읽을 수 있도록 쓰기 |

| 4단계 | 의견 주고받기 | • 친구가 쓴 글에 잘한 점이나 고칠 부분 쓰기
• 친구가 남긴 의견에 대한 생각을 쓰고 반영할 부분 생각하기 |

| 5단계 | 고쳐쓰기 | • 문장 성분의 호응이 잘 이루어졌는지 확인하기
• 글의 내용, 조직, 표현과 같이 글을 쓸 때 생각해야 할 점을 잘 해결했는지 살펴보기 |

4
단원

22 활용할 매체가 갖추어야 할 조건이 <u>아닌</u> 것은 무엇인가요?

> ㉠ 반 학생이 모두 사용할 수 있어야 한다.
> ㉡ 긴 글을 쉽게 올리고 다 같이 읽어 볼 수 있어야 한다.
> ㉢ 학생들만 사용할 수 있어야 하고, 선생님이나 학부모들은 볼 수 없어야 한다.

(   )

23 활용할 매체로 '단체 대화방'을 정했습니다. 이 매체를 활용했을 때 어떤 문제가 있을까요? (   )
① 집에서만 사용할 수 있다.
② 스마트폰이 없는 친구들이 있다.
③ 의견을 빠르게 주고받을 수 없다.
④ 사진이나 동영상 자료를 공유할 수 없다.
⑤ 그림말로만 대화할 수 있어서 정확한 의견을 전달할 수 없다.

24 2단계를 보아 매체를 활용해 글을 쓰거나 의견을 나눌 때 주의할 점을 두 가지 고르세요. (,   )
① 글은 반드시 길게 쓴다.
② 반드시 사진을 첨부한다.
③ 어려운 낱말을 많이 쓴다.
④ 저작권을 침해하지 않는다.
⑤ 읽기 쉽게 글자 크기와 줄 간격 등을 조절한다.

25 직접 종이에 글을 쓰고 의견을 나누는 방법과 비교하여 매체를 활용했을 때의 좋은 점이 <u>아닌</u> 것은 무엇인가요?
(   )
① 글을 고치기에 편리하다.
② 의견을 쉽게 주고받을 수 있다.
③ 칭찬하는 말이나 고칠 부분을 편하게 전할 수 있다.
④ 글쓴이를 숨기고 남을 비방하거나 지적하는 말을 할 수 있다.
⑤ 한 사람이 쓴 글을 여러 사람이 동시에 읽고 의견을 쓸 수 있다.

1 글쓰기의 과정과 하는 일이 잘못 정리된 것은 무엇입니까? (　　　)

①	계획하기	글을 쓸 준비를 하는 단계
②	내용 생성하기	쓸 내용을 떠올리는 단계
③	내용 조직하기	쓸 내용을 나누는 단계
④	표현하기	직접 글을 쓰는 단계
⑤	고쳐쓰기	글을 요약하는 단계

[2~5] 나만 미워해

가 ㉠어제저녁에 방에서 컴퓨터를 하는데 졸음이 밀려온다. 안방으로 가서 가만히 누워 있는데 내 동생 용준이가 나를 툭툭 치며 장난을 걸어왔다. 나는 용준이가 또 덤빌까 봐 용준이 손을 잡고 안 놓아주었다. 그러다가 그만 내 눈에 쇳덩어리(용준이 머리)가 '쿵' 하고 부딪쳤다.

"아야!"

나는 너무 아파서 눈물을 글썽였다. 그랬더니 용준이가 혼날까 봐 따라 울려고 그랬다. 나는 결코 용준이를 아프게 한 적이 없는데도 말이다.

"야, 네가 왜 울어?"

그때였다. 아버지께서 눈을 크게 뜨며

"진윤서, 너 왜 동생 울려?"

하고 큰소리를 내셨다. 나한테만 뭐라고 하시는 아버지를 이해할 수 없었다. 나는 화가 나서 울며 내 방으로 들어가 침대에 누웠다.

나 나는 앞으로 용준이와 놀아 주지 않겠다고 다짐했다. 한참 있다가 어머니께서 오셨다. 문을 열어 보라고 하시는데 어머니의 목소리가 별로 ㉡　　　.

나는 혼이 날까 봐 살짝 문을 열었다.

2 '내'가 겪은 일은 무엇입니까? (　　　)

① 동생을 아프게 하였다.

② 일기를 쓰다가 잠이 들었다.

③ 동생이 '내' 컴퓨터를 망가뜨렸다.

④ 동생이 감기에 걸려서 걱정을 했다.

⑤ 동생을 울렸다고 아버지께 야단맞았다.

3 이 글에 나타난 '나'의 기분을 나타내는 말을 한 가지 쓰시오.

(　　　　　　　　)

4 ㉠을 바르게 고쳐 쓴 문장에 ○표 하시오.

(1) 어제저녁에 방에서 컴퓨터를 하는데 졸음이 밀려왔다. (　　　)

(2) 어제저녁에 방에서 컴퓨터를 하시는데 졸음이 밀려왔다. (　　　)

(3) 어제저녁에 방에서 컴퓨터를 하는데 졸음이 밀려올 것이다. (　　　)

5 ㉡ 에 들어갈 알맞은 말은 무엇인지 모두 고르시오.

(　　,　　)

① 좋았다.　　　　② 좋아 보였다.

③ 좋을 것이다.　　④ 안 좋아 보였다.

⑤ 좋아 보이지 않았다.

6 문장 성분의 호응이 바르게 이루어지도록 글을 써야 하는 까닭은 무엇이겠습니까? (　　　)

① 문장을 짧게 쓸 수 있기 때문에

② 문장을 길게 쓸 수 있기 때문에

③ 글씨를 예쁘게 쓸 수 있기 때문에

④ 문장을 간단히 줄여서 쓸 수 있기 때문에

⑤ 문장의 뜻을 바르게 이해할 수 있기 때문에

7 다음 빈칸에 들어갈 수 있는 시간을 나타내는 말은 무엇입니까? (   )

> [   ] 우리 가족은 함께 동네 공원으로 산책을 나갔다.

① 곧　　　　　　② 내일
③ 모레　　　　　④ 다음 주
⑤ 어제저녁

8 다음 빈칸에 들어갈 알맞은 서술어는 무엇입니까?
(   )

> 나는 내일 서점에 [   ].

① 갔다　　　　　② 갔었다
③ 갔다 왔다　　　④ 갈 것이다
⑤ 가지 못했다

9 다음 문장에서 ㉠~㉣ 중 잘못 고쳐 쓴 부분에 ×표 하시오.

> 할아버지는 얼른 밥을 다 먹고 또 일하러 나갔다.
> 　　㉠　　　　　㉡　　　㉢　　　　　　㉣

(1) ㉠ 할아버지께서는 　　　　　(　　　)
(2) ㉡ 진지를 　　　　　　　　　(　　　)
(3) ㉢ 먹으시고 　　　　　　　　(　　　)
(4) ㉣ 나가셨다 　　　　　　　　(　　　)

10 다음 문장에서 고쳐 써야 할 부분에 바르게 밑줄 친 것은 어느 것입니까?

> ㉠ 나는 책 읽기를 <u>별로</u> 좋아하는 편이다.
> ㉡ 선생님 말씀은 <u>전혀 들어</u> 보지 못한 내용이었다.
> ㉢ 나는 친구가 거짓말을 한 것이 <u>결코 바른 행동</u>이라고 생각하지 않는다.

(　　　　　　　　　　)

서술형·논술형 문제

11 문제 **10**에서 답한 문장의 밑줄 친 부분을 바르게 고쳐 문장을 완성하여 쓰시오.

_____

서술형·논술형 문제

12 '결코, 전혀, 별로' 중 한 낱말이 들어간 짧은 문장을 쓰시오.

_____

13 다음 문장의 서술어와 호응하는 낱말로 빈칸에 들어갈 알맞은 말은 무엇입니까? (   )

> 나는 지호의 생각을 [   ] 이해할 수 없다.

① 비록　　　　　② 만약
③ 혹시　　　　　④ 반드시
⑤ 도저히

14 겪은 일이 드러나게 글을 쓰는 과정에서 글쓰기를 계획할 때 할 일이 <u>아닌</u> 것은 무엇입니까? (   )
① 글의 주제를 정한다.
② 글의 종류를 정한다.
③ 글을 쓸 장소를 정한다.
④ 글을 쓰는 목적을 정한다.
⑤ 글을 읽는 사람이 누구인지 생각한다.

15 다음 중 글로 표현하기에 가장 알맞은 글감은 무엇입니까? ( )

① 누구나 경험할 만한 것

② 주제가 잘 드러나지 않는 것

③ 내용을 자세히 풀어 쓸 수 없는 것

④ 글을 읽는 사람이 흥미를 느낄 만한 것

⑤ 장소나 등장인물의 변화가 너무 많은 것

18 여러 사람이 동시에 글을 쓰고 의견을 주고받으려고 합니다. 활용할 매체로 알맞지 <u>않은</u> 것은 무엇입니까?

( )

① 편지   ② 누리집

③ 블로그   ④ 누리 소통망

⑤ 인터넷 게시판

16 다음 중 '날씨 표현으로 시작하기' 방법으로 글머리를 쓴 것은 어느 것입니까?

(1)	하늘에서 물을 바가지로 퍼붓는 듯 비가 내리는 날이었다.	
(2)	"괜찮아." 드디어 유나가 입을 열었다.	
(3)	키가 작고 눈이 동그란 그 친구는 항상 웃는 아이였다.	
(4)	꼼지락꼼지락, 희조는 이불 속에서 나올 생각을 안 한다.	
(5)	10월의 어느 날, 드디어 반 대항 축구 대회가 열리는 날이었다.	

19 다음을 보아 지호가 올린 글의 문제점은 무엇이겠습니까? ( )

지호가 올린 글은 이 책의 내용과 너무 비슷한데?

① 반말로 글을 썼다.

② 저작권을 침해했다.

③ 글자 크기를 너무 크게 썼다.

④ 줄 간격이 좁아 읽기가 어렵다.

⑤ 어려운 낱말을 너무 많이 썼다.

17 다음은 '속담이나 격언으로 시작하기' 방법으로 쓴 글머리입니다. 빈칸에 들어갈 알맞은 속담은 무엇입니까?

( )

> "〔   〕"(이)라더니 해변은 축제 때문에 사람들로 가득했다.

① 가는 날이 장날

② 누워서 떡 먹기

③ 티끌 모아 태산

④ 백지장도 맞들면 낫다

⑤ 가랑비에 옷 젖는 줄 모른다

20 '학급 누리집' 매체를 활용해 의견을 주고받는 방법으로 잘못된 것은 무엇입니까? ( )

친구가 쓴 글에 의견 쓰기	① 잘한 점 칭찬하기
	② 고칠 부분 말하기
	③ 자신이 쓴 글과 비교하고 새롭게 생각한 것 쓰기
친구가 남긴 의견 읽기	④ 친구 의견에 대한 생각 쓰기
	⑤ 친구 의견에서 반영하기 힘든 부분은 무시하기

여러 가지 매체 자료

5

저희는 여러 매체로 광고를 만들어 요괴 네트워크에 공유하는 서비스를 제공하고 있습니다.

요괴 네트워크

걱정 말아요. 이 몸이 다 해결해 드리죠.

이런 누추한 곳까지 어인 일로 오셨소?

쳇, 잘 차려 놓고 사네.

개념 웹툰

친구들이 매체 자료를 잘 활용할까요? 스마트폰에서 확인하세요!

5 단원

개념① 여러 가지 매체 자료 알기

매체 자료	종류	정보 전달 방법
인쇄 매체 자료	잡지, 신문 등	글, 그림, 사진
영상 매체 자료	영화, 연속극 등	소리, 자막 등 여러 가지 연출 방법
인터넷 매체 자료	문자 메시지, 누리 소통망[SNS] 등	인쇄 매체 자료와 영상 매체 자료에서 사용하는 방식을 모두 사용함.

활동 여러 가지 매체 자료

| 인쇄 매체 자료 | 영상 매체 자료 | 인터넷 매체 자료 |

개념② 매체 자료의 특성을 생각하며 알맞은 방법으로 읽기

매체 자료	읽는 방법
인쇄 매체 자료	글과 그림과 사진이 주는 시각 정보를 잘 살펴보는 것이 좋습니다.
영상 매체 자료	화면 구성을 잘 살피고 소리에 담긴 정보도 탐색해야 합니다.
인터넷 매체 자료	글과 그림과 사진이 주는 시각 정보를 잘 살펴볼 뿐만 아니라 화면 구성과 소리에 담긴 정보도 탐색해야 합니다.

지문 영상 매체 자료 「허준」 보기

장면	표현 방법
	치료 장면을 연달아 보여 주고 비장한 느낌의 음악을 들려줌. ➡ 자신을 희생하고 다른 사람을 위하는 허준의 태도가 강조됨.
	허준이 주위를 두리번거리는 모습을 가까이 보여 줌. ➡ 일이 이상하게 되어 감을 나타냄.

개념③ 매체 자료의 특성을 생각하며 이야기를 읽고 현실 세계와 비교하기

① 매체 자료에 맞는 읽기 방법을 생각하며 이야기를 읽습니다.
② 이야기의 등장인물이 겪은 일과 비슷한 경험을 떠올려 봅니다.
③ 등장인물의 말과 행동에 대하여 생각해 봅니다.

활동 「마녀사냥」을 읽고 현실 세계와 비교하기 예

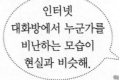
인터넷 대화방에서 누군가를 비난하는 모습이 현실과 비슷해.

「마녀사냥」에서 일어난 현상처럼 가짜 뉴스를 접한 적이 있어.

가

┌→ 신문

어린이 신문 20○○년 ○○월 ○○일

**걸어서 만나는 세계적인 생태 천국,
창녕 우포늪**

여름철 우포
늪은 온갖 생명
의 움직임으로
분주하다. 개구
리밥, 마름, 생이가래 같은 수생 식물
이 세력을 넓히고, 새하얀 백로가 얕은
물가를 느긋하게 거닐며 먹이 활동을
한다. 가시연꽃이 보랏빛 꽃을 피워 여
름의 절정을 알릴 날도 머지않았다.

나

아름다운 몸짓으로 피겨 스케이팅의 새 역사를 열어

5
단원

다

오늘 미세 먼지가 많다고 하
는데 공원에 놀러 갈 거야?

오늘 미세 먼지 소식이야. 위
에 있는 것은 수치이고, 아래 있
는 것은 오늘 일기 예보야.

→ 휴대 전화 문자 메시지

---

1 가에서 민준이가 내용을 잘 이해하려면 어떤 부분에 집
중하여야 하는지 두 가지를 고르세요. (,   )

① 글   ② 사진
③ 음악   ④ 음향
⑤ 동영상

2 나에서 민준이가 보고 있는 영상 매체 자료에 대한 설
명으로 알맞은 것의 기호를 쓰세요.

┌─────────────────────────────────────┐
│ ㉠ 시각만 이용하는 매체 자료이다.   │
│ ㉡ 비슷한 매체 자료로는 잡지가 있다.   │
│ ㉢ 장면과 어우러지는 음악이나 연출 기법의 의미를 │
│   생각하며 보아야 한다.   │
└─────────────────────────────────────┘

(   )

3 다에서 민준이가 사용한 매체 자료는 무엇인지 **보기**
에서 찾아 쓰세요.

┌─ **보기** ──────────────────────────┐
│   인쇄 매체, 영상 매체, 인터넷 매체   │
└──────────────────────────────────┘

(   ) 자료

🔖 교과서 문제

4 다에서 사진과 동영상을 사용한 까닭을 알맞게 말한 친
구의 이름을 쓰세요.

휴대 전화
메시지에서는 그림이나
소리를 사용할 수
없기 때문이야.

도훈

문자만으로 내용을
전달하는 것보다 훨씬 실감
나고 정확하게 생각을 전달
할 수 있기 때문이야.

나영

(   )

허준

아픈 사람들이 허준에게 치료를 받기 위해 길게 줄을 섰습니다.

시간이 흘러 다른 의원은 허준에게 이제 그만 떠나자고 합니다.

허준은 과거 시험을 보러 가야 하지만 조금 더 치료하기로 하였습니다.

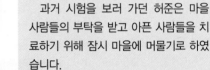

허준은 밤이 새도록 환자들을 치료하였습니다.

└→ 비장한 느낌을 주는 음악이 흘러나옴.

• 매체 자료의 종류: 연속극
• 특징: 조선 시대에 유명한 의원이었던 '허준'에 대한 역사적 사실을 바탕으로 하여 이야기를 꾸며 만든 연속극입니다.

🔎 교과서에 없는 앞 이야기

과거 시험을 보러 가던 허준은 마을 사람들의 부탁을 받고 아픈 사람들을 치료하기 위해 잠시 마을에 머물기로 하였습니다.

5 이 매체 자료의 종류는 무엇인지 기호를 쓰세요.

> ㉮ 인쇄 매체 자료
> ㉯ 영상 매체 자료

( )

교과서 문제

6 허준이 시험장으로 가지 못하고 마을에 머무는 까닭은 무엇인가요? ( )
① 갑자기 병에 걸려서
② 시험장으로 가는 길을 몰라서
③ 마을에서 시험공부를 더 하려고
④ 아픈 마을 사람들을 치료하려고
⑤ 중요한 책을 마을에서 잃어버려서

7 마을 사람들은 허준에게 어떤 마음을 느꼈을까요?

( )

① 야속한 마음 ② 고마운 마음
③ 괘씸한 마음 ④ 속상한 마음
⑤ 부담스러운 마음

8 장면 ④에서 치료 장면을 연달아 보여 주는 까닭은 무엇일까요? ( )
① 즐거운 분위기를 잘 나타내려고
② 시간이 조금만 지났다는 것을 보여 주려고
③ 허준이 밤새도록 환자들을 치료하는 상황을 나타내려고
④ 허준이 병을 치료하는 데 아직 미숙하다는 것을 나타내려고
⑤ 병이 들어 힘들어하는 마을 사람의 마음을 명확하게 나타내려고

정신을 차려야 한다. 여기서 무너지면 안 돼!

5 허준은 무너지면 절대 안 된다고 다짐하였습니다.

6 허준은 지친 몸으로 과거 시험장인 한양으로 가면서도 시험을 잘 치르겠다고 다짐하였습니다.

9 돌쇠는 어머니를 치료하려고 거짓말을 한 것이었습니다.

10 유도지는 아버지와 사이가 나쁜 벼슬아치들에게 뇌물을 주었습니다.

7 다음날 과거 시험장으로 가는 지름길을 알려 주겠다고 한 돌쇠는 허준을 자신의 집으로 데리고 왔습니다.

8 허준은 돌쇠에게 도대체 여기가 어디냐고 물었습니다.

11 과거 시험에서 아버지를 생각하지 말고 자신의 실력만을 보아 달라고 부탁하였습니다.

12 뇌물을 받은 벼슬아치는 놀란 표정으로 유도지를 바라보았습니다.

5 단원

9 장면 **5** 에서 인물이 처한 상황을 나타내기 위해 사용한 방법은 무엇인지 ○표 하세요.

(1) 그림말을 사용하였다. ( )

(2) 과거에 일어난 일을 보여 주었다. ( )

(3) 인물의 속마음을 그대로 들려주었다. ( )

10 돌쇠는 허준을 어디로 데리고 갔나요?

( )

11 장면 **6** 에는 어떤 느낌을 주는 배경 음악이 어울리나요? ( )

① 빠르고 시끄러운 신나는 느낌의 음악

② 허준의 굳은 의지가 잘 느껴지는 음악

③ 허준의 행동을 놀리는 듯한 느낌의 음악

④ 힘들고 절망스러운 상황이 느껴지는 음악

⑤ 포기하고 싶은 허준의 마음을 표현하는 음악

영화, 연극, 드라마 등에서 그 장면의 분위기를 만들기 위해 들려주는 음악을 '배경 음악'이라고 해요.

12 장면 **8** 에서 허준이 주위를 둘러보는 모습을 가까이 보여 준 까닭은 무엇인가요? ( )

① 허준의 착한 성격을 나타내려고

② 허준의 느긋한 마음을 나타내려고

③ 돌쇠에게 보답하고 싶은 마음을 나타내려고

④ 돌쇠가 허준에게 속았다는 것을 나타내려고

⑤ 사건이 허준이 예상하지 못한 방향으로 일어나는 것을 나타내려고

13 유도지가 과거에 합격하기 위해 한 일은 무엇인가요?

• 벼슬아치에게 ( )을 주었다.

📚 서술형·논술형 문제

14 장면 **12** 에서 긴장감이 느껴지는 배경 음악을 사용하였다면 그 까닭은 무엇일까요?

_____

_____

어느 독서광의 일기

• 생각할 점: 매체 자료에 나오는 인물에 대해 어떤 점을 소개할 수 있을지 떠올려 봅니다.

→ 잔잔하고 차분한 느낌의 음악을 사용함.

① 태몽에 나온 '노자(老子)'의 정령을 받은 아이

김득신은 열 살에 처음 글을 배우기 시작했다.

② 명문 사대부 家 정3품 부재학을 지낸 아버지 '김치(金緻)'

김득신은 정삼품 부제학을 지낸 김치의 아들로 주변에서는 우둔한 김득신을 포기하라고 했다.

→ 경쾌한 느낌의 음악을 사용함.

⑤ '너으리, 정말 모르신단 말씀이십니까'

김득신은 하인도 외우는 내용을 기억하지 못하고 남의 글을 자기가 쓴 것으로 착각하기도 하였다.

→ ⑥~⑧: 고요하고 평화로운 느낌의 음악을 사용함

⑥ 수 만 번 외워도 잊어버리고 착각까지 했던 그는 특별한 기록을 한다

김득신은 자신의 한계를 극복하기 위해 만 번 이상 읽은 책에 대한 기록을 남긴다.

③ '나는, 저 아이가 저리 미욱하면서 공부를 포기하지 않는 것이 대견스럽네'

하지만 김득신의 아버지는 공부를 포기하지 않는 김득신을 대견스럽게 여겼다.

④ 나이 스물 처음 스스로 작문

김득신은 스무 살에 처음 작문을 했다. 김득신의 아버지는 공부란 꼭 과거를 보기 위한 것만이 아니니 더욱 노력하라고 격려했다.

⑦ 59세 문과 급제 성균관 입학

김득신은 59세에 문과에 급제해 성균관에 입학한다.

⑧ 오언절구와 칠언절구가 빼어난 백곡 김득신(金得臣, 1604~1684)은 당대 최고의 시인으로 추앙받았다

김득신은 많은 책과 시를 읽었지만 자신만의 시어로 시를 쓴다. 많은 사람들이 김득신의 시를 높이 평가했다.

---

15 김득신은 몇 살 때 처음 글을 배우기 시작하였나요?

(   ) 살

16 김득신의 아버지는 김득신을 어떻게 생각하였나요? (   )

① 공부 대신 다른 것을 시키려고 하였다.
② 우둔하여 공부를 그만두게 하려고 하였다.
③ 글을 너무 늦게 배워서 걱정을 많이 하였다.
④ 무엇이든 쉽게 포기하는 것을 답답해하였다.
⑤ 공부를 포기하지 않는 것을 대견스러워하였다.

17 김득신의 아버지는 어떤 말로 김득신을 격려하였나요?

• 공부란 꼭 (   )을/를 보기 위한 것만이 아니니 더욱 노력하라고 김득신을 격려했다.

18 장면 ⑤에서 경쾌한 느낌의 음악을 사용한 까닭은 무엇일까요? (   )

① 갑자기 똑똑해진 김득신을 칭찬하려고
② 하인의 우스꽝스러운 모습을 강조하려고
③ 주위 사람들의 답답한 마음을 강조하려고
④ 하인보다도 못한 김득신을 조롱하고 놀리려고
⑤ 우스꽝스러우면서도 안타까운 김득신의 모습을 강조하려고

19 김득신은 자신의 한계를 극복하기 위해 어떤 방법을 사용하였나요?

• 만 번 이상 읽은 책에 대한 (   ) 을/를 남기는 방법

🔖 서술형·논술형 문제

20 김득신의 삶에서 본받을 점을 친구들에게 소개할 때 소개할 내용을 써 보세요.

마녀사냥

- **글쓴이**: 이규희
- **중심 사건**: 흑설 공주가 핑공 카페에 민서영에 대한 거짓 글을 올리자 민서영이 반박 글을 올리고 결국 진실 싸움이 벌어졌습니다.

❶ 흑설 공주가 핑공 카페에 민서영과 관련한 거짓 글을 올림.

❷ 민서영이 흑설 공주의 글에 대한 반박 글을 올림.

❸ 카페 가입자들이 흑설 공주를 비난함.

❹ 흑설 공주가 다시 반박 글을 올려 진실 싸움으로 바뀜.

5 단원

【 앞 이야기 】

　전학 온 서영이는 성격이 좋아 금세 친구들과 잘 어울렸다. 그런 서영이가 부러운 미라는 핑공 카페에 '흑설 공주'라는 계정으로 서영이와 관련한 거짓 글을 올린다. 아이들은 서영이가 거짓으로 부모님 이야기를 한다는 '흑설 공주'의 글을 읽고 수군대기 시작한다. 한편, 미라와 친해지고 싶었던 민주는 '흑설 공주'인 미라가 거짓말을 하고 있다는 것을 알았지만 서영이에게 그 사실을 알리지 못하고 망설인다.

❶　민주는 날마다 핑공 카페를 들여다보았다. 혹시 서영이가 무슨 반박 글을 올리지 않을까 해서였다. 그러던 어느 날 민주는 눈이 휘둥그레졌다. 마침내 서영이가 자기 입장을 밝히는 글을 올린 것이다.

　"서영이가 이제 모든 걸 다 알았구나. 어떻게 알았지?

인터넷 카페의 이름

누가 핑공에 들어가 보라고 일러 주었나?"

　민주는 떨리는 마음으로 서영이가 올린 글을 읽어 보았다. 흑설 공주에 대한 분노, 엄마 아빠에 대한 자부심과 사랑과 함께 흑설 공주의 글이 모두 사실이 아니라는 걸 당당하게 밝혀 놓은 글이었다.

　'역시 민서영이구나.'

민주는 자기 생각을 당당하게 밝힐 줄 아는 서영이의 용기가 몹시 부러웠다. 하지만 핑공 카페에 들어와 서영이가 올린 글을 읽은 아이들은 저마다 자기 의견을 달아 놓았다. 그중에는 서영이를 두둔하는 선플도 있었지만, 흑설 공주를 비방하는 악플과 함께 여전히 흑설 공주 편을 드는 아이들도 있었다.

긍정적인 평가를 쓴 댓글

반박(反 되돌릴 반 駁 어긋날 박) 어떤 의견, 주장, 논설 따위에 반대하여 말함.

자부심 자기 자신 또는 자기와 관련되어 있는 것에 대하여 스스로 그 가치나 능력을 믿고 당당히 여기는 마음.

---

21 미라가 서영이에 대한 거짓 글을 쓴 까닭은 무엇인가요? (　)

① 서영이가 미라에 대한 험담을 하여서

② 민주가 거짓 글을 올려 달라고 부탁하여서

③ 서영이가 친구들과 잘 어울리는 것이 부러워서

④ 친구들과 잘 어울리지 못하는 서영이를 놀리려고

⑤ 서영이가 자기보다 민주랑 더 친한 것이 화가 나서

22 미라는 어느 매체 자료에 서영이에 대한 거짓 글을 썼는지 ○표 하세요.

(인쇄 매체 / 영상 매체 / 인터넷 매체) 자료

23 핑공 카페에 서영이가 올린 글의 내용이 <u>아닌</u> 것은 무엇인가요? (　)

① 흑설 공주에 대한 분노

② 엄마 아빠에 대한 사랑

③ 친구들에 대한 미안함

④ 엄마 아빠에 대한 자부심

⑤ 흑설 공주의 글이 모두 사실이 아니라는 내용

24 민주는 서영이가 올린 글을 읽고 어떤 생각을 하였나요?

- 자기 생각을 당당하게 밝힐 줄 아는 서영이의 용기가 몹시 (　　　　　　　)

→ 서영이가 올린 글에 달린 댓글

사냥꾼: 도대체 누구 말이 진실인가?

빨간 풍선: 민서영이 흑설 공주에게 일방적으로 당한 것 같다. 지금이라도 민서영이 자기 입장을 밝혀 주어 속 시원하다.

은하수: 내가 보기에 흑설 공주가 너무 심하다. 본인이 사실이 아니라는데 왜 그런 거짓 글을 실었을까?

거지 왕자: 어쩌면 우리가 모르는 두 사람만의 갈등이 있는 건 아닐까?

하이디: 흑설 공주의 글을 보면 민서영에 대해서 잘 알고 있는 듯하다. 그러니 어쩌면 흑설 공주의 글이 사실이 아닐까?

기쁜 나무: 아무리 흑설 공주의 글이 사실이라고 해도 인터넷에 남의 사생활을 퍼뜨리는 건 나쁜 짓이다.
　　　　　　　　개인의 사적인 일상 생활

삐삐: 그럼 흑설 공주와 민서영, 둘 중 한 사람은 우릴 속이고 있는 거네?

허수아비: 맞다. 흑설 공주가 근거도 없이 얼토당토않은 글을 올리지는 않았을 것이다. 내가 보기에 민서영이 거짓말을 하고 있는 것 같다.

솔로몬: 이 사실을 밝힐 수 있는 명탐정은 누구인가?

얼토당토않은 전혀 합당하지 아니한.
　예 지수는 지각을 할 때마다 얼토당토않은 핑계를 말한다.

아이들의 댓글은 꼬리에 꼬리를 물고 이어졌다. 민주는 숨을 죽인 채 카페에 올라온 글들을 읽고 또 읽었다. 그리고 다음 날 민주는 또다시 자기 눈을 의심하였다. 흑설 공주가 서영이를 공격하는 글을 또 써서 흑설 공주가 서영이를 공격하는 또 하나의 글이 올라와 있었기 때문이었다. 민주는 덜덜 떨리는 마음으로 흑설 공주가 올린 글을 읽기 시작하였다.

→ 흑설 공주가 올린 글

민서영, 내가 쓴 글이 사실이 아니라면 그걸 반박할 증거를 내놓아라. 그럴 용기가 없다면 내가 쓴 모든 글이 사실임을 인정해야 할 것이다.

민주는 어이가 없어서 저절로 욕이 튀어나올 지경이었다. 이걸 보고 놀랄 서영이를 생각하니 딱하기만

했다. 아무것도 아닌 일에 휘말려 마치 그물 속의 물고기처럼 허우적거리고 있는 서영이가 생각할수록 가여웠다. 하지만 이번에는 서영이도 반격을 늦추지 않았다. 지난번처럼 잠자코 있으면 아이들이 흑설 공주의 주장이 사실이라고 받아들일까 봐 두려운 듯 보였다. 민주는 이번에는 더욱더 숨을 죽인 채 서영이가 올린 글을 읽어 나갔다.

반격(反 되돌릴 반 擊 부딪칠 격) 되받아 공격함.
잠자코 아무 말 없이 가만히.

25 빨간 풍선의 생각은 무엇인지 기호를 쓰세요.

　㉮ 서영이가 잘못했다.
　㉯ 흑설 공주가 잘못했다.
　㉰ 누구의 잘못인지 모르겠다.

(　　　　　)

26 다음 카페 가입자 중 나머지 사람과 의견이 다른 한 명의 이름을 쓰세요.

　　　은하수, 하이디, 허수아비

(　　　　　)

27 서영이가 글을 쓴 뒤에 흑설 공주는 어떤 내용의 글을 올렸나요? (　　　)
① 서영이와 화해하고 싶다는 내용
② 그동안 거짓말한 것을 사과하는 내용
③ 서영이가 쓴 글이 사실임을 인정한다는 내용
④ 아이들이 남의 일에 지나치게 관심을 가진다는 내용
⑤ 서영이에게 자신이 쓴 글을 반박할 증거를 내놓으라는 내용

28 민주는 흑설 공주가 올린 글을 읽고 어떤 생각을 하였나요?
• (　　　　　　　　　　)가 가엽다.

흑설 공주의 글이 사실이 아니라는 증거 두 가지

<u>여러분</u>, 저는 흑설 공주에게 <u>모함</u>을 받고 있는 민
여러분_{핑공 카페 가입자들} 나쁜 꾀로 남을 어려운 처지에 빠지게 함.
서영입니다.

여러분 중에서도 흑설 공주의 글을 읽고 여전히 제
가 거짓말쟁이라고 의심하는 분들이 있다는 걸 알고
매우 슬펐습니다. 만약 아직도 저에 대한 의심과 오해
를 풀지 못한 분이 있다면 아래에 있는 사진을 참조해
주시기 바랍니다.

첫 번째는 우리 아빠가 아프리카 탄자니아 은좀베
에서 의료 봉사를 하고 있는 병원의 모습을 찍은 사진
입니다. 진찰실에서 청진기를 들고 아프리카 아이를
진찰하고 있는 분이 바로 우리 아빠입니다. 정말 자랑
스러운 우리 아빠 말이지요.

두 번째는 디자이너인 우리 엄마가 지난봄에 연 패

션쇼 모습을 찍은 사진입니다. 엄마가 디자인한 옷을
입은 모델들이 패션쇼를 하고 있는 모습이 보이지요?

이처럼 뚜렷한 증거를 올렸으니 여러분은 이제 제
가 거짓말쟁이가 아니라는 걸 믿으시겠지요?

추신: 이제 증거를 밝혔으니 흑설 공주는 터무니없는
글로 나와 우리 엄마, 아빠를 모함하는 일을 그만두
기 바란다.

✏️ **중심 내용 1** 민서영이 흑설 공주의 글에 대한 반박 글을 올렸다.

2 서영이가 핑공 카페에 아빠가 은좀베 마을에서 의
료 봉사를 하는 모습과 엄마가 디자인한 옷을 입고 모델
들이 패션쇼를 하는 사진을 올리자, 이번에는 서영이를
응원하는 댓글과 흑설 공주를 비난하는 댓글이 수없이
올라와 있었다.

허수아비: 아무리 얼굴과 이름을 숨기고 자기 생각을
마음대로 실을 수 있는 인터넷 세상이지만, 최소한
의 예의는 지켜야 한다. 그런데도 거짓 정보를 올린
흑설 공주는 당장 사과해라!

어린 왕자: 흑설 공주가 대체 누구인가? 이런 사람은
카페에 들어올 자격이 없다.

---

29 서영이가 제시한 증거 두 가지는 무엇인가요?
(,   )

① 담임 선생님께서 하신 말씀
② 엄마가 연 패션쇼 모습을 찍은 사진
③ 서영이 부모님을 알고 있는 친구의 말
④ 서영이가 부모님과 함께 찍은 가족사진
⑤ 아빠가 의료 봉사를 하고 있는 모습을 찍은 사진

30 서영이가 핑공 카페에 올릴 수 있는 증거의 종류로 알맞
은 것의 기호를 쓰세요. (   )

> ㉠ 동영상, 소리만 제시할 수 있다.
> ㉡ 글, 그림, 사진만 제시할 수 있다.
> ㉢ 글, 그림, 사진, 동영상, 소리를 모두 제시할 수
> 있다.

31 서영이가 올린 글이 원인이 되어 어떤 결과가 있었나요?
(   )

① 흑설 공주가 사과하는 글을 올렸다.
② 흑설 공주가 자신이 누구인지 밝혔다.
③ 카페 가입자들이 흑설 공주를 비난하였다.
④ 흑설 공주 편을 드는 댓글이 여전히 많았다.
⑤ 카페 가입자들도 자신들의 부모님 사진을 올렸다.

32 흑설 공주가 지키지 않은, 인터넷에 글을 쓸 때 지켜야
할 예절에 ○표 하세요.

(1) 저작권 지키기 (   )
(2) 맞춤법 지키기 (   )
(3) 거짓 정보 올리지 않기 (   )

매운 고추: 민서영, 잠시라도 널 의심해서 미안하다. 네 용기에 박수를 보낸다.

하이디: 글은 자기의 얼굴과 마찬가지이다. 거짓 글로 민서영에게 상처를 준 흑설 공주는 카페에 글을 쓸 자격이 없다. 마녀사냥은 민서영이 아니라 흑설 공주에게 해야 한다.

삐삐: 핑공 카페지기는 당장 흑설 공주의 신상 털기를 해라!

방글이: 요즈음 거짓 정보 때문에 목숨을 끊은 연예인이 얼마나 많은가. 우리 어린이들까지 그런 잘못된 걸 본받으면 안 된다!

'드디어 서영이의 역공 작전이 성공했구나. 이걸 보고 미라가 어떤 표정을 지을까? 된통 당했으니 이젠 슬 그머니 ⊙꼬리를 내리겠지?'

(아주 몹시.)

📝 중심 내용 2 카페 가입자들이 민서영이 올린 반박 글을 읽고 흑설 공주를 비난하였다.

3 민주는 마치 자기 일처럼 고소하기 짝이 없었다. 하지만 웬걸, 싸움은 그게 끝이 아니었다. 흑설 공주가 곧바로 서영이의 글을 읽고 또 다른 공격을 해 온 것이다.

신상(身 몸 신 上 위 상) 한 사람의 몸이나 처신. 또는 그의 주변에 관한 일이나 형편.

민서영의 두 번째 거짓말!

여러분, 민서영은 또 한 번 여러분을 우롱하고 있습니다. 민서영이 내놓은 사진들을 살펴보면 단박에 그걸 알 수 있습니다.

민서영 아빠가 의료 봉사를 하고 있는 사진은 인터넷 여기저기에서 얼마든지 퍼 올 수 있는 사진들입니다. 사진 속 의사가 민서영 아빠라는 걸 누가 증명해 줄까요?

또 패션쇼 사진도 마찬가지입니다. 민서영이 마음만 먹으면 다른 디자이너의 패션쇼 사진을 얼마든지 퍼 올 수 있는 게 아닙니까? / 민서영은 교묘한 잔꾀로 우리 모두를 속여 넘기려는 것입니다.

흑설 공주는 마치 먹이를 문 사자처럼 좀처럼 서영이를 잡고 놓아주지 않았다. 그러자 핑공 카페는 점점 더 흑설 공주와 민서영의 싸움을 구경하려는 구경꾼들로 가득 찼다. 흑설 공주와 민서영이 올린 글의 조회 수는 점점 더 올라가고, 모두들 민서영이 어떤 반격을 해 올지 기다리는 눈치였다.

📝 중심 내용 3 흑설 공주가 다시 반박 글을 올려 진실 싸움으로 바뀌었다.

우롱하고 사람을 어리석게 보고 함부로 대하거나 웃음거리로 만들고.
단박 그 자리에서 바로를 이르는 말.

33 ⊙과 바꾸어 쓸 수 있는 말은 무엇인가요? ( )
① 물러나겠지
② 힘을 내겠지
③ 자신을 밝히겠지
④ 만족스러워하겠지
⑤ 잘 보이려고 아양을 떨겠지

34 글 3에서 흑설 공주는 어떤 내용의 글을 올렸나요?
• 민서영이 내놓은 사진들은 ( ) 에서 퍼 온 것이다.

35 이 글과 비슷한 경험을 말한 친구의 이름을 쓰세요.

동민: 지난 주말에 동물원에서 사자를 보았어.
수진: 옛날 공주의 삶을 그린 영화를 본 적이 있어.
지영: 인터넷 대화방에서 누군가를 비난하는 것을 본 적이 있어.

( )

🏷 서술형·논술형 문제
36 내가 민주라면 어떻게 행동할지 쓰세요.

정답 10쪽

국어 교과서 204쪽

2. 「마녀사냥」을 다시 읽고 사건을 파악해 봅시다.

> 흑설 공주가 핑공 카페에 민서영과 관련한 거짓 글을 올림.

> (예시 답안) 민서영이 흑설 공주의 글에 대한 반박 글을 올림.

> 흑설 공주가 다시 반박 글을 올려 흑설 공주와 민서영의 진실 싸움으로 바뀜.

> (예시 답안) 카페 가입자들이 흑설 공주를 비난함.

(풀이) 인물이 한 일을 중심으로 어떤 일이 일어났는지, 그 일 때문에 이어서 일어난 일은 무엇인지 살펴봅시다.

3. 이야기의 제목이 「마녀사냥」인 까닭을 친구들과 이야기해 봅시다.

(예시 답안) 뜻이 다른 사람을 따돌리는 현상을 '마녀사냥'이라고 하듯이 이 이야기에서도 부정확한 내용을 근거로 누군가를 공격하는 현상을 다루었기 때문입니다.

(풀이) '마녀사냥'의 본래 뜻과 거기에서 확장된 뜻을 알고 이야기에서 일어난 중요한 사건을 토대로 제목을 지은 까닭을 알 수 있습니다.

국어 교과서 205쪽

4. 「마녀사냥」에 나오는 인물의 모습을 현실 세계 속 우리 모습과 비교해 봅시다.

(예시 답안) 사실이 아닌 정보를 확인하지 않고 사실인 양 잘못된 정보를 퍼뜨려 다른 사람을 곤란하게 하거나, 그 사람을 괴롭히기 위해 일부러 사실이 아닌 내용을 퍼뜨리는 일이 있습니다.

(풀이) '마녀사냥'에 등장하는 것과 비슷한 사건을 본 적이 있는지, '마녀사냥'에 등장하는 인물이 겪은 일과 비슷한 자신의 경험을 떠올려 비교해 볼 수 있습니다.

자습서 확인 문제

1 흑설 공주가 민서영과 관련된 거짓 글을 올린 곳은 어디인가요?

( )

① 틱톡
② 유튜브
③ 페이스북
④ 핑공 카페
⑤ 인스타그램

2 다음 뜻을 가진 낱말을 쓰세요.

> • 15세기 이후 이교도를 박해하는 수단으로 쓰였던 방법
> • 특정 사람에게 죄를 뒤집어씌우는 것을 비유적으로 이르는 말.

( )

3 '마녀사냥'에 해당하는 것에 ○표 하세요.

(1) 어떤 사람을 괴롭히기 위해 몰래 따라다니는 것 ( )

(2) 사실이 아닌 정보를 확인하지도 않고 사실인 양 잘못된 정보를 퍼뜨려 다른 사람을 곤란하게 하는 것 ( )

[1~5] 여러 가지 매체 자료 알기

1 가, 나는 어떤 매체 자료인지 선으로 이으시오.

(1) 가 •

(2) 나 •

• ① 인쇄 매체 자료

• ② 영상 매체 자료

• ③ 인터넷 매체 자료

2 가에서 알려 주는 대상은 무엇인지 쓰시오.

(   )

3 가에서 내용을 전달하기 위해 사용한 방법 두 가지를 고르시오. (,   )

① 글   ② 사진   ③ 음성

④ 음악   ⑤ 영상

4 나에서 알려 주는 대상은 무엇입니까? (   )

① 오늘 학교 소식

② 지도를 보는 방법

③ 오늘 미세 먼지 소식

④ 공원을 찾아가는 방법

⑤ 동네에 새로 생긴 공원

5 나의 대화에서 여자아이가 정보를 전달한 방법의 기호를 쓰시오.

㉠ 문자로만 정보를 전달하였다.
㉡ 동영상으로 정보를 전달하였다.
㉢ 음성으로만 정보를 전달하였다.

(   )

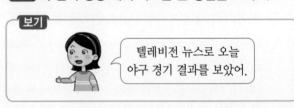 서술형·논술형 문제

6 보기와 같이 영상 매체 자료를 본 경험을 쓰시오.

보기

텔레비전 뉴스로 오늘 야구 경기 결과를 보았어.

_____

_____

7 표현 방법이 비슷한 매체 자료끼리 짝 지어진 것은 무엇입니까? (   )

① 잡지 – 영화

② 신문 – 연속극

③ 영화 – 누리 소통망[SNS]

④ 잡지 – 누리 소통망[SNS]

⑤ 휴대 전화 문자 메시지 – 누리 소통망[SNS]

[8~14] 허준

아픈 사람들이 허준에게 치료를 받기 위해 길게 줄을 섰습니다.

허준은 과거 시험을 보러 가야 하지만 조금 더 치료하기로 하였습니다.

> 정신을 차려야 한다. 여기서 무너지면 안 돼!

허준은 밤이 새도록 환자들을 치료하였습니다.

허준은 피곤해도 무너지면 절대 안 된다고 다짐하였습니다.

시험장으로 안내하기로 한 돌쇠는 허준을 자신의 집으로 데리고 왔습니다.

돌쇠는 허준이 자신의 어머니를 치료하게 하려고 거짓말을 하였습니다.

8 이와 같은 텔레비전 연속극은 어떤 매체 자료인지 번호를 쓰시오.

> ① 인쇄 매체 자료
> ② 영상 매체 자료
> ③ 인터넷 매체 자료

(   )

9 이 매체 자료를 볼 때 주의할 점으로 알맞은 것의 기호를 쓰시오.

> ㉠ 글, 그림에 주의하여 본다.
> ㉡ 화면 연출, 음향 효과에 주의하며 본다.
> ㉢ 화면보다 소리나 배경 음악에만 집중하며 본다.

(   )

10 사람들이 줄을 서 있는 까닭은 무엇입니까? (   )
① 먹을 것을 구하기 위해서
② 허준에게 의술을 배우기 위해서
③ 허준에게 병을 치료받기 위해서
④ 쓰러진 허준을 보살피기 위해서
⑤ 허준에게 과거 시험 문제를 가르쳐 주기 위해서

5
단원

11 허준이 한 일은 무엇입니까?
• 밤새도록 (   )

12 장면 ❸에 어울리는 음악의 번호를 쓰시오.

> ① 불안한 느낌의 음악
> ② 비장한 느낌의 음악

(   )

13 장면 ❹에 어울리는 표현 방법은 무엇입니까? (   )
① 시청자의 마음을 만화로 나타낸다.
② 허준의 마음을 그림말로 표현한다.
③ 허준의 모습을 아주 작게 보여 준다.
④ 허준의 속마음을 혼잣말로 그대로 들려준다.
⑤ 허준의 속마음을 다른 사람이 대신 말해 준다.

14 돌쇠가 허준을 자신의 집으로 데리고 간 까닭은 무엇입니까?
• 허준에게 (   )를 치료하게 하려고

단원 평가

5 단원

진도 완료 체크

[15~17] 어느 독서광의 일기

① 김득신을 두고 주위 사람들은 우둔하다 하였지만 김득신의 아버지는 공부를 포기하지 않는 김득신을 대견스럽게 여겼다.

"나는 저 아이가 저리 미욱하면서도 공부를 포기하지 않는 것이 대견스럽네."

② 김득신은 자신의 한계를 극복하기 위해 만 번 이상 읽은 책에 대한 기록을 남긴다.

수만 번 외워도 잊어버리고 착각까지 했던 그는 특별한 기록을 한다.

③ 김득신은 59세에 문과에 급제해 성균관에 입학하였고 많은 사람이 김득신의 시를 높이 평가했다.

59세 문과 급제 성균관 입학

15 장면 ①에서 주위 사람들은 김득신을 어떻게 생각하였습니까? (   )

① 우둔하다.　② 영특하다.　③ 게으르다.

④ 끈기가 없다.　⑤ 심성이 나쁘다.

16 김득신의 공부 방법을 찾아 쓰시오. (   )

> ㉠ 책 만 권 읽기
> ㉡ 책 한 권 만 번 베껴 쓰기
> ㉢ 만 번 이상 읽은 책의 기록 남기기

17 장면 ②, ③에서 다음과 같은 느낌을 주려면 어떤 음악을 사용하여야 합니까? (   )

> 꾸준히 노력해서 자신의 한계를 극복한 김득신의 삶을 칭찬하는 느낌

① 불안한 느낌의 음악

② 고요하고 희망찬 느낌의 음악

③ 조용하고 무서운 느낌의 음악

④ 우울하고 어두운 느낌의 음악

⑤ 놀리는 듯한 느낌의 시끄러운 음악

[18~20] 마녀사냥

가　【 앞 이야기 】

전학 온 서영이는 성격이 좋아 금세 친구들과 잘 어울렸다. 그런 서영이가 부러운 미라는 핑공 카페에 '흑설 공주'라는 계정으로 서영이와 관련한 거짓 글을 올린다. 아이들은 서영이가 거짓으로 부모님 이야기를 한다는 '흑설 공주'의 글을 읽고 수군대기 시작한다.

나　서영이가 핑공 카페에 아빠가 은좀비 마을에서 의료 봉사를 하는 모습과 엄마가 디자인한 옷을 입고 모델들이 패션쇼를 하는 사진을 올리자 이번에는 서영이를 응원하는 댓글과 흑설 공주를 비난하는 댓글이 수없이 올라와 있었다.

> 허수아비: 거짓 정보를 올린 흑설 공주는 당장 사과해라!
> 어린 왕자: 흑설 공주가 대체 누구인가? 이런 사람은 카페에 들어올 자격이 없다.

18 흑설 공주가 서영이에 대한 거짓 글을 올리자 글을 읽은 아이들의 반응은 어떠하였습니까?

• 서영이에 대해 (   )

19 글 **나**에서 서영이가 글을 올리자 어떤 내용의 댓글이 수없이 올라왔습니까? (   )

① 서영이의 말을 믿지 못하겠다는 내용

② 서영이에게 증거를 더 보여 달라는 내용

③ 서영이를 응원하고 흑설 공주를 비난하는 내용

④ 서영이를 비난하고 흑설 공주를 응원하는 내용

⑤ 흑설 공주에게 서영이가 한 말을 반박하는 증거를 올려 달라는 내용

📋 서술형·논술형 문제

20 이 글의 내용과 비슷한 경험을 쓰시오.

_____

_____

타당성을 생각하며 토론해요

6

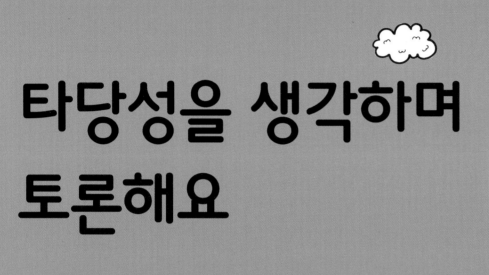

토론 주제는 '삼장이 우마왕과 데이트를 해야 한다.'로 하겠습니다.

알았어. 난 반대!

우린 찬성!

그럼 우리 진지하게 토론을 해 보죠.

토론?

난 몰라. 너희가 나가서 돈을 벌어 오든지 오공이를 잡아 오든지 알아서 해.

이제 어떻게 하실 거예요?

개념 웹툰

친구들이 토론을 잘할 수 있을까요? 스마트폰에서 확인하세요!

개념 ① 글을 읽고 근거 자료의 타당성 평가하기 (예)

근거 자료의 종류	근거 자료를 평가하는 기준
면담 자료	• 주장을 뒷받침하는 자료인가? • 믿을 만한 전문가의 의견인가?
설문 조사 자료	• 주장을 뒷받침하는 자료인가? • 자료의 출처가 믿을 만한가? • 조사 대상과 범위가 적절한가?

지문 「유행에 따라 희망 직업을 바꾼다면」을 읽고 근거의 타당성 평가하기

면담한 사람	직업 평론가 ○○○ 씨
주요 내용	자신의 흥미나 사회의 다양한 직업에 대해 알아보려 하지 않는다는 것이 문제라는 내용
활용한 근거 자료가 주장을 뒷받침하는가	그렇다 / 아니다

➡ 해당 분야 전문가의 말이기 때문에 믿을 만한 근거 자료이다.

개념 ② 토론 절차와 방법 알기

주장 펼치기	• 근거를 들어 주장을 펼칩니다. • 근거와 관련해 구체적인 자료를 제시합니다.
반론 하기	• 상대편 토론자의 주장을 요약합니다. • 상대편의 주장이 타당하지 않다는 것을 밝히기 위한 질문을 합니다. • 주장에 대한 근거나 그에 대한 자료가 적절하지 않다는 것을 밝힙니다.
주장 다지기	• 자기편의 주장을 요약합니다. • 상대편에서 제기한 반론이 타당하지 않음을 지적합니다. • 자기편 주장의 장점을 정리합니다.

지문 민재네 반에서 한 토론의 주장 정리하기

	찬성편	반대편
주장	학급 임원은 반드시 필요하다.	학급 임원이 반드시 필요하지는 않다.
근거 1	실제로 학생 대표가 학교생활에 맡은 역할을 한다.	학급 임원을 뽑는 기준이 올바르다고 보기 어렵다.
근거 1의 자료	같은 지역 초등학교를 대상으로 한 설문 조사 자료	설문 조사 결과
근거 2	학교 안에서 선거를 경험할 수 있다.	학생들 간 동등한 관계에 부정적인 영향을 끼친다.
근거 2의 자료	전문가의 면담	학급 임원을 한 경험이 있는 학생의 면담 자료

개념 ③ 글을 읽고 독서 토론 하기

① 주제와 표현 방법을 생각하며 작품을 읽고 토론하고 싶은 주제를 정합니다.
② 자신의 의견과 의견에 대한 까닭을 구체적으로 말하며 독서 토론을 합니다.

활동 시 「기계를 더 믿어요」를 읽고 의견 말하기

이 시는 사람보다 기계를 더 믿는 현실을 비판적으로 바라보는 것 같아.

'시장'과 '은행'을 대비하려고 한 연씩 구성한 점이 시의 주제를 더 잘 드러내.

→ 시나 토론 주제에 어긋난 발언

나는 외삼촌께서 용돈을 주시면 세어 보지 않고 그냥 지갑에 넣어.

나는 우리 학교 인사말이 좀 어색해. 우리가 지금은 착한 사람이 아닌 것 같거든. 또 "안녕하세요?"와 같은 전통적인 인사말은 우리가 지켜야 하는 것이 아닐까 하는 생각도 들어.

착한 사람이 되겠습니다.

가 나는 형식적으로 하는 인사말보다 새롭고 좋은 뜻이 있는 인사말이 더 뜻깊다고 생각해.

나 넌 왜 그렇게 항상 불만이 많니? 어휴, 투덜이 같아.

📍 토론을 하면 좋은 점

• 타당한 근거를 들어 말하기 때문에 문제 해결에 도움이 됩니다.
• 토론 과정에서 자신의 주장과 근거를 명확하게 정리할 수 있습니다.
• 자신과 생각이 다른 사람의 입장도 이해할 수 있습니다.
• 문제 해결에 더 나은 방법이 무엇인지 결정하는 데 도움이 됩니다.

6
단원

전통적 예로부터 이어져 내려오는 것.
형식적 겉으로 나타나 보이는 모양을 위주로 하는 것.

---

1 여자아이가 학교의 인사말을 어색해하는 까닭 두 가지는 무엇인가요? (,)

① 인사말이 너무 길어서
② 너무 흔한 인사말이어서
③ 한자어가 많이 섞여 있어서
④ 전통적인 인사말을 우리가 지켜야 하는 것이라고 생각하여서
⑤ 학교의 인사말을 하면 지금은 착한 사람이 아닌 것 같은 느낌이 들어서

2 가 에서 남자아이는 어떤 인사말이 더 뜻깊다고 하였는지 ○표 하세요.

(1) 형식적이고 전통적인 인사말 ( )
(2) 새롭고 좋은 뜻이 있는 인사말 ( )

토론을 할 때에는 남자아이와 여자아이의 생각처럼 문제에 대한 서로 다른 의견이 대립한답니다.

3 다음은 가 , 나 중 어떤 장면에 대한 설명인지 그림의 기호를 쓰세요.

남자아이가 자신의 의견을 주장하려고 상대의 기분을 상하게 하였다.

( )

🎓 교과서 문제

4 그림 가 와 나 중 문제를 해결하는 데 더 도움이 되는 장면의 기호를 쓰세요.

( )

📒 서술형·논술형 문제

5 이 그림과 같이 일상생활에서 토론이 필요한 경우를 한 가지 쓰세요.

_____

_____

유행에 따라 희망 직업을 바꾼다면

· 글의 종류: 주장하는 글
· 글쓴이의 주장: 직업의 선택은 유행이 아니라 자신의 적성이나 흥미, 특기를 고려해서 이루어져야 한다.

6 단원

① 최근 한 매체에서 '연예인'이 초등학생들의 장래 희망 직업 1위를 차지했다는 결과를 발표했다. <u>초등학생들 사이에서 번진 아이돌 열풍 때문이다.</u> 몇 년 전에는 꿈 _{연예인이 초등학생들의 장래 희망 직업 1위를 차지한 까닭}
이 '요리사'인 초등학생이 많았는데, 그 당시에는 요리를 주제로 한 텔레비전 프로그램이 유행했기 때문이다. 게임 산업의 발전에 따라 '프로 게이머'를 희망 직업으로 뽑은 학생이 대다수였을 때도 있었다. 직업은 생활 수단이자 자신의 능력을 발휘하고 꿈을 실현할 수 있는 기회이기도 하다. 그런데 자신이 희망하는 직업을 유행에 따라 결정하는 일이 과연 옳은 것일까?

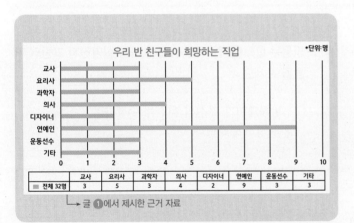

우리 반 친구들이 희망하는 직업 ·단위:명

	교사	요리사	과학자	의사	디자이너	연예인	운동선수	기타
전체 32명	3	5	2	4	2	9	3	3

└▶ 글 ①에서 제시한 근거 자료

② 실제로 ㉠「<u>자신의 꿈이 '연예인'으로 바뀌었다고 하 _{면담 대상자}
는 한 학생</u>을 면담한 결과, "요즘에는 연예인이 대세이다." 라면서도 "사실은 한 해에도 여러 번 바뀌는 희망 직업 때문에 고민이 많다. 무엇을 준비해야 할지 모르겠다." 라고 털어놓았다.」 직업의 선택은 유행이 아니라 자신의 적성이나 흥미, 특기를 고려해 이루어져야 한다. 정작 자신이 무엇을 원하는지보다 다른 많은 사람이 원하는 것에 이끌려 인생의 중요한 결정을 내린다면 결국 후회만 남을 것이다. 또 이것저것 유행에 휘둘리다 보면 자신의 능력을 집중적으로 개발하는 시간도 빼앗길 것이다.

③ 이와 같은 현실과 관련해 ㉡「<u>직업 평론가 ○○○ 씨 _{면담 대상자}
</u>와 면담한 결과 그는 "자신이 원하는 일이 무엇인지 모르며 사회에 어떤 다양한 직업이 있는지 알아보려고 하지 않는 사실이 문제"라며 우려를 나타냈다.」 직업은 미래에 자기 삶을 유지해 줄 수 있는 수단 가운데 하나이다. 직업으로 사람들은 소득을 얻기도 하고, 행복과 보람을 느끼기도 한다. 그러므로 <u>유행보다는 자신의 흥미 _{글쓴이의 주장}
와 적성, 특기를 알고, 이것을 바탕으로 하여 직업을 고르려고 노력해야 한다.</u>

6 이 글에 나타난 문제 상황은 무엇인가요? (   )
① 직업의 수가 점점 줄어들고 있는 것
② 장래 희망이 없는 초등학생이 많은 것
③ 초등학생이 연예인을 너무 좋아하는 것
④ 꿈을 실현할 수 있는 직업이 별로 없는 것
⑤ 초등학생의 희망 직업이 유행에 따라 바뀌는 것

7 글 ①에서 사용한 근거 자료인 도표에서 조사 대상은 누구인지 쓰세요.
(   )

8 글 ①에서 근거 자료로 제시한 도표의 부족한 점은 무엇인가요? (   )
① 주장과 관련이 없다.
② 수치가 나와 있지 않다.
③ 조사의 범위가 너무 좁다.
④ 조사한 때가 너무 오래전이다.
⑤ 조사한 사람의 수가 너무 많다.

9 ㉠과 ㉡ 중 더 믿을 만한 근거 자료의 기호를 쓰시오.
(   )

민재네 반에서 한 토론

1 주장 펼치기

사회자: 지금부터 "학급 임원은 반드시 필요하다."라는 주제로 토론을 시작하겠습니다. 저는 토론의 사회를 맡은 구민재입니다. 먼저 찬성편이 주장을 펼치겠습니다.
_{토론 주제}

찬성편: 저희 찬성편은 두 가지 까닭에서 "학급 임원은 반드시 필요하다."라는 주제에 찬성합니다.→ 찬성편의 주장

첫째, ㉠실제로 학생 대표가 학교생활에 많은 역할을 합니다. 많은 학생들이 함께 생활하다 보니 학교에는 여러 가지 문제나 불편한 점이 생길 수 있습니다. 이러한 것에 대한 해결은 전교 학생회 회의에서 이루어지는데 학급 임원은 여기에 참여해 우리 반 학생들의 의견을 전달하는 역할을 합니다. 저희가 설문 조사를 한 결과에 따르면 우리 지역의 초등학교 가운데에서 95퍼센트가 넘는 학교가 학급 임원을 뽑고 있다고 합니다. 이렇게 많은 학교가 학급 임원을 뽑는다는 것은 실제로 학급 임원이 필요하기 때문이 아니겠습니까? 학급 임원이 없다면 누가 선생님을 돕고, 누가 전교 학생회 회의에 참여해 우리의 뜻을 전하겠습니까?

둘째, ㉡학교 안에서 선거를 경험할 수 있습니다. 어린이 사회 교육 잡지에 실린 한 전문가의 면담에 따르면, "민주 시민 교육은 초등학교 때부터 이루어져야 한다. 사회를 미리 경험한다는 점에서 학급 임원 선거는 학생들에게 소중한 경험이 될 수 있다."라고 했습니다.

📍 **토론 주제와 토론에 참여한 사람들의 역할 알아보기**

토론 주제	학급 임원은 반드시 필요하다.
참여자	사회자 찬성편 토론자 반대편 토론자

6
단원

임원(任 맡길 **임** 員 사람 **원**) 어떤 단체에 속하여 그 단체의 중요한 일을 맡아보는 사람.

선거(選 가릴 **선** 擧 들 **거**) 일정한 조직이나 집단에서 투표를 통해 대표자나 임원을 뽑음.

---

10 찬성편에서 제시한 근거 두 가지는 무엇인가요?
(,)

① 학교 안에서 선거를 경험할 수 있다.
② 가장 인기 있는 학생이 누구인지 알 수 있다.
③ 학생들의 동등한 관계에 부정적인 영향을 끼친다.
④ 학급 임원을 뽑는 기준이 올바르다고 보기 어렵다.
⑤ 실제로 학생 대표가 학교생활에 많은 역할을 한다.

11 ㉠을 뒷받침하는 자료는 무엇인가요? ( )

① 전문가의 의견
② 학급 임원의 면담 내용
③ 이야기책에서 읽은 내용
④ 같은 반 친구들을 대상으로 한 설문 조사
⑤ 같은 지역 초등학교를 대상으로 한 설문 조사 자료

12 ㉡의 구체적인 자료는 무엇인가요? ( )

① 전문가의 면담 자료
② 말하는 이가 짐작한 내용
③ 학교 학생들을 대상으로 한 면담 자료
④ 학교 학생들을 대상으로 한 설문 조사 자료
⑤ 학교 선생님들을 대상으로 한 설문 조사 자료

13 찬성편 토론자에 대한 설명으로 알맞은 것은 무엇인지 기호를 쓰세요.

㉮ 근거에 대해 구체적인 자료를 제시하였다. ㉯ 학급 임원이 필요가 없다는 주장을 펼쳤다. ㉰ 주장을 뒷받침하지 못하는 근거를 제시하였다.

( )

사회자: 네, 이어서 반대편이 주장을 펼치겠습니다.

반대편: 학급 임원 제도는 반드시 필요하다고 할 수 없습니다. 저희는 다음과 같은 까닭으로 "학급 임원은 반드시 필요하다."라는 주제에 반대합니다.

첫째, ㉠학급 임원을 뽑는 기준이 올바르다고 보기 어렵습니다. 한 매체에서
반대편이 제시한 근거 ①
설문 조사를 한 결과에 따르면 70퍼센트 정도의 학생들이 "후보들의 능력보다 친분을 우선으로 투표한 적이 있다."라고 응답했습니다. 이 조사는 정말 우리가 우리를 대표할 수 있는 사람을 학급 임원으로 뽑았는지에 대한 의문을 가지게 합니다. 특히 1학기에는 서로 잘 알지도 못한 채로 학급 임원 선거가 이루어지는 경우도 있습니다. 이와 같은 학급 임원 선출은 인기투표와 다르지 않습니다.

실제 학생들의 학급 임원을 뽑는 기준

둘째, ㉡학생들 간 동등한 관계에 부정적인 영향을 끼칩니다. 우리는 모두 평등
반대편이 제시한 근거 ②
한 관계여야 합니다. 하지만 학급 행사를 하는 과정에서 학생들과 학급 임원 사이에 의견 차이가 생겨 친구들끼리 사이가 멀어지는 경우가 생깁니다. 실제로 학급 임원을 한 경험이 있는 학생을 면담한 결과, "학급 임원을 하면서 사이가 멀어진 친구들이 있다."라고 하면서, "선생님께서 부탁하신 일과 친구들과의 관계 사이에서 고민스러운 일이 많았다."라고 말했습니다.

사회자: 네, 여기서 주장 펼치기를 마치겠습니다. 이제 3분 동안 협의 시간을 드리겠습니다. 각 토론자께서는 상대편의 주장과 근거에 대한 반론을 준비해 주십시오.

♥ 주장 펼치기 절차에서 한 일

찬성편	주장과 근거 제시

↓

반대편	주장과 근거 제시

선출(選 가릴 선 出 날 출) 여럿 가운데서 가려 뽑음.

동등(同 한가지 동 等 가지런할 등)한 등급이나 정도가 같은.

협의(協 합할 협 議 의논할 의) 여러 사람이 모여 서로 의논함.

14 반대편의 주장은 무엇인가요?

• 학급 임원이 [   ]

15 반대편이 학급 임원을 뽑는 기준이 올바르지 않다고 말한 까닭은 무엇인가요? (   )

① 선거 개표가 투명하지 않아서

② 장난으로 투표를 하는 학생이 많아서

③ 선거 운동을 하는 시간이 너무 짧아서

④ 봉사 정신이 뛰어난 학생보다 공부를 잘하는 학생을 뽑는 경우가 많아서

⑤ 학급 임원을 뽑을 때 후보들의 능력보다 친분을 우선으로 투표하는 학생이 많아서

16 ㉠, ㉡에 대한 자료는 무엇인지 선으로 이으세요.

(1) ㉠ •

(2) ㉡ •

• ① 설문 조사 결과

• ② 책에서 읽은 내용

• ③ 학급 임원을 했던 학생의 면담 자료

🎓교과서 문제

17 상대편이 주장에 대한 근거가 믿을 만하다고 생각하도록 하기 위해서 토론자들이 한 일에 ○표 하세요.

(1) 흉내 내는 말을 사용하였다. (   )

(2) 상대편의 마음에 공감하면서 말하였다. (   )

(3) 각각의 근거에 대해 구체적인 예를 들어 자료를 제시하였다. (   )

2 반론하기

사회자: 이번에는 상대편이 펼친 주장에서 잘못된 점이나 궁금한 점을 지적하고 <u>이에 답하는 반론하기 시간입니다.</u> 먼저 반대편이 반론과 질문을 하고 이에 대해 찬성편이 답변하도록 하겠습니다. 시간은 2분입니다. 시작해 주십시오.

반대편: 찬성편에서는 학급을 위해 봉사하고, 학생 대표가 되어 우리의 뜻을 전하는 역할을 할 학급 임원이 필요하다고 했습니다. <u>반론을 효과적으로 펼치기 위해 상대편의 주장을 요약함.</u> 하지만 학급을 위해 봉사하는 것은 몇 명의 학생이 아니라 전체 학생이 다 할 수 있는 일입니다. 또 요즘은 기술이 발달해서 여러 사람이 동시에 회의에 참여할 수 있습니다. 굳이 학생 대표 한두 명만 회의에 참여하도록 할 필요가 없습니다. 따라서 찬성편의 근거는 학급 임원이 반드시 필요하다는 주장을 뒷받침하는 근거라고 보기 어렵습니다. 오히려 모든 학생이 학급 임원을 경험할 수 있도록 돌아가면서 하는 게 좋지 않을까요?

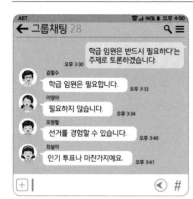

ABT   📶 98% 오후 4:00
← 그룹채팅 28   🔍 ≡
학급 임원은 반드시 필요하다'는 주제로 토론하겠습니다.   오후 3:30
김철수: 학급 임원은 필요합니다.   오후 3:32
이영아: 필요하지 않습니다.   오후 3:34
오민철: 선거를 경험할 수 있습니다.   오후 3:40
최설아: 인기 투표나 마찬가지예요.   오후 3:41
⊕   ◀ #

찬성편: 네, 반대편의 반론 잘 들었습니다. 모두가 돌아가면서 학급 임원을 한 번씩 경험해 볼 수도 있습니다. 그러나 말씀드렸다시피 학급 임원은 학급 학생 전체를 대표하는 자리입니다. 학생 대표는 모범적이면서 봉사 정신이 뛰어난 학생이 스스로 참여해야 한다고 생각합니다. 반대편의 반론처럼 모든 학생이 돌아가면서 학급 임원을 맡는다면 그 가운데에는 하고 싶은 마음도 없는 학생이 대표가 될 수 있습니다. 그러면 그 학생에게도 부담이 되는 일입니다.

📍 반대편의 반론과 질문에 대한 찬성편의 답변

> 찬성편의 주장에 대한 반론

> 반대편의 질문

> 오히려 모든 학생이 학급 임원을 경험할 수 있도록 돌아가면서 하는 게 좋지 않을까요?

> 찬성편의 반박

> 반대편의 질문에 대한 답변

> 모든 학생이 돌아가면서 하면 하고 싶은 마음이 없는 학생은 부담이 됩니다.

---

18 반론하기 절차에서 하는 일로 알맞지 <u>않은</u> 것에 ×표 하세요.

(1) 상대편의 주장에서 잘못된 점 지적하기 (   )

(2) 상대편의 주장에서 궁금한 점 질문하기 (   )

(3) 우리 편의 주장에서 잘못된 점 인정하기 (   )

> 📝 서술형·논술형 문제

19 찬성편의 주장에 대한 반대편의 반론을 쓰세요.

> • 학급을 위해 봉사하는 것은 전체 학생이 다 할 수 있는 일이다.
>
> • 요즘은 _____
> _____

20 반대편의 반론에 대한 찬성편의 반박은 무엇인지 빈칸에 알맞은 말을 쓰세요.

• 학생 대표는 모범적이면서 (   )이 뛰어난 학생이 스스로 참여해야 한다.

21 찬성편에서는 모든 학생이 돌아가면서 학급 임원을 맡는다면 어떤 문제가 생길 수 있다고 하였나요? (   )

① 누가 학급 임원인지 헷갈릴 수 있다.

② 시간이 많이 드는 학급 일에는 비효율적이다.

③ 인기가 없는 학생이 학급 임원이 될 수도 있다.

④ 책임감이 없는 학생이 학급 임원이 될 수도 있다.

⑤ 하고 싶은 마음도 없는 학생이 대표가 되면 그 학생에게 부담이 된다.

사회자: 이번에는 찬성편이 반론을 펴고, 반대편에서 찬성편의 반론을 반박해 주시기 바랍니다.

찬성편: <u>반대편은 학급 임원을 뽑는 기준이 올바르지 않은 까닭을 근거로 들었습니다.</u> 하지만 반대편에서 첫 번째 자료로 제시한 설문 조사 결과는 다른 학교를 조사한 것입니다. 따라서 우리 학교의 상황과 반드시 같다고는 볼 수 없습니다. ㉠우리 학교 사정을 고려해서 근거를 말씀해 주셔야 하지 않을까요?

반대편: 네, 저희가 다른 학교에서 조사한 결과를 활용한 것은 맞습니다. 그러나 그 자료는 학급 임원을 뽑는 기준에 문제가 있다고 생각하는 학생이 많다는 점을 보여 드리려는 자료입니다. 여기 우리 학교 선생님을 면담한 결과를 보여 드리겠습니다. 그 선생님께서는 "봉사 정신이 뛰어나거나 모범적인 행동을 보이는 학생보다는 인기가 많은 학생이 학급 임원이 되는 경우가 종종 있다."라고 말씀하셨습니다. 이런 점을 모두 고려해 학생 대표로서 학급 임원이 필요한지 의문입니다.

사회자: 양쪽 질문과 답변을 잘 들었습니다. 2분 동안 협의 시간을 드리도록 하겠습니다. 양쪽은 토론 내용을 바탕으로 하여 주장과 근거를 다시 정리해 주시기 바랍니다.

상대편의 주장을 요약함.

● 찬성편의 반론과 질문에 대한 반대편의 답변

반대편의 주장에 대한 반론

찬성편의 질문

우리 학교 사정을 고려한 근거를 말씀해 주세요.

반대편의 반박

찬성편의 질문에 대한 답변

우리 학교 선생님을 대상으로 한 면담 결과를 보여 드리겠습니다.

22 찬성편은 반대편에서 첫 번째 자료로 사용한 설문 조사 결과에 어떤 문제가 있다고 하였나요? (   )

① 출처가 명확하지 않다.
② 다른 학교를 조사한 결과이다.
③ 최근에 한 설문 조사가 아니다.
④ 정확한 수치가 드러나 있지 않다.
⑤ 전문가를 대상으로 한 설문 조사가 아니다.

이렇게 반론하기 단계에서는 상대편이 제시한 자료에 문제가 있음을 밝힙니다.

23 ㉠에 대하여 반대편은 누구를 대상으로 한 면담 결과를 보여 주었나요?

(   )

24 23번 문제에서 답한 자료에 나타난 내용입니다. 빈칸에 들어갈 말은 무엇인가요? (   )

봉사 정신이 뛰어나거나 모범적인 행동을 보이는 학생보다는 (   ) 학생이 학급 임원이 되는 경우가 종종 있다.

① 돈이 많은   ② 성적이 좋은
③ 외모가 좋은   ④ 인기가 많은
⑤ 운동을 잘하는

25 찬성편이 반론을 펼치기 전에 상대편의 주장을 다시 한 번 말한 까닭은 무엇일까요? (   )

① 상대편의 주장이 기억나지 않아서
② 상대편의 주장이 더 마음에 들어서
③ 상대편의 주장이 옳다는 생각이 들어서
④ 마땅히 반론할 내용이 없어 시간을 끌기 위해서
⑤ 상대편의 주장을 요약해 반론을 효과적으로 펼치기 위해서

❸ 주장 다지기

사회자: 이제 토론의 마지막 단계인 주장 다지기입니다. 먼저 찬성편이 발언해 주시기 바랍니다.

찬성편: 학급 임원은 반드시 필요합니다. 공정한 선거로 학생 대표를 뽑고, 그 대표를 도와 학교생활이 잘 이루어지도록 하는 경험을 해 보는 것은 큰 의미가 있습니다. 학급 임원을 뽑는 기준에 문제가 있다면 그 문제를 해결하면 됩니다. 반대편의 대안처럼 할 경우 원하지 않는 학생이 학생 대표를 맡게 되는 또 다른 문제가 발생할 수 있습니다. 공정한 경쟁과 올바른 선택을 거쳐 학급 임원을 뽑는다면 문제를 원만히 해결할 수 있을 것이라고 생각합니다.

반대편: 찬성편은 학급에 대표가 필요하고, 학급 임원을 뽑는 과정에서 선거를 경험할 수 있기 때문에 학급 임원이 필요하다고 주장했습니다. 그러나 저희 반대편은 학급 임원이 반드시 필요하지는 않다고 생각합니다. 학급 임원을 뽑는 기준에 문제가 있고, 학생들 간 동등한 관계에 부정적인 영향을 끼친다면 반드시 학급 임원 제도를 유지해야 할 필요가 있을까요? 물론 학급 대표가 필요한 경우도 있습니다. 그러나 그렇다고 해서 꼭 한두 사람이 학급 임원이 될 필요는 없습니다. 오히려 여러 학생이 한 번씩 돌아가면서 봉사하고 학급을 대표하는 경험을 쌓는다면 좀 더 많은 학생이 지도력과 책임감을 키울 수 있다고 생각합니다.

사회자: 모두 수고하셨습니다. 지금까지 "학급 임원은 반드시 필요하다."라는 주제를 놓고 토론을 진행해 보았습니다. 찬성편과 반대편의 토론으로 학급 임원의 필요성에 대해 깊이 생각해 볼 수 있었습니다. 토론자 여러분, 감사합니다. 그럼 여기서 토론을 마치겠습니다.

📍 주장 다지기 절차에서 한 일

찬성편	자기편의 주장 정리 및 강조

↓

반대편	자기편의 주장 정리 및 강조

📍 주장을 다지는 방법

자기편 주장 요약하기

↓

상대편이 제기한 반론이 타당하지 않음을 지적하기

↓

자기편 주장의 장점 정리하기

공정(公 공변될 공 正 바를 정)한 한쪽으로 치우치지 않고 객관적이고 올바른.

지도력(指 손가락 지 導 이끌 도 力 힘 력) 어떤 목적이나 방향으로 다른 사람을 가르쳐 이끌 수 있는 능력.

---

26 글 ❸에서 토론자들이 한 일 세 가지를 고르세요.

(,   ,   )

① 자기편의 주장을 요약하였다.
② 다음에 토론할 주제를 정하였다.
③ 자기편 주장의 장점을 정리하였다.
④ 토론을 할 때 잘한 점과 못한 점을 정리하였다.
⑤ 상대편에서 제기한 반론이 타당하지 않음을 지적하였다.

🍪 교과서 문제

27 찬성편은 반대편에서 제기한 반론을 반박하려고 어떤 방법을 사용했나요?

• 학급 임원을 뽑는 (   )에 문제가 있다면 그 문제를 해결하면 된다고 했다.

28 반대편이 자신의 주장을 다지려고 덧붙인 제안은 무엇인가요?

• 여러 학생이 (   ) 학급 임원을 맡는 방법을 제안했다.

📚 서술형·논술형 문제

29 판정단이 되어 어느 편 주장이 더 타당한지 판정해 보세요.

_____

_____

6
단원

진도 완료
체크

국어 교과서 **220쪽**

1. 「민재네 반에서 한 토론」을 들으며 토론 절차를 알아봅시다.

(1) 토론 주제는 무엇인가요?

예시 답안 "학급 임원은 반드시 필요하다."입니다.

(2) 토론에 참여한 사람들의 역할은 무엇무엇인가요?

예시 답안 사회자, 찬성편 토론자, 반대편 토론자입니다.

(3) 토론은 어떤 절차로 이루어지나요?

주장 펼치기 ➡ 예시 답안 반론하기 ➡ 예시 답안 주장 다지기

풀이 토론의 주제는 찬성편과 반대편으로 나뉠 수 있는 것이어야 하며, 토론에 참여하는 사람은 찬성편과 반대편뿐만 아니라 '사회자'도 있습니다.

2. '주장 펼치기'와 '반론하기' 단계의 토론 내용을 다시 듣고 '주장 펼치기'와 '반론하기'를 효율적으로 하는 방법을 자세히 알아봅시다.

(1) 찬성편의 주장과 근거를 정리해 보세요.

주장 학급 임원은 반드시 필요하다.

근거 1 실제로 학생 대표가 학교생활에 많은 역할을 한다.

• 근거 1의 자료
예시 답안 같은 지역 초등학교를 대상으로 한 설문 조사 자료

근거 2 예시 답안 학교 안에서 선거를 경험할 수 있다.

• 근거 2의 자료 전문가의 면담

국어 교과서 **221쪽**

(2) 반대편의 주장과 근거를 정리해 보세요.

주장 학급 임원은 반드시 필요하지는 않다.

근거 1 예시 답안 학급 임원을 뽑는 기준이 올바르다고 보기 어렵다.

• 근거 1의 자료 설문 조사 결과

근거 2 학생들 간 동등한 관계에 부정적인 영향을 미친다.

• 근거 2의 자료
예시 답안 학급 임원을 한 경험이 있는 학생의 면담 자료

자습서 확인 문제

1 민재네 반에서 무엇 때문에 토론이 이루어졌나요? ( )

① 체육 대회 준비
② 학급의 날 행사
③ 학급 환경 개선
④ 학급 임원의 필요성
⑤ 학급 임원 선거 방법

2 찬성편이 제시한 근거에 맞게 빈칸에 알맞은 말을 쓰세요.

• 학생 대표가 학교생활에 많은 ( )을/를 한다.
• 학교 안에서 ( ) 을/를 경험할 수 있다.

3 반대편이 제시한 근거가 아닌 것에 ×표 하시오.

(1) 학급 임원은 돈 많은 집의 아이들만 하게 된다. ( )
(2) 학급 임원을 뽑는 기준이 올바르다고 보기 어렵다. ( )
(3) 학생들 간 동등한 관계에 좋지 않은 영향을 준다. ( )

기계를 더 믿어요

시장에 간 우리 고모

물건 사고 아주머니가 돌려주는
　　　　　　사람
거스름돈,

꼭 세어 보아요

은행에 간 고모

현금 지급기가
　기계
'달깍' 내미는 돈

세어 보지도 않고

지갑에 얼른 넣는 거 있죠?

고모도 참

- 글쓴이: 한상순
- 시의 특징: 사람보다 기계를 더 믿는 세상에 대한 안타까운 마음이 잘 나타나 있는 시입니다.

독서 토론은 글을 읽고 서로 생각을 나누는 것이에요.

책 내용을 깊이 이해하는 데 도움이 되는 주제를 정해 보세요.

---

30 고모가 한 행동에 맞게 ○표 하세요.

시장에서 아주머니가 돌려주는 거스름돈은
⑴ (세어 보았고 / 세어 보지 않았고),
은행에서 현금 지급기가 내미는 돈은
⑵ (세어 보았다 / 세어 보지 않았다).

31 이 시에 나타난 문제 상황은 무엇인가요? (　　　　)
① 다른 사람을 돕지 않는다.
② 현금 지급기의 고장이 잦다.
③ 믿지 못할 행동을 하는 사람이 많다.
④ 사람들이 사람보다 기계를 더 믿는다.
⑤ 기계를 다루지 못해 뒤처지는 사람이 많다.

32 이 시의 주제는 무엇인가요?
- 사람보다 (　　　　　　　)을/를 더 믿는 세상

교과서 문제

33 친구들이 이 시를 읽고 독서 토론을 하고 있습니다. 독서 토론과 어울리지 않는 말을 한 친구의 이름을 쓰세요.

이 시는 사람보다 기계를 더 믿는 현실을 비판적으로 바라보는 것 같아.

'시장'과 '은행'을 대비하려고 한 연씩 구성한 점이 시의 주제를 더 잘 드러내.

나는 외삼촌께서 용돈을 주시면 돈을 세어 보지 않고 지갑에 넣어.

지영　　　도윤　　　예은

(　　　　　　　　　)

서술형·논술형 문제

34 33번 문제에서 답한 친구처럼 토론하면 어떤 문제가 생기는지 쓰세요.

_____

_____

[1~3]

1 그림에 나타난 학교 운동장을 외부인에게 개방한 뒤 생긴 일은 무엇입니까? ( )

① 운동장이 더 깨끗해졌다.
② 운동 기구가 더 많아졌다.
③ 운동장에 쓰레기가 더 많아졌다.
④ 학생들이 운동할 시간이 적어졌다.
⑤ 소음 때문에 수업에 집중하기 힘들어졌다.

2 선생님께서는 왜 외부인에게 학교 운동장을 개방할 수밖에 없다고 생각하시겠습니까? ( )

① 법으로 정해져 있어서
② 외부인들이 운동장을 관리해 주어서
③ 운동장은 활기차 보이는 편이 좋아서
④ 지역 사람들의 도움으로 만든 운동장이어서
⑤ 지역 사람들이 이용할 수 있는 유일한 운동장이어서

3 그림에 나타난 문제를 해결하기 위한 토론 주제에 ○표 하시오.

(1) 쓰레기통을 더 줄여야 한다. ( )
(2) 운동을 꾸준히 할 수 있는 방법 ( )
(3) 운동장을 외부인에게 개방하여야 한다. ( )

[4~7] 토론을 할 때 주의할 점

4 수진이네 학교의 인사말은 무엇입니까?

( )

5 수진이와 서진이 중 학교 인사말을 긍정적으로 생각하는 사람의 이름을 쓰시오.

( )

6 그림 ⑦에서 서진이가 서로 다른 생각을 상대에게 이해시키려고 사용한 방법은 무엇입니까? ( )

① 자신의 의견을 근거를 들어 말하였다.
② 근거는 제시하지 않고 의견만 말하였다.
③ 자신의 생각에 동의해 달라고 부탁했다.
④ 상대의 기분을 상하게 하며 의견을 강요하였다.
⑤ 상대에게 공감해 주면서 자신의 생각을 말하였다.

🗒 서술형·논술형 문제

7 그림 ⑭의 서진이와 같이 말할 때 문제점은 무엇인지 쓰시오.

_____

_____

[8~14] 유행에 따라 희망 직업을 바꾼다면

가 직업은 생활 수단이자 자신의 능력을 발휘하고 꿈을 실현할 수 있는 기회이기도 하다. 그런데 자신이 희망하는 직업을 유행에 따라 결정하는 일이 과연 옳은 것일까?

나 실제로 자신의 꿈이 '연예인'으로 바뀌었다고 하는 한 학생을 면담한 결과, "요즘에는 연예인이 대세이다." 라면서도 "사실은 한 해에도 여러 번 바뀌는 희망 직업 때문에 고민이 많다. 무엇을 준비해야 할지 모르겠다." 라고 털어놓았다.

다 직업 평론가 ○○○ 씨와 면담한 결과 그는 "자신이 원하는 일이 무엇인지 모르며 사회에 어떤 다양한 직업이 있는지 알아보려고 하지 않는 사실이 문제"라며 우려를 나타냈다. 직업은 미래에 자기 삶을 유지해 줄 수 있는 수단 가운데 하나이다. 직업으로 사람들은 소득을 얻기도 하고, 행복과 보람을 느끼기도 한다. 그러므로 유행보다는 자신의 흥미와 적성, 특기를 알고, 이것을 바탕으로 하여 직업을 고르려고 노력해야 한다.

8 이 글에서 무엇에 따라 희망 직업이 바뀌는 것이 문제라고 하였습니까?

( )

9 글 **나**에서 면담한 학생의 고민은 무엇입니까?

• 한 해에도 여러 번 바뀌는 ( ) 때문에 무엇을 준비해야 할지 모르겠는 것

10 글 **다**에서 직업 평론가가 말한 초등학생이 희망 직업을 고를 때의 문제점 두 가지를 고르시오. (,)

① 소득만 따져 보는 것
② 다른 사람의 시선을 의식하는 것
③ 부모님의 의견에 무조건 따르는 것
④ 자신이 원하는 것이 무엇인지 모르는 것
⑤ 사회에 어떤 다양한 직업이 있는지 알아보려고 하지 않는 것

11 글 **다**에서 무엇을 바탕으로 하여 직업을 골라야 한다고 하였는지 세 가지를 고르시오. (, ,)

① 흥미   ② 적성   ③ 특기
④ 유행   ⑤ 소득

12 이 글에서 면담한 사람 중 누구의 말이 더 믿을 만한 근거 자료인지 ○표 하시오.

(1) 글 **나**의 자신의 꿈이 '연예인'으로 바뀌었다고 하는 한 학생 ( )
(2) 글 **다**의 직업 평론가 ○○○ 씨 ( )

🖊 **서술형·논술형 문제**

13 12번 문제에서 답한 사람의 말이 더 믿을 만한 근거 자료라고 생각한 까닭을 쓰시오.

_____

_____

14 다음 중 설문 내용이 이 글의 주장과 관련 있으며 출처가 명확하고 조사 범위가 적절한 자료의 기호를 쓰시오.

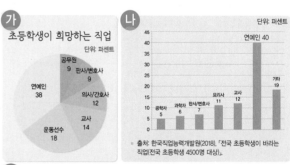

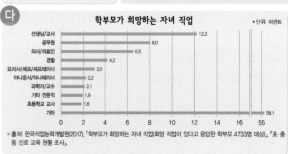

( )

[15~17] 민재네 반에서 한 토론

> 가 사회자: 지금부터 "학급 임원은 반드시 필요하다."
> 라는 주제로 토론을 시작하겠습니다.
>
> 나 찬성편: 실제로 학생 대표가 학교생활에 많은 역할
> 을 합니다. 많은 학생들이 함께 생활하다보니 학교에는
> 여러 가지 문제나 불편한 점이 생길 수 있습니다. 이러
> 한 것에 대한 해결은 전교 학생회 회의에서 이루어지는
> 데 학급 임원은 여기에 참여해 우리 반 학생들의 의견
> 을 전달하는 역할을 합니다. 저희가 설문 조사를 한 결
> 과에 따르면 우리 지역의 초등학교 가운데에서 95퍼센
> 트가 넘는 학교가 학급 임원을 뽑고 있다고 합니다. 이
> 렇게 많은 학교가 학급 임원을 뽑는다는 것은 실제로
> 학급 임원이 필요하기 때문이 아니겠습니까? 학급 임원
> 이 없다면 누가 선생님을 돕고, 누가 전교 학생회 회의
> 에 참여해 우리의 뜻을 전하겠습니까?

15 토론 주제는 무엇입니까?

( )

16 이 글에서 **토론자들이 한 일**을 고르시오. ( )
① 토론 주제를 정하였다.
② 상대편의 질문에 답하였다.
③ 근거를 들어 주장을 펼쳤다.
④ 상대편의 주장에 반론을 제시하였다.
⑤ 상대편의 질문에 대한 반박을 하였다.

17 찬성편 토론자가 근거에 대해 구체적인 자료로 제시한
것의 기호를 쓰시오.

> ㉠ 전문가의 면담 자료
> ㉡ 같은 지역 초등학교를 대상으로 한 설문 조사

( )

[18~20] 민재네 반에서 한 토론

> 가 사회자: 이번에는 상대편이 펼친 주장에서 잘못된
> 점이나 궁금한 점을 지적하고 이에 답하는 ㉠ 시
> 간입니다.
>
> 나 반대편: 찬성편에서는 학급을 위해 봉사하고, 학생
> 대표가 되어 우리의 뜻을 전하는 역할을 할 학급 임원
> 이 필요하다고 했습니다. 하지만 학급을 위해 봉사하는
> 것은 몇 명의 학생이 아니라 전체 학생이 다 할 수 있는
> 일입니다.
>
> 다 찬성편: 학급 임원은 학급 학생 전체를 대표하는
> 자리입니다. 학생 대표는 모범적이면서 봉사 정신이 뛰
> 어난 학생이 스스로 참여해야 한다고 생각합니다.

18 ㉠ 에 알맞은 토론 절차를 쓰시오.

( )

19 반대편이 찬성편에게 한 반론은 무엇입니까? ( )
① 학급 임원은 아무나 할 수 없다.
② 누구나 학급을 위해 봉사할 수 있다.
③ 학생 대표가 될 학급 임원이 필요하다.
④ 출처가 없는 자료로 근거를 뒷받침하였다.
⑤ 자기가 원하는 사람만이 학급 대표가 될 수 있다.

20 19번 문제에서 답한 반론에 대한 찬성편의 반박은 무엇
입니까? ( )
① 학생 대표는 없어도 된다.
② 학생 대표는 선거로 뽑아야 한다.
③ 학생 대표는 선생님께서 정해 주셔야 한다.
④ 학생 대표는 전체 학생이 돌아가면서 해야 한다.
⑤ 학생 대표는 모범적이면서 봉사 정신이 뛰어난 학
생이 스스로 참여해야 한다.

7 중요한 내용을 요약해요

그런데 '제보'가 무슨 뜻이지? 앞뒤 상황을 살펴보면 '연락'과 비슷한 말인 것 같아.

멍청하고 털이 많고 엉덩이가 빨간 손오공을 발견하면 제보 바란다고 요약할 수 있군.

중요한 내용을 간추리면……

개념 웹툰

손오공은 모르는 낱말의 뜻을 어떻게 짐작했을까요? 스마트폰에서 확인하세요!

개념 1 낱말의 뜻 짐작하기

① 낱말의 앞뒤 내용을 자세히 살펴보면 낱말의 뜻을 짐작할 수 있습니다.
② 이미 아는 친숙한 낱말로 바꾸었을 때 문장의 의미가 자연스러운지 살펴보며 낱말의 뜻을 짐작할 수 있습니다.

> 귀 건강에 가장 큰 ⬛걸림돌⬛ 은 '이어폰'입니다.
> ➡ 귀 건강에 가장 큰 ⬛방해물⬛ 은 '이어폰'입니다.

• 걸림돌=방해물 ➡ 막거나 방해가 되는 것

지문 낱말의 여러 가지 뜻 짐작하기

한번 먹은 마음 변하지 말고 열심히 공부하자.

먹다

골! 1 : 0

어떤 마음이나 감정을 품다.

경기에서 점수를 잃다.

개념 2 글을 요약하는 방법

① 중심 낱말을 찾아 내용을 요약합니다.
② 여러 가지를 나열한 낱말은 대표하는 낱말로 바꾸어 요약합니다.
③ 많은 내용 가운데에서 중요한 정보를 선택해서 요약합니다.
④ 글 내용을 그대로 옮기지 않고 간단하고 분명하게 요약합니다.

지문 글을 읽고 요약하기 예

→ 중심 낱말

> 줄기에 차례대로 잎을 붙여 나가는 모양을 ⬛잎차례⬛라고 합니다.
> 먼저, 줄기 마디마다 잎을 한 장씩 피우되 서로 어긋나게 피우는 방법이 있습니다. 이것을 '어긋나기'라 합니다. 국수나무처럼 ⬛평행하게 어긋나기만 하는 식물이 있는⬛가 하면……

→ 중요한 내용

⬇

줄기에 차례대로 잎을 붙여 나가는 모양인 '잎차례'에는 줄기 마디마다 잎을 한 장씩 어긋나게 피우는 '어긋나기'가 있습니다.

개념 3 글의 구조에 따라 요약하기

① 글의 구조를 파악하며 읽습니다.
② 문단의 중심 내용을 간추립니다.
③ 글의 구조에 알맞은 틀을 그려 내용을 정리합니다.
④ 정리한 내용은 중요한 내용이 잘 드러나도록 간결한 문장으로 씁니다.

활동 글의 구조에 알맞은 틀

순서 구조	나열 구조
시간이나 공간의 순서에 따라 설명하는 글의 구조	주제에 대해 몇 가지 특징을 늘어놓는 글의 구조

순서 ①
⬇
순서 ②
⬇
순서 ③

주제 —— 특징 ①
     —— 특징 ②
     —— 특징 ③

내 귀는 건강한가요

· 글의 종류: 신문 기사　　**· 생각할 점:** 글을 읽다가 뜻을 모르는 낱말을 본 경험을 떠올리며 글을 읽어 봅시다.

귀가 ㉠어두워 무슨 말을 해도 제대로 알아듣지 못하는 만화 주인공 '사오정'을 아시나요? 만화 주인공 사오정과 비슷한 사람이 우리 주변에 많이 생겨나고 있습니다. 사오정이 ㉮뜬금없는 말로 우리에게 재미와 웃음을 주지만 요즘에 사오정들은 귀 건강을 위협받는 아주 위험한 상황에 놓여 있습니다.

<small>소리를 잘 듣지 못하는 사람</small>

귀가 건강하지 못하다는 사실은 소리 듣기로 가장 쉽게 알 수 있습니다. 소리가 잘 들리지 않으면 그만큼 귀가 건강하지 못하다는 의미입니다. 소리가 잘 들리지 않으면 '최소 난청'이지만 귀 건강이 더 나빠지면 '전음성 난청'이 됩니다. 이 단계에서는 속삭이는 소리 외에도 일반적인 소리까지 선명하게 듣지 못하고 비행기를 타거나 높은 곳에 올라갔을 때처럼 귀가 먹먹한 느낌이 듭니다. 귀를 후비거나 하품하거나 귀에 바람을 넣어 봐도 순간적으로 증상이 호전될 뿐 금세 귀가 먹먹해집니다. 그 밖에도 염증으로 인한 통증과 가려움 같은 증상이 일어납니다.

우리 귀 건강에 가장 큰 ㉡걸림돌은 '이어폰'입니다. 사람들 대부분이 이어폰으로 음악을 들으면 집중을 잘 하기 때문에 학습하는 데 큰 ㉢힘이 될 것이라고 생각합니다. 하지만 이는 사실과 다릅니다. 양쪽 귀 바로 위쪽 부위에는 언어 중추가 있는 뇌 측두엽이 존재하는데 측두엽과 가까운 귀에 이어폰을 꽂으면 언어 중추가 음악 소리에 자극을 받기 때문에 학습 내용이 기억에 잘 남지 않습니다. 왜냐하면 측두엽은 기억력과 청각을 담당하기 때문입니다. 다시 말해 노래를 들으며 공부를 하면 뇌는 이 두 가지를 한꺼번에 처리해야 하기 때문에 어려움을 겪습니다. 그래서 일반적으로 뇌 과학자들은 음악 듣기는 고난도 학습이나 업무를 하는 데 도움을 주지 않는다고 설명합니다.

<small>음악 듣기가 학습에 도움이 되지 않는 까닭</small>

귀를 건강하게 하려면 이어폰 같은 음향 기기를 하루 2시간 이내로 사용해야 하고, 사용할 때에는 소리 크기를 60퍼센트로 유지해야 합니다. 또 귀를 건조하게 유지하고 깨끗한 이어폰을 사용하는 방법도 좋습니다.

선명하게 산뜻하고 뚜렷하여 다른 것과 혼동되지 않게.

중추 신경 기관 가운데, 신경 세포가 모여 있는 부분.

---

1 앞뒤 내용을 살펴보았을 때 ㉮'뜬금없는'과 바꾸어 쓸 수 있는 말은 무엇인가요? (　　　)

① 복잡한　　　　　② 새로운
③ 어려운　　　　　④ 엉뚱한
⑤ 지혜로운

2 다음은 ㉠~㉢ 중에서 어떤 낱말의 뜻을 짐작한 것인지 기호를 쓰세요.

(1) 도움　　　　　　　　　　　　　(　　　)
(2) 방해물　　　　　　　　　　　　(　　　)
(3) 귀가 잘 들리지 않아　　　　　　(　　　)

3 귀를 건강하게 하려면 이어폰 같은 음향 기기를 어떻게 사용해야 할까요?

(1) 사용 시간: 하루 (　　　)시간 이내
(2) 소리 크기: (　　　)퍼센트로 유지

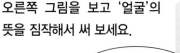 교과서 문제

4 오른쪽 그림을 보고 '얼굴'의 뜻을 짐작해서 써 보세요.

고려청자는 대한민국의 얼굴이라고 할 만한 대표 문화재입니다.

(　　　　　　　　　　　　　)

존경합니다, 선생님

· 글의 종류: 이야기   · 글쓴이: 퍼트리샤 폴라코
· 중심 내용: 퍼트리샤가 슐로스 할아버지 덕분에 힘을 얻어 켈러 선생님의 글쓰기 수업을 따라가는 이야기입니다.

❶~❷ '나'(퍼트리샤)는 슐로스 할아버지의 도움을 받아 켈러 선생님의 글쓰기 수업을 들었다.

❸~❹ '나'는 열심히 글을 썼지만 켈러 선생님은 '나'에게 좋은 점수를 주지 않았다.

❺~❻ 슐로스 할아버지가 갑자기 돌아가시고, 할아버지에게 바치는 글로 '나'는 에이(A) 점수를 받았다.

❼ 지금도 '나'에게 슐로스 할아버지와 켈러 선생님은 존경하고 사랑하는 분들이다.

7단원

❶ 글쓰기반 수업 첫날, 켈러 선생님은 아무 ㉠기척도 없이 교실로 들어와 책상 사이를 왔다 갔다 하며 엄포부터 놓았다.

"오늘부터, 나는 너희 한 사람 한 사람을 완전히 훈련시켜서 진짜 멋진 작가로 만들어 줄 생각이다. 정말 기적 같겠지? 하지만!" / 켈러 선생님은 특유의 진한 미국 남부 지방 억양으로 말을 이어 나갔다.

"이 수업을 ㉡만만하게 생각했다면 지금 당장 저 문으로 나가도록. 보잘것없이 짧은 너희의 인생 경험으로는 상상도 못 할 정도로 힘들 테니까. 아마 이 수업을 끝까지 따라오지 못하는 학생들도 나오겠지."

어쩐지 켈러 선생님이 유독 나만 노려보는 것 같았다. 켈러 선생님은 허리를 꼿꼿이 펴고 똑바로 서 있어서 실제 키보다 더 커 보였다. 특히 교탁에 기대설 때면, 마치 죽은 나뭇가지에 앉아 금방이라도 사냥감을 홱 낚아챌 듯 노려보는 매처럼 매서워 보였다.

"첫 번째 과제는 수필이다. 내가 놀라 까무러칠 정도로 재미있는 글을 써 오도록. 내가 너희의 반짝이는 생각에 홀딱 빠질 만큼 대단한 작품을 써 보란 말이다. 너희가 이 수업을 들을 만한 자격이 있는지를 알아보려는 거니까! 주제는? 가족이나, 집에서 일어나는 일상생활에 대한 이야기라면 뭐든지 괜찮아."

---

5 글쓰기반 수업 첫날, 켈러 선생님은 학생들에게 무엇을 해 주겠다고 했나요?

· 한 사람 한 사람을 완전히 훈련시켜서 진짜 멋진 [ ]로 만들어 주겠다고 했다.

6 '내'가 느낀 켈러 선생님의 첫인상으로 알맞지 <u>않은</u> 것을 두 가지 고르세요. (,)

① 매처럼 매서워 보였다.
② 부드럽고 자상해 보였다.
③ 실제 키보다 더 커 보였다.
④ 유독 '나'만 노려보는 것 같았다.
⑤ 몇몇 학생에게만 친절하게 대하는 것 같았다.

7 ㉠과 바꾸어 쓸 수 있는 낱말에 ○표 하세요.

(1) 소리   (   )
(2) 으름장   (   )

8 ㉡의 뜻으로 알맞은 것은 무엇인가요? ( )

① 몹시 심하거나 모질게.
② 부족함이 없이 넉넉하게.
③ 섭섭하고 야속하여 마음이 언짢게.
④ 가볍게 여길 수 없을 만큼 매우 중요하고 크게.
⑤ 부담스럽거나 무서울 것이 없어 쉽게 다루거나 대할 만하게.

우리는 허둥지둥 종이를 꺼내 ㉠끼적이기 시작했다.

"아니, 아니! 여기서 말고!"

켈러 선생님의 호통에 우리는 바로 연필을 놓았다.

"숙제란 말이다, 숙제! 세 쪽 가득 채워 오도록. 기한은 내일까지!" → '마른침'의 뜻을 짐작할 수 있는 내용

나는 마른침을 꿀꺽 삼켰다.

집으로 돌아오는 내내, 나는 줄곧 숙제 생각만 했다.

진짜 잘 써야 하는데!

어느덧 언덕길로 접어들어 집이 점점 가까워질 무렵, 옆집에 사는 슐로스 할아버지가 현관 계단에 앉아 있는 모습이 보였다. 슐로스 할아버지는 아내를 먼저 하늘 나라로 보내고, 자식들도 다 커서 떠나 혼자 살고 있었다.

슐로스 할아버지가 나를 보더니, 옆에 앉으라는 듯 계단 옆자리를 탁탁 두드렸다.

"무슨 안 좋은 일이라도 있었니?"

슐로스 할아버지는 막 구워 낸 쿠키가 담긴 봉지를 호주머니에서 꺼내 나에게 내밀며 물었다. 유명한 제빵사인 슐로스 할아버지는 늘 호주머니에 쿠키가 들어 있었다.

"학교에서 가장 깐깐한 선생님한테 배우게 됐어요."
→ 켈러 선생님

"설마, '마녀 켈러' 말이니?"

슐로스 할아버지가 짐짓 충격받은 척 머리를 감싸며 물었다. 나는 고개를 끄덕였다.

"흠, 우리 두 아들놈도 켈러 선생님한테 배웠지. 나중에 그때의 이야기를 좀 해 주마."

슐로스 할아버지와 나는 우두커니 앉아 거리를 가로지르는 전선에 내려앉은 새들을 쳐다보았다.

진짜 잘 써야 할 텐데!

그날 밤, 나는 책상에 앉아 글을 쓰기 시작했다. 나는 내 방이 정말 좋았다. 하루의 대부분을 내 방에서 보내는 만큼, 방을 쭉 둘러보면서 하나하나 묘사하면 어떨
→ 어떤 대상이나 사물, 현상 따위를 언어로 서술하거나 그림을 그려서 표현하면
까. 아주 ㉡세세히! 그리고 내가 우리 집 고양이와 엄마를 얼마나 사랑하는지, 새로 산 치마가 얼마나 마음에 드는지, 집에서 먹는 아침밥이 얼마나 맛있는지를 보태면……. 와! 내가 쓴 글이지만, 잘 써도 너무 잘 쓴 것 같았다. 지금까지 쓴 글 중에서 최고라는 생각이 들었다.

나는 얼른 교실에서 큰 소리로 발표하고 싶어 몸이 근질근질했다.

중심 내용 1 글쓰기반 수업 첫날, 켈러 선생님은 수필 숙제를 내 주시고, 고민하던 '나'(퍼트리샤)는 자신이 좋아하는 것들에 대한 글을 썼다.

---

9 켈러 선생님의 첫 번째 과제에 대한 '나'의 마음은 어떠한지 두 가지 고르세요. (,   )

① 하기 싫다.

② 매우 걱정스럽다.

③ 정말 잘하고 싶다.

④ 중요하게 여기지 않는다.

⑤ 무척 쉬운 것이라고 생각한다.

10 슐로스 할아버지께서 말씀하신 '마녀 켈러'라는 말은 무슨 뜻을 담고 있는 것 같나요?

• 아주 [   ] 선생님이라는 뜻일 것이다.

📎교과서 문제

11 ㉠'끼적이기'의 뜻을 짐작한 것으로 알맞은 것은 무엇인가요? (   )

① 놀려 대다.   ② 잘게 썰다.

③ 눈물을 흘리다.   ④ 소리를 지르다.

⑤ 글씨를 대충 쓰다.

12 ㉡의 뜻을 알맞게 짐작한 사람은 누구인지 쓰세요.

> 수빈: 방에 있는 것들을 하나하나 묘사한다고 했으니까 아주 자세히 쓴다는 뜻일 거야.
>
> 명재: '나'는 책상에 앉아 글쓰기 숙제를 하는 상황이니까 글씨를 예쁘게 쓴다는 뜻일 거야.

(   )

2 이튿날 아침, 우리는 한 사람씩 차례로 자기가 써 온 글을 큰 소리로 발표했다. 나는 발표가 두렵지는 않았지만 무척 떨렸다. 그때 내 이름이 불렸다.

"다음, 퍼트리샤."

나는 우리 가족과 내 일상에 대해 쓴 '걸작'을 읽어 내려갔다. 내가 우리 가족 모두를 얼마나 사랑하는지 알면 <u>켈러 선생님도 무척 감동하겠지?</u>
'내'가 예상한 켈러 선생님의 반응

하지만 내 예상과는 달리, 켈러 선생님의 숨소리가 점점 거칠어졌다.

"퍼트리샤, 넌 지금 '사랑'이라는 낱말을 고양이에게도, 치마에도, 이웃에게도, 팬케이크에도……, 심지어 엄마에게도 사용하고 있어. 엄마에게 느끼는 감정과 팬케이크에 느끼는 감정이 똑같다는 말이니? 낱말은 감정을 전해 주지. 하지만 낱말 하나하나가 가진 차이를 이해해야 해! 자, 다들 주목. 지금 당장 종이에 '사랑'을 나타내는 낱말을 쭉 써 봐. 단, '사랑'이라는 낱말은 빼고."

우리는 모두 끙끙대며 머리를 ㉠<u>짜냈지만</u> 고작 몇 개밖에 쓰지 못했다.

"자, 자, 그만."

켈러 선생님은 교실을 휙 둘러보더니, 포기한 듯 교탁 앞에 섰다.

"'유의어'의 뜻을 아는 사람? 고대 물고기 이름 따위가 아니라는 것쯤은 알겠지."

켈러 선생님의 질문에 아무도 대답하지 못했다.

"그럼 이것이 바로 오늘 숙제다. '유의어'의 뜻을 알아보고, 다음 시간에 '유의어 사전'을 가져와서 '사랑'이라는 낱말을 찾아보도록."
선생님께서 내 주신 숙제

그날 오후, 집으로 돌아오자마자 곧바로 슐로스 할아버지를 찾아갔다.

"유의어 사전이라고? 아마 우리 아들들이 켈러 선생님 수업 시간에 쓰던 것이 아직 어딘가에 있을 거야."

슐로스 할아버지는 웅얼거리며 아들들 방으로 느릿느릿 걸어갔다.

"아, 그럼 그렇지. 여기 있구나!"

슐로스 할아버지가 책 더미에서 조그마한 종이책 한 권을 끄집어냈다.

걸작(傑 뛰어날 걸 作 지을 작) 매우 훌륭한 작품.

고대(古 옛 고 代 시대 대) 옛 시대.

---

13 켈러 선생님은 '내'가 첫 번째 글을 발표한 뒤에 어떤 반응을 보이셨나요? (　　　　)
① 크게 박수를 쳐 주셨다.
② 조용히 미소를 지으셨다.
③ 인상을 찌푸리며 책을 덮으셨다.
④ 내일까지 글을 다시 써 오라고 하셨다.
⑤ 숨소리가 점점 거칠어지면서 화를 내셨다.

14 켈러 선생님은 글을 쓸 때 어떻게 해야 한다고 하셨나요?
· ▢▢▢은/는 감정을 전해 주기 때문에 낱말 하나하나가 가진 차이를 이해해야 한다고 하셨다.

15 슐로스 할아버지가 책 더미에서 찾아주신 조그마한 종이책은 무엇인가요?
(　　　　　　　　　　)

16 ㉠의 뜻을 짐작한 것으로 가장 알맞은 것에 ○표 하세요.
(1) 힘껏 누르다　(　　　)
(2) 머리가 아프다　(　　　)
(3) 생각을 떠올리다　(　　　)

17 '유의어'의 뜻은 무엇일지 쓰세요.
· ▢▢▢이/가 비슷한 말

"모든 낱말이 알파벳순으로 정리되어 있구나. 어디 보자. 뒷면에는…… '낱말 15만 개 이상 수록'이라고 적혀 있네. 이 사전이 켈러 선생님 수업에서는 성경으로 통하지, 아마?"

책이나 잡지에 실음.

다음 날, 켈러 선생님은 칠판에 '만족스러운', '시원한', '충성스러운' 같은 여러 낱말을 쭉 썼다. 그러고는 우리에게 유의어 사전을 뒤져 각 낱말을 대신할 수 있는 낱말을 최대한 많이 찾아보라고 했다. 낱말을 가장 많이 찾은 사람은 금요일 쪽지 시험이 면제였다.

과연 그 결과는? 내가 낱말을 가장 많이 찾아냈다! 마침내 내가 해낸 것이다. 쪽지 시험 면제라니! 하지만 쉬는 시간에 남자아이 두 명이 심술궂게 ㉠빈정댔다.

"이제 퍼트리샤가 마녀의 새 인형이래!"

중심 내용 2 켈러 선생님은 '유의어'에 대한 숙제를 내 주셨고, '나'는 슐로스 할아버지께 유의어 사전을 받아서 낱말을 가장 많이 찾을 수 있었다.

③ 날이 갈수록 켈러 선생님은 온갖 종류의 글쓰기 훈련을 시켰다. 훈련은 다양하게 이루어졌다. 어떤 날은 교실에서, 또 다른 날은 교실 밖에서.

「하루는 모두 밖으로 나가 숲속에서 들려오는 소리에 귀를 기울였다. 켈러 선생님은 이 훈련이 우리의 감각을 예민하게 다듬어 줄 것이라고 했다.

점심시간에는 '대화'에 관한 숙제를 하려고 아이들의 말소리에 귀를 쫑긋 세워야 했다. 심지어 색깔을 이해하기 위해 쓰레기장까지 찾아갔다.」→ 켈러 선생님이 시키신 글쓰기 훈련

그러던 어느 날, 켈러 선생님이 물건 한 무더기를 잔뜩 갖고 와서 탁자 위에 늘어놓았다. 그중에는 자전거 핸들이나 드라이버, 컵도 있었다.

"이 물건들을 하나씩 살펴보고 원래 쓰임새와는 다르게 어떻게 사용할 수 있을지 생각나는 대로 쭉 써 봐."

그날 숙제는 어른 한 명을 인터뷰해서, 그 어른이 집 안에서 가장 소중하게 여기는 물건에 대해 알아 오는 것이었다. 예쁜 접시든, 테이블보든 무엇이든 좋았다. 켈러 선생님은 일명 '보물찾기' 숙제라고 했다.

물론, 나는 누구를 붙잡고 인터뷰할지 이미 정해 놓고 있었다. / 당연히 슐로스 할아버지!

성경 종교상 신앙의 최고 법전이 되는 책. 또는 기독교의 경전.
면제(免 면할 **면** 除 덜 **제**) 책임이나 의무 따위를 면하여 줌.

예민(銳 날카로울 **예** 敏 민첩할 **민**)하게 무엇인가를 느끼는 능력이나 분석하고 판단하는 능력이 빠르고 뛰어나게.

---

18 켈러 선생님은 유의어 사전으로 무엇을 하게 했나요?

• 여러 낱말을 쓰고, 유의어 사전에서 각 낱말을

　　　　　　　　 을/를 최대한 많이 찾아보라고 했다.

19 켈러 선생님이 아이들에게 시키지 <u>않은</u> 일은 무엇인가요? (　　　)

① '대화'에 관한 숙제를 내 주었다.
② 어른 한 명을 인터뷰해 오라고 했다.
③ 최대한 많은 사람과 대화를 나누게 했다.
④ 색깔을 이해하기 위해 쓰레기장까지 가게 했다.
⑤ 숲속에서 들려오는 소리에 귀를 기울이게 했다.

20 '나'는 숙제를 하기 위해 누구를 인터뷰하기로 마음먹었나요?

(　　　　　　　　)

📖 교과서 문제

21 ㉠'빈정댔다'와 바꾸어 쓸 수 있는 낱말을 두 가지 고르세요. (　　,　　)

① 놀렸다.
② 부탁했다.
③ 비웃었다.
④ 화를 냈다.
⑤ 고마워했다.

나는 슐로스 할아버지와 함께 할아버지의 집을 둘러보며 물었다.

"할아버지는 가장 소중한 물건 하나를 고르라면 무엇으로 하실 거예요?"

슐로스 할아버지는 쉽사리 결정을 내리지 못하는 것처럼 보였다. 하지만 잠시 뒤, 벽난로 위에 놓인 아름다운 액자를 가져와 보이며 나직이 입을 열었다.

"이 사랑스러운 여인이 바로 내 아내란다. 난 첫눈에 반했지. 정말 사랑스러운 여자였어. 아내가 방 안에 들어섰을 때 해와 달도 내 아내를 한번 훔쳐보려는 듯 창가를 어른거렸지. 휴, 정말 보고 싶구나."

슐로스 할아버지의 목소리가 흐려졌다. 슐로스 할아버지는 그 뒤로도 아내에 대한 이야기를 한 시간이나 더 들려주었다. 나는 슐로스 할아버지의 집을 나서기 전부터 이미 머릿속으로 글을 쓰고 있었다.

이번에는 켈러 선생님 마음에 쏙 들겠지? 내 마음과 감정을 듬뿍 담아 썼으니까. 나는 당장 켈러 선생님에게 숙제를 보여 주고 싶었다. 그런데 숙제 점수를 받고 보니, 맨 아래에 시(C)라고 적혀 있었다. 또 시(C)라니! 대체 켈러 선생님은 나한테 무엇을 바라는 것일까?

맨 아래에 시(C)라고 적혀 있었다. ← 생각보다 낮은 점수를 받음.

그날, 켈러 선생님은 나에게 수업이 끝나고 잠깐 남아 있으라고 했다.

"퍼트리샤, 음, 그러니까 일단 슐로스 할아버지의 아내를 주제로 ㉠삼은 점은 적절했단다. 하지만 이 글에서 진실한 감정을 드러내는 낱말이 어디에 있지?"

켈러 선생님은 나를 똑바로 보며 말을 이었다.

"글을 읽는 사람이 글쓴이의 '진짜' 감정을 느낄 수 있어야 해. 물론 평범한 방식으로는 절대 안 되지. 독자들이 전혀 예상하지 못한 방식으로, 깜짝 놀라도록. 한마디로 독창적이어야 한다는 말이야!"

어느 순간, 켈러 선생님은 내 눈을 뚫어져라 바라보고 있었다.

"퍼트리샤, 넌 이미 낱말을 아주 많이 알고 있어. 이제 그 낱말에 날개를 달아 줄 때란다."

중심 내용 ③ 온갖 종류의 글쓰기 훈련을 받았지만 켈러 선생님은 '내'가 쓴 글에 진실한 감정이 드러나지 않았다고 하셨다.

쉽사리 아주 쉽게. 또는 순조롭게.
⑩ 그렇게 많은 일이 쉽사리 끝날 것 같지 않았다.

독창적 다른 것을 모방함이 없이 새로운 것을 처음으로 만들어 내거나 생각해 내는 것.

---

22 슐로스 할아버지가 가장 소중하게 여기는 것은 무엇인가요?

• ☐☐☐☐☐☐☐의 사진이 담긴 액자

23 숙제를 내기 전과 숙제를 낸 다음 '나'의 마음을 알맞게 나타낸 것은 무엇인가요? (   )

① 두렵다. → 기쁘다.
② 속상하다. → 행복하다.
③ 걱정된다. → 자랑스럽다.
④ 기대된다. → 실망스럽다.
⑤ 불안하다. → 홀가분하다.

24 켈러 선생님께서 '나'의 숙제에 시(C)를 준 까닭은 무엇인가요?

• '나'의 글에 ☐☐☐☐☐을/를 드러내는 낱말이 없기 때문이다.

서술형·논술형 문제

25 지언이가 ㉠의 뜻을 다음과 같이 짐작했다면 그 까닭은 무엇일지 쓰세요.

> 지언: '삼다'는 '무엇을 정하다'라는 뜻인 것 같다. 왜냐하면……

_____

_____

④ 켈러 선생님의 수업은 ⊙쏜살같이 흘러갔다. 그러나 한순간도 쉽지는 않았다.

어느 날, 켈러 선생님이 중요한 발표를 했다.

"오늘, 너희에게 ⓒ무시무시한 기말 과제를 내 줄 거다. 그동안 너희는 수많은 글쓰기 형식을 배웠어. 대화 글 쓰기나 상황을 묘사하는 글 쓰기, 주장을 펼치는 글 쓰기, 자신이 겪은 일 쓰기 등등. 이 중에서 가장 자신 있는 형식 한 가지를 골라 글을 쓰는 것이 마지막 과제다. 아주 잘 골라야 할 거야. 이 기말 과제
기말 과제
점수로 합격이 결정되니까!"

역시! 이런 날이 올 줄 알았다. 나는 벌써부터 진땀이
몹시 애쓰거나 힘들 때 흐르는 끈끈한 땀.
났다. ⓒ엎친 데 덮친 격으로, 켈러 선생님이 할 말이 있다며 따로 남으라고 했다.

"퍼트리샤, 너는 자신이 겪은 일을 써 왔으면 좋겠다. 솔직히 말해서, 네 글은 여전히 감정이 잘 드러나지 않고 있으니까."

하지만 아무리 머리를 ②쥐어짜도, 켈러 선생님을 감동시킬 만한 주제가 하나도 떠오르지 않았다.

기말 과제 주제를 제출하기 전 마지막 일요일, 친구 세 명과 함께 슐로스 할아버지 집에 모였다. 이웃에 사는 할머니가 계단에서 넘어져 뼈가 부러지는 바람에, 할머니를 돕는 성금 모금 바자회에 내놓을 쿠키를 다 같이
슐로스 할아버지 집에 모인 까닭
만들기 위해서였다.

"참, 그러고 보니, 전에 이 할아비가 켈러 선생님에 대한 이야기를 해 주겠다고 했었구나!"

슐로스 할아버지가 쿠키 반죽을 넓적하게 밀면서 기억을 더듬듯 천천히 입을 열었다.

"너희 모두 켈러 선생님이 그저 학생들을 괴롭히는 ⓜ깐깐한 선생님이라고만 알고 있겠지. 하지만 말이다, 그리 오래전 일도 아니지. 예전에, 글재주가 뛰어나서 훌륭한 작가로 성장할 만한 학생이 켈러 선생님 눈에 들어왔단다. 켈러 선생님은 그 학생이 쓴 글의 문제점을 모조리 지적해서 계속 다시 쓰게 했지. 완벽한 글이 될 때까지 몇 번이고 말이야. 단연코 그 학생은 태어나서 그토록 엄하고 힘든 선생님은 만난 적이 없었어."

26 켈러 선생님이 '나'에게만 자신이 겪은 일을 써 오라고 한 까닭은 무엇인가요? (   )

① '내'가 가장 잘 쓰는 형식이어서
② '내'가 숙제를 잘 해 오지 않아서
③ '나'는 항상 같은 형식으로 글을 써서
④ '나'의 글에 감정이 잘 드러나지 않아서
⑤ '내'가 숙제를 빨리하도록 도와주고 싶어서

27 슐로스 할아버지는 켈러 선생님이 글재주가 뛰어난 학생을 어떻게 가르쳤다고 했나요?

(1) 매일 한 편씩 새로운 글을 써 오게 했다. (   )
(2) 그 학생이 쓴 글의 문제점을 모조리 지적해서 계속 다시 쓰게 했다. (   )

28 다음은 ⊙~② 중에서 어떤 말의 뜻을 짐작한 것인지 기호를 쓰세요.

> 나쁜 일이 겹치어 일어나다.

(   )

29 ⓜ과 바꾸어 쓸 수 있는 낱말을 가장 알맞게 짐작한 사람은 누구인가요?

> 경인: 뒤에 그리 오래전 일이 아니라는 내용이 이어지는 것으로 보아 '새로운'을 대신 쓸 수 있어.
> 우주: 켈러 선생님을 학생들을 괴롭히는 선생님으로 알고 있을 거라고 했으니까 '까다로운'이라는 뜻일 거야.

(   )

"그래서 그 학생은 어떻게 됐어요?"

스튜어트가 물었다.

"물론 글 쓰는 사람이 되었지. 시카고에서 가장 큰 신문사에 들어갔단다! 나중에는 워싱턴에서 제일 큰 신문사로 옮겼고, 남아메리카에서 중동, 소련에 이르기까지 ㉠두루두루 다니며 기사를 썼지. 그러다가 미국 최고의 권위를 자랑하는 보도 부문 퓰리처상까지 받았단다."

기자가 됨.

언론 및 문학계에 업적이 우수한 사람에게 주는 상.

"어쩌면, 그 학생은 켈러 선생님이 아니었더라도 훌륭한 글을 쓰는 사람이 되지 않았을까요?"

"꼭 그렇지만은 않단다, 퍼트리샤. 그 학생의 집은 아이를 대학교에 보낼 여유가 없었지. 켈러 선생님은 그 학생에게 글쓰기를 가르쳤을 뿐만 아니라, 학비까지 ㉡손수 마련해서 대학교에 다닐 수 있도록 ㉢주선해 주었어. 켈러 선생님이 아니었다면 그 학생은 평생 아버지의 빵집에서 일할 수밖에 없었을 거야."

슐로스 할아버지는 장난스럽게 눈을 찡긋했다.

"그래, 맞아. 그 학생이 바로 우리 아들이란다. 그러니까, 그 사실 하나만으로도, 나는 기 세고 고집 센 켈러 선생님에게 감사하지 않을 수 없지. 마녀 켈러라지만, 켈러 선생님이 없었다면 어떻게 되었을지……."

슐로스 할아버지는 알약을 하나 더 입에 넣었다.

중심 내용 4 슐로스 할아버지는 '나'와 친구들에게 할아버지의 아들이 켈러 선생님의 수업을 들었던 이야기를 들려주었다.

5 일주일이 채 지나지 않은 어느 날이었다. 나는 여전히 기말 과제 주제를 정하지 못한 채로 켈러 선생님 수업에 좀 일찍 도착해서 앉아 있었다. 그때, 학교 행정실 직원이 들어와 켈러 선생님에게 쪽지를 전해 주었다.

"퍼트리샤, 지금 행정실로 가 봐야겠구나."

켈러 선생님은 충격을 받아 슬픈 기색이 역력했다.

자취나 기미, 기억 따위가 환히 알 수 있게 또렷하다.

켈러 선생님과 함께 행정실로 가 보니 엄마가 와 있었다. 엄마는 울고 있었다. 엄마는 아침에 슐로스 할아버지가 돌아가셨다고 했다, 갑작스러운 심장 마비로.

엄마와 내가 차고에 들어서자, 슐로스 할아버지의 두 아들이 보였다. 두 사람 다 상심한 얼굴이 말이 아니었다. 나는 마지막으로 한 번만 슐로스 할아버지 집을 구석구석 살펴보고 싶었다.

---

30 슐로스 할아버지가 말한, 켈러 선생님 덕에 글 쓰는 사람이 된 '학생'은 누구였나요?

• 슐로스 할아버지의 ☐☐☐

31 슐로스 할아버지는 켈러 선생님에게 어떤 마음을 가지고 있나요? ( )

① 고마운 마음
② 부러운 마음
③ 서운한 마음
④ 언짢은 마음
⑤ 답답한 마음

32 엄마께서 학교 행정실에 오신 까닭은 무엇인가요? ( )

① '나'를 데려다주기 위해서
② 켈러 선생님께서 부르셔서
③ 글쓰기반 수업료를 내려고
④ '내'가 놓고 간 물건을 전해 주려고
⑤ 슐로스 할아버지가 돌아가셨다는 소식을 알리려고

🐚 교과서 문제

33 ㉠~㉢의 뜻을 짐작한 내용을 선으로 이으세요.

(1) ㉠ • • ① 직접

(2) ㉡ • • ② 여기저기 골고루

(3) ㉢ • • ③ 일이 잘되도록 도와

다행히 허락을 받아, 나는 모든 방을 천천히 둘러보았다. 슐로스 할아버지의 침대에 놓인 베개도 만져 보고, 슐로스 할아버지가 가장 아끼던 의자의 등받이도 쓰다듬었다. 그러다 우리가 함께 쿠키를 만들 때 슐로스 할아버지가 입었던 요리복을 발견했다. 나는 요리복을 덥석 움켜잡았다. 북받쳐 오르는 눈물을 그칠 수가 없었다. 이제는 하늘도 ㉠꼴 보기 싫었다. 슐로스 할아버지 같은 사람이 돌아가셨는데, 어째서 세상은 이리도 멀쩡히 잘 돌아가고 있을까!

그날 밤, 나는 책상에 앉아 정신없이 글을 쓰기 시작했다. 쓰고 또 쓰고, 또 썼다.

슐로스 할아버지의 장례식에는 거의 모든 이웃이 참석한 것 같았다. 켈러 선생님도 보였다. 마을 상점들은 이날 하루 문을 닫기까지 했다. 새삼 모든 것이 낯설게 보였다. 여기저기 마을 곳곳에 슬픔이 묻어났다.

기말 과제 제출 날을 훌쩍 넘긴 어느 날, 슐로스 할아버지가 돌아가신 날에 쓴 글을 켈러 선생님 책상에 올려놓았다. 이제는 켈러 선생님이 마음에 들어하든 말든 전

혀 상관없었다. 오로지 슐로스 할아버지를 사랑하는 내 마음이 잘 표현되었기를 바랄 뿐이었다.

중심 내용 5 슐로스 할아버지께서 갑자기 돌아가신 후, '나'는 슐로스 할아버지를 사랑하는 마음을 담아 쓴 글을 기말 과제로 제출했다.

6 며칠 뒤, 나는 분홍색 쪽지를 받았다. 켈러 선생님이 보낸 쪽지였다. 막상 켈러 선생님의 연락을 받자 가슴이 ㉡철렁했다. 이렇게 학기말에 따로 불러낸다는 것은 좋지 않은 소식을 전하려는 경우가 많았다.

분명 켈러 선생님은 내 글이 마음에 들지 않았던 거야!

처음에는 슐로스 할아버지 생각에 눈물이 고였다가, 점점 기말 과제 점수가 걱정되기 시작했다.

합격을 못 하게 되면 어쩌지?

그런데 내가 교실에 들어서자, 켈러 선생님이 내 두 손을 꽉 잡았다.

"우리 퍼트리샤, 상심이 아주 컸구나."

그때, 켈러 선생님 책상 위에 내 기말 과제 종이가 반으로 접혀 있는 것이 눈에 들어왔다.

"점수는 다 매겼단다. 꼭 집에 가서 펼쳐 보도록 해. 알겠지?"

---

34 '나'의 기말 과제에 대한 설명으로 알맞지 <u>않은</u> 것에 ×표 하세요.

(1) 제출 날이 되기 전에 미리 냈다. ( )

(2) 슐로스 할아버지가 돌아가신 날에 쓴 글이다.

( )

(3) 슐로스 할아버지를 사랑하는 마음을 표현했다.

( )

35 '나'는 켈러 선생님께서 쪽지를 보내신 까닭이 무엇이라고 짐작했나요? ( )

① 다른 과제를 더 내 주실 것이다.

② 글을 잘 썼다고 칭찬하실 것이다.

③ 좋은 소식을 전해 주려는 것이다.

④ 과제 기한을 넘겨서 꾸중을 하실 것이다.

⑤ 자신의 글이 마음에 들지 않았을 것이다.

📋 **서술형·논술형 문제**

36 ㉠'꼴'의 뜻을 짐작하여 그 까닭과 함께 쓰세요.

_____

_____

37 ㉡의 뜻으로 알맞은 것은 무엇인가요? ( )

① 슬픔이나 걱정 따위로 속을 썩이다.

② 뜻밖의 일에 놀라 마음이 무거워지다.

③ 인생이나 사물을 밝고 희망적인 것으로 보다.

④ 모든 걱정을 떨쳐 버리고 마음을 편히 가지다.

⑤ 따뜻한 말이나 행동으로 괴로움을 덜어 주거나 슬픔을 달래 주다.

나는 가만히 고개를 끄덕였다.

그 순간, 나는 깜짝 놀랐다. 켈러 선생님이 나를 꽉 끌어안은 것이다.

'마녀 켈러'가 나를 안아 주다니! 그러면서 켈러 선생님은 나직이 속삭였다.

"퍼트리샤, 슐로스 할아버지에게 바치는 글은 정말 놀라웠다. 자신이 겪은 일 쓰기의 모범으로 삼아도 좋을 만큼 말이다." → 기말 과제에 대해 칭찬을 받음.

반으로 접힌 기말 과제 종이를 손에 꼭 쥐고 집으로 달려가는 내내, 나는 기대에 ㉠들떠 가슴이 부풀어 올랐다.

언덕길에서는 잠깐 멈추어 서서 슐로스 할아버지의 집을 올려다보았다.

"슐로스 할아버지! 지금은 사랑하는 아내와 함께 계시겠지요?"

나는 거의 속삭이듯 물었다. 이런 생각만으로도 가슴이 따뜻해졌다. / 나는 드디어 기말 과제 종이를 펼쳤다. 맨 위쪽 빈 공간에 빨간색 글씨가 가득했다.

'퍼트리샤, 맞춤법은 아직 손보아야 할 곳이 많지만, 낱말에 날개가 달려 있구나, 채점 기준만 고집할 수 없을 정도로. 그래서…… 네게 글쓰기반 최초로 에이(A) 점수를 주마.'

중심 내용 6 켈러 선생님은 슐로스 할아버지에게 바치는 '나'의 글을 읽고 글쓰기반 최초로 에이(A) 점수를 주었다.

❼ 언제나 켈러 선생님을 떠올릴 때면, 내 가슴이 ㉡아릿하게 저려 온다.

훗날, 켈러 선생님은 내가 슐로스 할아버지에게 받은 유의어 사전을 가지고 기말 과제를 썼다는 사실에 굉장히 감동했다고 말했다. 나는 슐로스 할아버지가 유의어 사전 가장자리에 직접 적어 놓은 글들을 여전히 기억한다. 그 글들을 읽을 때마다 슐로스 할아버지가 내 곁에 있는 것만 같았다.

나는 분명히 '사랑'이라는 낱말을 썼지만, 그 낱말이 빚어낼 수 있는 모든 형태를 마지막 과제에 담았다. 지금도 슐로스 할아버지와 켈러 선생님을 생각하면 가슴이 벅찰 만큼 갖가지 낱말이 떠오른다. 왜냐하면 내가 늘 '존경하고 사랑해 마지않는' 두 분이니까.

중심 내용 7 지금도 '나'에게 슐로스 할아버지와 켈러 선생님은 존경하고 사랑하는 분들이다.

---

38 '내'가 깜짝 놀란 까닭은 무엇인가요? (   )
① 켈러 선생님이 쓰러지셔서
② 켈러 선생님이 화를 내셔서
③ 켈러 선생님이 '나'를 안아 주셔서
④ 켈러 선생님이 글을 다시 쓰라고 하셔서
⑤ 켈러 선생님이 엄마를 모셔 오라고 하셔서

39 켈러 선생님께서는 '나'의 기말 과제를 어떻게 평가하셨나요? (   )
① 맞춤법이 완벽하다.
② 낱말 공부를 더 해야 한다.
③ 손보아야 할 곳이 하나도 없다.
④ 글쓰기반 최초로 에이(A)를 주었다.
⑤ 기행문 쓰기의 모범으로 삼아도 좋겠다.

40 ㉠의 뜻을 다음과 같이 짐작할 수 있는 까닭으로 알맞은 것에 ○표 하세요.

기분이 좋다.

(1) 집에 빨리 갈 수 있게 되었기 때문이다. (   )
(2) 퍼트리샤가 기말 과제를 칭찬받고 매우 기분 좋은 상황이기 때문이다. (   )
(3) 슐로스 할아버지가 할아버지의 아내를 만날 수 있게 되었다는 내용이 나왔기 때문이다. (   )

41 ㉡의 뜻을 국어사전에서 찾으려면 어떤 형태로 찾아야 하나요? (   )
① 아릿   ② 아릿하   ③ 아릿하게
④ 아릿하다   ⑤ 아릿하였다

정답 14쪽

2.「존경합니다, 선생님」을 읽고 이야기의 주제를 친구들과 이야기해 봅시다.

(1) 이 이야기의 주제를 파악하는 데 도움이 되는 중요한 인물은 누구라고 생각하나요?

예시 답안〉 켈러 선생님과 슐로스 할아버지입니다.

(2) (1)에서 생각한 인물의 생각, 행동, 가치관 따위를 이해하는 데 도움을 줄 수 있는 질문을 만들어 보세요.

인물	질문
예시 답안〉 켈러 선생님	켈러 선생님이 글을 읽는 사람이 글쓴이의 '진짜' 감정을 느낄 수 있어야 한다고 말한 까닭은 무엇이라고 생각하나요?
예시 답안〉 슐로스 할아버지	슐로스 할아버지는 왜 켈러 선생님에게 감사한 마음이 들었나요?

(3) 친구와 함께 (2)에서 만든 질문으로 묻고 답하기를 해 보세요.

질문	답
예시 답안〉 너는 켈러 선생님이 글을 읽는 사람이 글쓴이의 진짜 감정을 느낄 수 있어야 한다고 말한 까닭이 무엇이라고 생각하니?	예시 답안〉 켈러 선생님은 자신의 진실한 감정이 담긴 글이 중요하다고 하셨어. 글에는 글쓴이가 전하고자 하는 진실한 마음이 담겨 있어서 글을 읽는 사람은 그런 글쓴이의 마음을 파악하는 것이 중요하기 때문이야.

(4) 다음 질문과 그에 대한 답을 친구들과 비교해 보고 이 이야기의 주제를 말해 보세요.

> • 켈러 선생님은 글쓰기에서 무엇을 강조했나요?
>
> 예시 답안〉 상대의 마음에 들려는 글이 아니라, 다양한 낱말을 활용해 자신의 진실한 감정이 담긴 글을 써야 한다는 것입니다.
>
> • 퍼트리샤에게 켈러 선생님과 슐로스 할아버지는 어떤 존재일까요?
>
> 예시 답안〉 깜깜한 바다를 밝혀 주는 등대처럼 퍼트리샤의 삶을 밝혀 주는 스승일 것입니다.

이야기의 주제	예시 답안〉 사람의 진실한 마음은 다른 이에게 감동을 준다. / 자신의 진실한 마음을 담은 글이야말로 다른 이의 마음을 움직일 수 있는 가치 있는 글이다.

풀이〉 퍼트리샤의 경험을 바탕으로 글쓴이가 독자에게 전하고 싶은 생각이 무엇인지 생각하여 이야기의 주제를 다양하게 정리할 수 있습니다.

자습서 확인 문제

1 켈러 선생님에 대한 퍼트리샤의 첫인상은 어떠했나요? (   )

① 어수룩하다.
② 존경스럽다.
③ 정감이 간다.
④ 매섭고 깐깐하다.
⑤ 친절하고 다정하다.

7
단원

진도 완료 체크

2 퍼트리샤에게 유의어 사전을 준 사람은 누구인가요?

(   )

3 켈러 선생님이 글쓰기에서 중요하게 생각한 것은 무엇인가요? (   )

① 맞춤법
② 글의 분량
③ 진실한 감정
④ 방대한 지식
⑤ 듣기 좋은 낱말

4 다음에서 짐작할 수 있는 '빈정대다'의 뜻으로 알맞은 것에 ○표 하세요.

> 쉬는 시간에 남자아이 두 명이 심술궂게 빈정댔다.

(1) 비웃으며 놀리다.   (   )
(2) 놀라며 부러워하다. (   )
(3) 대수롭지 않게 여기다.(   )

식물의 잎차례

• 글쓴이: 장 앙리 파브르 • 글의 내용: 식물이 줄기에 어떤 모양으로 잎을 붙여 나가는지 설명한 글입니다.

사람들의 집 짓기와 식물의 집 짓기는 서로 같은 점도 있고 다른 점도 있습니다.

집을 지을 때 건축가들은 설계도를 그린 뒤 그것을 바탕으로 집을 짓습니다. 이때 건축가는 집을 똑바로 세우려고 애씁니다. 사람들이 집을 지을 때 이토록 많은 정성을 기울이고 온갖 기술을 쓰는 일과 마찬가지로 식물도 질서 있게, 그리고 특별한 기술을 바탕으로 잎을 피웁니다.

식물이 특별한 기술을 바탕으로 잎을 피우는 이유는 햇빛과 그림자 문제 때문입니다. 위의 잎이 바로 아래 잎과 겹치면 위에 있는 잎의 그림자 때문에 아래 잎은 햇빛을 받지 못합니다. 식물은 햇빛을 보지 못하면 살 수가 없지요. 그래서 어떻게 잎을 펼쳐야 햇빛을 잘 끌어모을까 고민합니다.

그럼 식물이 줄기에 어떤 모양으로 잎을 붙여 나가는지 그 기술을 알아보기로 할까요? 줄기에 차례로 잎을 붙여 나가는 모양을 '잎차례'라고 합니다.

먼저, 줄기 마디마다 잎을 한 장씩 피우되 서로 어긋나게 피우는 방법이 있습니다. 이것을 '어긋나기'(잎차례 ①)라 합니다. 국수나무처럼 평행하게 어긋나기만 하는 식물이 있는가 하면, 해바라기처럼 소용돌이 모양으로 돌려나면서 어긋나는 식물도 있습니다.

어긋나기

마주나기

이와는 달리 줄기 한 마디에 잎 두 장이 마주 보는 '마주나기'(잎차례 ②)도 있습니다. 단풍나무나 화살나무는 잎 두 장이 사이좋게 마주 보고 있습니다. 그리고 마주난 잎들이 마디마다 서로 어긋나지 않고 평행합니다.

그런가 하면 한 마디에 잎이 석 장 이상 돌려나는 잎차례가 있습니다. 이런 잎차례를 '돌려나기'(잎차례 ③)라고 합니다. 갈퀴꼭두서니는 마디마다 잎이 여섯 장에서 여덟 장씩 돌려나기로 핍니다.

끝으로 소나무처럼 잎이 한곳에서 모여나는 '모여나기'(잎차례 ④)가 있습니다.

42 식물이 특별한 기술을 바탕으로 잎을 피우는 까닭은 무엇인가요? (   )

① 줄기를 똑바로 세우려고
② 햇빛을 잘 끌어모으려고
③ 아래 잎도 빗물을 받게 하려고
④ 그림자를 최대한 많이 겹치게 하려고
⑤ 바람이 불어도 잎이 떨어지지 않게 하려고

43 식물이 줄기에 차례대로 잎을 붙여 나가는 모양을 무엇이라고 하나요?

(   )

44 화살나무는 어떤 방법으로 잎을 피우나요? (   )

① 잎이 한곳에서 모여난다.
② 소용돌이 모양으로 돌려난다.
③ 한 마디에 잎이 석 장 이상 돌려난다.
④ 줄기 한 마디에 잎 두 장이 마주 보게 피운다.
⑤ 줄기마다 잎을 한 장씩 피우되 서로 어긋나게 피운다.

45 이 글을 요약하기 위해 중심 낱말을 알맞게 찾은 사람은 누구인가요?

단이: 식물 줄기에 잎이 나는 모양에 대해 설명한 글이니까 '잎차례'가 중심 낱말이야.
진석: 국수나무, 단풍나무, 소나무 등 여러 나무에 대해 설명하고 있으니까 중심 낱말은 '나무'야.

(   )

● 글 **가**~**다**는 세 친구가 「식물의 잎차례」를 읽고 요약한 내용입니다. 각 글을 비교하며 읽어 봅시다.

가 집을 지을 때 건축가들은 설계도를 그린 뒤 그것을 바탕으로 집을 짓습니다. 이때 건축가는 집을 똑바로 세우려고 애씁니다. 사람들이 집을 지을 때 이토록 많은 정성을 기울이고 온갖 기술을 쓰는 일과 마찬가지로 식물도 질서 있게, 그리고 특별한 기술을 바탕으로 잎을 피웁니다.

식물은 햇빛을 보지 못하면 살 수가 없지요. 그래서 어떻게 잎을 펼쳐야 햇빛을 잘 끌어모을까 고민합니다.

그럼 식물이 줄기에 어떤 모양으로 잎을 붙여 나가는지 그 기술을 알아보기로 할까요? 먼저, 줄기 마디마다 잎을 한 장씩 피우되 서로 어긋나게 피우는 방법이 있습니다. 이것을 '어긋나기'라 합니다. 국수나무처럼 평행하게 어긋나기만 하는 식물이 있는가 하면, 해바라기처럼 소용돌이 모양으로 돌려나면서 어긋나는 식물도 있습니다.

이와는 달리 줄기 한 마디에 잎 두 장이 마주 보는 '마주나기'도 있습니다. 단풍나무나 화살나무는 잎 두 장이 사이좋게 마주 보고 있습니다. 그리고 마주난 잎들이 마디마다 서로 어긋나지 않고 평행합니다.

그런가 하면 한 마디에 잎이 석 장 이상 돌려나는 잎차례가 있습니다. 이런 잎차례를 '돌려나기'라고 합니다. 갈퀴꼭두서니는 마디마다 잎이 여섯 장에서 여덟 장씩 돌려나기로 핍니다.

끝으로 소나무처럼 잎이 한곳에서 모여나는 '모여나기'가 있습니다.

나 식물이 특별한 기술을 바탕으로 잎을 피우는 이유는 햇빛과 그림자 문제 때문입니다. 위의 잎이 바로 아래 잎과 겹치면 위에 있는 잎의 그림자 때문에 아래 잎은 햇빛을 받지 못합니다.

다 식물의 자람에 영향을 주는 것은 햇빛입니다. 위의 잎이 바로 아래 잎과 겹치면 위에 있는 잎의 그림자 때문에 아래 잎은 햇빛을 받지 못하므로 식물은 다양한 모양으로 잎을 피웁니다. 줄기에 차례대로 잎을 붙여 나가는 모양인 '잎차례'로는 서로 어긋나게 피우는 '어긋나기', 줄기 한 마디에 잎 두 장이 마주 보는 '마주나기'가 있습니다. 한 마디에 잎이 석 장 이상 돌려나는 '돌려나기'도 있고, 잎이 한곳에서 모여나는 '모여나기'도 있습니다.

46 글 **가**~**다** 중에서 「식물의 잎차례」를 읽지 않아도 글의 중요한 내용을 잘 이해할 수 있는 글은 어느 것인가요?

글 (   )

47 글 **가**가 요약 글로 적절하지 <u>않은</u> 까닭을 두 가지 고르세요. (,   )

① 글이 길다.
② 문단을 너무 많이 나누었다.
③ 차례를 나타내는 말을 쓰지 않았다.
④ 글쓴이가 누구인지 나타내지 않았다.
⑤ 글에 중요하지 않은 내용이 많이 들어가 있다.

48 다음 요약하기 평가 기준 중에서 글 **다**가 잘 지킨 것은 무엇인지 기호를 쓰세요.

> ㉠ 글을 짧게 간추렸나요?
> ㉡ 글에서 중요한 내용을 이해할 수 있게 간추렸나요?
> ㉢ 사소한 내용은 삭제하고 중요한 내용만 간추렸나요?

(   )

49 글을 요약하는 까닭으로 알맞은 것에 ○표 하세요.

(1) 주어진 글을 빨리 외우기 위해서이다.
                           (   )

(2) 주어진 글의 중심 내용을 잘 파악하기 위해서이다.   (   )

한지돌이

❶ 사람들은 쓰기 쉽고 그리기 편하게 종이를 발명했다.

❷ 한지는 닥나무 속껍질로 여러 가지 과정을 거쳐 만든다.

❸ 한지는 장점이 많아 여러 가지에 쓰인다.

• 글쓴이: 이종철
• 글의 종류: 설명하는 글
• 중심 글감: 한지
• 중심 내용: 한지가 만들어지는 과정과 한지의 쓰임새를 설명한 글입니다.

❶ 옛날 아주 먼 옛날에 사람들은, 오래 기억하고 싶은 일이나 함께 나누고 싶은 생각을 바위와 동굴 벽에 ㉠새기고 그렸대. 하지만 그렇게 새기고 그리는 건 쉽지 않았어. 게다가 바위나 동굴은 다른 곳으로 옮길 수도 없잖아. 땅바닥이나 나무토막에 그리기도 했지만 땅바닥에 그린 것은 금방 지워져 버렸고, 나무토막은 잃어버리기 일쑤였지.

그래서 사람들은 좀 더 쓰기 쉽고 그리기 편한 것, 옮기기 쉽고 간직하기 좋은 것을 찾았어. 흙을 빚어 ㉡점토판을 만들기도 하고, 나무를 쪼개 엮거나 풀 줄기 안쪽을 얇게 벗겨 겹쳐서 쓰기도 했어. 옷감이나 얇게 편 가죽을 사용하기도 했지. 그러다가 종이를 발명한 거야. 쓰고 그리기 쉽고, 가볍고 간직하기 좋은 종이를 말이야.

중심 내용 ❶ 사람들은 쓰기 쉽고 그리기 편한 것, 옮기기 쉽고 간직하기 좋은 것을 찾아 종이를 만들었다.

📍 글의 주요 내용

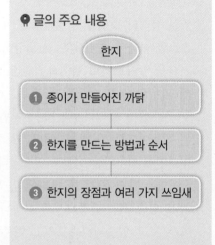

한지

❶ 종이가 만들어진 까닭

❷ 한지를 만드는 방법과 순서

❸ 한지의 장점과 여러 가지 쓰임새

---

50 글 ❶은 주로 무엇에 대해 설명하고 있나요? (   )
① 문화가 발달한 까닭
② 종이가 만들어진 까닭
③ 글을 사용하게 된 까닭
④ 가죽을 사용하게 된 까닭
⑤ 동굴에 그림을 그린 까닭

51 밑줄 그은 '새기다'가 ㉠과 같은 뜻으로 쓰인 문장은 어느 것인가요? (   )
① 은혜를 가슴 깊이 새기다.
② 오늘의 교훈을 깊이 새기다.
③ 지난 일을 마음에 새겨 두다.
④ 조각칼로 목판에 그림을 새기다.
⑤ 선생님의 말씀을 잊지 않게 새기다.

52 글 내용으로 보아 ㉡ '점토판'에 대해 알맞게 짐작한 것을 모두 고르세요. (,   )
① 무게가 종이처럼 가벼웠을 것이다.
② 판처럼 넓적하게 만들었을 것이다.
③ 공처럼 동그랗게 만들었을 것이다.
④ 요리를 하는 데 쓰는 물건일 것이다.
⑤ 글이나 그림을 새기는 데 썼을 것이다.

📝 서술형·논술형 문제

53 바위나 동굴 벽에 글이나 그림을 새기는 것의 단점은 무엇인가요?

_____

_____

2 나는 종이 가운데 으뜸인 한국 종이, 한지야! 옛날 중국에서 최고로 친 고려지도, 일본에서 최고로 친 조선 종이도 모두 나야. 그런데 내가 어떻게 만들어지는지 아니?

㉠제일 먼저 닥나무를 베어다 푹푹 찐 뒤, 나무껍질을 훌러덩훌러덩 벗겨서 물에 불려. ㉡그러고는 다시 거칠거칠한 겉껍질을 닥칼로 긁어내고 보들보들 하얀 속껍질만 모아.

이렇게 모은 속껍질은 삶아서 더 보드랍게, 더 하얗게 만들어야 해. 먼저 닥솥에 물을 붓고 속껍질을 담가. 그리고 콩대를 태워 만든 잿물을 붓고 보글보글 부글부글 삶아. 푹 삶은 다음에는 건져 내서 찰찰찰 흐르는 맑은 물에 깨끗이 씻어.

㉢이제 보드랍고 하얗게 바랜 속껍질을 나무판 위에 올려놓고 닥 방망이로 찧어 가닥가닥 곱게 풀어야 해. 쿵쿵 쾅쾅! 솜처럼 풀어진 속껍질은 다시 물에 넣고 잘 풀어지라고 휘휘 저어. 그런 다음 닥풀을 넣고 다시 잘 엉겨 붙으라고 휘휘 저어 주지.

아, 한지를 물들이려면 지금 준비해야 해. 잇꽃으로 물들이면 붉은 한지 되고 치자로 물들이면 노랑, 쪽물은 파랑, 먹으로 물들이면 검은 한지 되지.

㉣이번에는 엉겨 붙은 속껍질을 물에서 떠내야 해. 촘촘한 대나무 발을 외줄에 걸어서 앞뒤로 찰방, 좌우로 찰방찰방 건져 올리면 물은 주룩주룩 빠지고 발 위에는 하얀 막만 남아. 젖은 종이처럼 말이야. 이렇게 한 장 한 장 떠서 차곡차곡 쌓은 다음 무거운 돌로 하루 정도 눌러서 남은 물기를 빼.

㉤마지막으로 차곡차곡 눌러둔 걸 한 장 한 장 떼어서 판판하게 말려야 해. 따뜻한 온돌 방바닥이나 판판한 벽에 쫙쫙 펴서 말리면 드디어 숨 쉬는 종이, 한지 완성!

중심 내용 2 한지는 닥나무 속껍질을 삶아 곱게 풀고, 물에서 떠내 한 장 한 장 떼어서 만든다.

닥나무 뽕나뭇과의 낙엽 활엽 관목. 높이는 3미터 정도이고 껍질은 한지를 만드는 데 씀.
콩대 콩을 떨어내고 남은, 잎을 제외한 나머지 부분.

잇꽃 국화과의 두해살이 풀. 높이는 1미터 정도이며, 잎은 어긋나고 넓은 피침 모양임. 7~9월에 붉은빛을 띤 누런색의 꽃이 줄기 끝과 가지 끝에 핌.

---

54 글 **2**에서 설명하는 내용은 무엇인가요? (   )

① 한지를 만드는 방법
② 한지가 우수한 까닭
③ 한지가 발달해 온 과정
④ 한지에 글을 쓰는 방법
⑤ 한지가 사용되는 여러 가지 물건

55 이 글에서 ㉠~㉤과 같은 말들의 역할은 무엇인가요?
(   )

① 글쓴이의 생각을 분명하게 해 준다.
② 어떤 일의 순서나 차례를 잘 알게 해 준다.
③ 어떤 일의 원인을 분명하게 나타내어 준다.
④ 어떤 일이 일어나는 장소를 잘 나타내어 준다.
⑤ 두 대상의 공통점과 차이점을 분명하게 드러내어 준다.

56 한지가 만들어지는 과정을 다음 틀에 정리하세요.

> 닥나무를 찌고 물에 불려 겉껍질을 긁어낸 뒤 하얀 (①   )만 모은다.

⬇

> 속껍질에 콩대를 태운 (②   )을 붓고 삶은 뒤 물에 깨끗이 씻어 더 하얗게 만든다.

⬇

> 속껍질을 방망이로 찧은 뒤 물에 넣고 푼다. 그리고 (③   )을 넣고 엉겨 붙게 저어 준다.

⬇

> 엉겨 붙은 속껍질을 떠내 한 장씩 쌓은 다음 무거운 돌로 (④   ) 정도 눌러 물기를 뺀다.

⬇

> 눌러둔 종이를 한 장씩 떼어 판판하게 말리면 한지가 완성된다.

③ 보기 좋게 글씨를 쓰고, 아름다운 그림을 그리는 데는 내가 제일이야! 가볍고 부드러우면서도 질겨서 천년이 가도 변하지 않거든.

나는 숨을 쉬니까 집 <u>단장</u>에도 좋아. 더운 날에는 찬
한지의 쓰임새 ①
공기 들여 시원하게 하고, 추운 날에는 더운 공기 잡아 따뜻하게 하지. 또 습한 날은 젖은 공기 머금어 방 안을 보송보송하게 하고, 건조한 날은 젖은 공기 내놓아 방 안을 상쾌하게 하지. 따가운 햇볕을 은은하게 걸러 주는 건 기본이고말고.

낡은 옷장에 나를 겹겹이 붙이면 새 옷장이 되고, 요리조리 모양 잡으면 안경집, 벼룻집, 갓집이 되지. 바늘, 실, 골무 같은 바느질 도구 넣는 반짇고리도 될 수 있어. 옷 만들 때는 옷본, 버선 만들 때는 버선본이 되고말고. 한겨울 옷 속에 나를 넣어 꿰매면 얼마나 따뜻하다고.

그뿐인가. 여기 보이는 게 전부 나로 만든 물건이야.
한지의 쓰임새 ②
나를 새끼줄처럼 배배 꼬아 종이 노끈으로 만들어 엮으

면 신발부터 붓통, 베개, 방석, <u>망태기</u>가 되지. 옻칠하고 기름 먹이면 물 안 새는 표주박, 항아

○ 한지로 만든 방석

리, 요강도 되고말고. 저기 보이는 찻상, 구절판, 그릇은 물론이고, 팔랑팔랑 시원한 부채도 돼. 저 위에 걸려 있는 탈도 모두 나로 만든 거라고.

나는 흥겨운 놀이에도 빠지지 않아. 방패연, 가오리연
한지의 쓰임새 ③
이 되어 하늘을 훨훨 날 수도 있고, 제기가 되어 이리 펄쩍 저리 펄쩍 뛰기도 해. 풍물패 고깔 위에 알록달록 핀 예쁜 꽃도 바로 나야. 나는야 못 하는 게 없는 재주꾼, 한지돌이!

나는 지금도 너희 곁에 있어.

내가 어디에 있는지 알아맞혀 볼래?

✏️ **중심 내용 ③** 한지는 방 안의 온도와 습도를 조절하고, 생활용품의 재료나 놀이용품의 재료로 널리 사용된다.

단장(丹 붉을 단 粧 단장할 장) 건물, 거리 따위를 손질하여 꾸밈.
옷본 옷을 지을 때 옷감을 그대로 자를 수 있도록 본보기로 오려 만든 종이.

망태기 물건을 담아 들거나 어깨에 메고 다닐 수 있도록 만든 그릇.
옻칠 옻나무에서 나는 끈끈한 물질을 이용해 가구나 나무 그릇 따위에 발라서 목재를 보호하고 윤이 나게 하는 것.

---

57 이 글에서 말한 한지의 장점이 <u>아닌</u> 것은 무엇인가요?
( )

① 가볍다.
② 질기다.
③ 부드럽다.
④ 찢어지지 않는다.
⑤ 잘 변하지 않는다.

58 이 글에서 말한 한지로 만들 수 있는 물건이 <u>아닌</u> 것은 무엇인가요? ( )

① 부채 ② 바늘
③ 구절판 ④ 버선본
⑤ 가오리연

🖊️ 서술형·논술형 문제

59 '반짇고리'의 뜻을 짐작하여 쓰고, 그렇게 짐작한 까닭을 쓰세요.

(1) 짐작한 뜻	
(2) 짐작한 까닭	

60 글 ③의 내용을 다음 틀에 정리하세요.

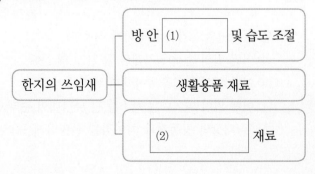

- 한지의 쓰임새
  - 방 안 (1) [ ] 및 습도 조절
  - 생활용품 재료
  - (2) [ ] 재료

정답 14쪽

국어 교과서 **268쪽**

2. 「한지돌이」를 읽고 요약해 봅시다.

(1) 뜻을 잘 모르는 낱말을 찾아 그 뜻을 짐작하고, 짐작한 뜻을 친구들과 이야기해 보세요.

예시 답안 나는 '반짇고리'의 뜻이 궁금했는데, '바느질 도구 넣는'이라는 표현을 보고 그 뜻을 짐작했습니다.
/ '옷본'과 '버선본'이 뭘까 생각해 보았는데 한지가 옷 만들 때는 옷본이 되고 버선 만들 때는 버선본이 된다는 내용에서 옷이나 버선을 만들기 위해 실제 크기와 모양대로 오린 종이가 아닐까 하고 짐작했습니다.

(2) 글을 읽고 글에서 설명하는 내용이 무엇인지 생각하며 글을 크게 나누어 보세요.

쪽	내용
교과서 264쪽	종이가 만들어진 까닭
예시 답안 265쪽	예시 답안 한지가 만들어지는 과정
예시 답안 266~267쪽	예시 답안 한지의 쓰임새

(3) (2)에서 나눈 부분을 요약해 보세요.

예시 답안 교과서 265쪽	예시 답안 한지를 만드는 과정은 먼저, 닥나무를 베어다 쪄서 겉껍질을 긁어내어 보드라운 속껍질만 모은다. 속껍질을 삶고 씻어서 나무판 위에 올려놓고 찧는다. 그리고 풀어진 속껍질을 물에 넣어 젓고, 거기에 닥풀을 넣어 다시 젓는다. 엉겨 붙은 속껍질을 물에서 떠내 한 장씩 쌓아 누른 다음, 그것을 한 장씩 떼어 판판하게 말리면 한지가 완성된다.
예시 답안 교과서 266~267쪽	예시 답안 한지는 쓰임새도 많다. 방 안 온도와 습도를 조절하는 데 사용하고, 안경집, 갓집, 버선본, 붓통, 표주박, 찻상, 부채, 탈 따위의 생활용품이나 연, 제기, 고깔 장식 따위의 놀이용품을 만들 때도 사용한다.

풀이

① 닥나무를 찌고 긁어 속껍질만 모은다. ② 속껍질을 삶고 씻어 하얗게 만든다. ③ 속껍질을 나무판 위에 올려놓고 찧는다. ④ 속껍질에 닥풀을 넣고 다시 젓는다. ⑤ 속껍질을 물에서 떠내 한 장씩 쌓는다. ⑥ 눌러둔 것을 한 장씩 떼어서 말린다.

 자습서 확인 문제

1 다음 중 「한지돌이」의 주요 내용이 아닌 것은 어느 것인가요?

ㄱ 한지의 쓰임새
ㄴ 한지를 만드는 방법
ㄷ 종이가 만들어진 까닭
ㄹ 한지에 그림을 그리는 방법

( )

7 단원

2 한지는 어떤 나무로 만드나요?
( )

① 대나무
② 소나무
③ 닥나무
④ 감나무
⑤ 오동나무

3 다음 내용을 가장 잘 요약한 것에 ○표 하세요.

한지로 신발, 붓통, 베개, 방석, 망태기, 표주박, 항아리 등을 만들 수 있다.

(1) 한지로 신발을 만들 수 있다.
( )
(2) 한지로 다양한 놀이용품을 만들 수 있다. ( )
(3) 한지로 다양한 생활용품을 만들 수 있다. ( )

[1~4] 내 귀는 건강한가요

우리 귀 건강에 가장 큰 ㉠걸림돌은 '이어폰'입니다. 사람들 대부분이 이어폰으로 음악을 들으면 집중을 잘하기 때문에 학습하는 데 큰 ㉡힘이 될 것이라고 생각합니다. 하지만 이는 사실과 다릅니다. 양쪽 귀 바로 위쪽 부위에는 언어 중추가 있는 뇌 측두엽이 존재하는데 측두엽과 가까운 귀에 이어폰을 꽂으면 언어 중추가 음악 소리에 자극을 받기 때문에 학습 내용이 기억에 잘 남지 않습니다. 왜냐하면 측두엽은 기억력과 청각을 담당하기 때문입니다. 다시 말해 노래를 들으며 공부를 하면 뇌는 이 두 가지를 한꺼번에 처리해야 하기 때문에 어려움을 겪습니다. 그래서 일반적으로 뇌 과학자들은 음악 듣기는 고난도 학습이나 업무를 하는 데 도움을 주지 않는다고 설명합니다.

귀를 건강하게 하려면 이어폰 같은 음향 기기를 하루 2시간 이내로 사용해야 하고, 사용할 때에는 소리 크기를 60퍼센트로 유지해야 합니다. 또 귀를 건조하게 유지하고 깨끗한 이어폰을 사용하는 방법도 좋습니다.

1 측두엽은 무엇과 무엇을 담당합니까? (　,　)
① 시각　　② 청각　　③ 후각
④ 기억력　　⑤ 상상력

2 이어폰을 바르게 사용하는 방법으로 알맞지 <u>않은</u> 것을 두 가지 고르시오. (　,　)
① 깨끗한 이어폰을 사용한다.
② 귀를 건조하게 해서는 안 된다.
③ 공부할 때만 이어폰을 사용한다.
④ 하루 2시간 이내로 사용해야 한다.
⑤ 이어폰의 소리 크기를 60퍼센트로 유지한다.

3 ㉠ 대신 쓸 수 있는 낱말을 한 가지 떠올려 쓰시오.
(　　　　　)

4 ㉡의 뜻으로 알맞은 것은 무엇입니까? (　　　)
① 물건 따위가 튼튼하거나 단단한 정도.
② 일이나 활동에 도움이나 의지가 되는 것.
③ 약물 따위가 인체에 미치는 효력이나 효능.
④ 강제적으로 따르게 할 수 있는 세력이나 권력.
⑤ 스스로 움직이거나 다른 물건을 움직이게 하는 작용.

[5~7] 존경합니다, 선생님

㉠"첫 번째 과제는 수필이다. 내가 놀라 까무러칠 정도로 재미있는 글을 써 오도록. 내가 너희의 반짝이는 생각에 홀딱 빠질 만큼 대단한 작품을 써 보란 말이다. 너희가 이 수업을 들을 만한 자격이 있는지를 알아보려는 거니까! 주제는? 가족이나, 집에서 일어나는 ㉡일상생활에 대한 이야기라면 뭐든지 괜찮아." 우리는 허둥지둥 종이를 꺼내 끼적이기 시작했다.
"아니, 아니! 여기서 말고!"
㉢켈러 선생님의 호통에 우리는 바로 연필을 놓았다.
"숙제란 말이다, 숙제! 세 쪽 가득 채워 오도록. 기한은 내일까지!" / 나는 ㉮마른침을 꿀꺽 삼켰다.

5 켈러 선생님이 호통을 친 까닭은 무엇입니까? (　　　)
① 학생들이 졸고 있어서
② 학생들이 쓴 글이 형편없어서
③ 학생들이 수업에 집중하지 않아서
④ 학생들이 아무도 숙제를 해 오지 않아서
⑤ 학생들이 숙제를 수업 시간에 하려고 해서

6 ㉠～㉢ 중에서 ㉮'마른침'의 뜻을 짐작할 수 있는 내용의 기호를 쓰시오.
(　　　　　)

📋 서술형·논술형 문제
7 ㉮ '마른침'의 뜻을 짐작하여 쓰시오.
_____

[8~10] 존경합니다, 선생님

"오늘, 너희에게 무시무시한 기말 과제를 내 줄 거다. 그동안 너희는 수많은 글쓰기 형식을 배웠어. 대화 글 쓰기나 상황을 묘사하는 글 쓰기, 주장을 펼치는 글 쓰기, 자신이 겪은 일 쓰기 등등. 이 중에서 가장 자신 있는 형식 한 가지를 골라 글을 쓰는 것이 마지막 과제다. 아주 잘 골라야 할 거야. 이 기말 과제 점수로 합격이 결정되니까!"

역시! 이런 날이 올 줄 알았다. 나는 벌써부터 진땀이 났다. ㉠엎친 데 덮친 격으로, 켈러 선생님이 할 말이 있다며 따로 남으라고 했다.

"퍼트리샤, 너는 자신이 겪은 일을 써 왔으면 좋겠다. 솔직히 말해서, 네 글은 여전히 감정이 잘 드러나지 않고 있으니까."

하지만 아무리 ㉡머리를 쥐어짜도, 켈러 선생님을 감동시킬 만한 주제가 하나도 떠오르지 않았다.

8 '나'의 기말 과제는 무엇입니까?

• 자신이 [   ]을/를 글로 쓰는 것이다.

9 ㉠의 뜻을 바르게 짐작한 사람은 누구입니까?

정수: 생각을 마음껏 펼친다는 뜻이지.
은정: 희망이 점점 커진다는 뜻 같은데.
영미: 나쁜 일이 겹쳐 일어난다는 뜻 같아.

(   )

10 ㉡과 바꾸어 쓸 수 있는 말은 무엇입니까? (   )
① 떼를 써도   ② 힘을 모아도
③ 아프게 해도   ④ 질끈 묶어도
⑤ 골똘히 생각해도

11 낱말의 뜻을 짐작하는 방법을 쓰시오.
(1) 낱말의 [   ] 내용을 살펴본다.
(2) 뜻이 [   ] 다른 낱말을 대신 넣어 본다.

[12~14] 식물의 잎차례

❶ 줄기 한 마디에 잎 두 장이 마주 보는 '마주나기'도 있습니다. 단풍나무나 화살나무는 잎 두 장이 사이좋게 마주 보고 있습니다. 그리고 마주난 잎들이 마디마다 서로 어긋나지 않고 평행합니다.

그런가 하면 한 마디에 잎이 석 장 이상 돌려나는 잎차례가 있습니다. 이런 잎차례를 '돌려나기'라고 합니다. 갈퀴꼭두서니는 마디마다 잎이 여섯 장에서 여덟 장씩 돌려나기로 핍니다.

❷
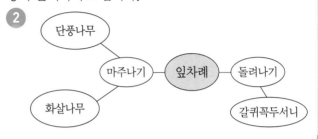

12 글 ❶은 무엇에 대해 설명했습니까? (   )
① 식물의 종류
② 식물의 뿌리 모양
③ 식물이 잘 자라는 온도
④ 식물의 크기가 다른 까닭
⑤ 식물이 잎을 피우는 방법

13 마디마다 잎이 여섯 장에서 여덟 장씩 돌려나는 식물을 찾아 쓰시오.

(   )

14 글 ❶의 내용을 ❷처럼 요약하면 좋은 점을 두 가지 고르시오. (,   )
① 글을 길게 쓸 수 있다.
② 인물의 성격을 파악할 수 있다.
③ 글의 내용을 길게 설명할 수 있다.
④ 글의 핵심 내용을 잘 이해할 수 있다.
⑤ 글의 중요한 내용을 한눈에 파악할 수 있다.

15 다음 글을 요약하려고 할 때 밑줄 그은 낱말들을 대표하는 낱말로 바꾸어 쓰시오.

> 다람쥐는 먹이를 입에 넣은 다음 볼에 차곡차곡 담는데 <u>밤</u>처럼 너무 큰 먹이는 이빨로 잘라서 넣기도 한다. 다람쥐의 경우 <u>도토리</u> 같은 열매 열 개 이상을 볼주머니에 저장할 수 있다.

( )

[16~19] 한지돌이

제일 ㉠먼저 닥나무를 베어다 푹푹 찐 뒤, 나무껍질을 훌러덩훌러덩 벗겨서 물에 불려. ㉡그러고는 다시 거칠거칠한 겉껍질을 닥칼로 긁어내고 보들보들 하얀 속껍질만 모아.

이렇게 모은 속껍질은 삶아서 더 보드랍게, 더 하얗게 만들어야 해. 먼저 닥솥에 물을 붓고 속껍질을 담가. 그리고 콩대를 태워 만든 잿물을 붓고 보글보글 부글부글 삶아.

보드랍고 하얗게 바랜 속껍질을 나무판 위에 올려놓고 닥 방망이로 찧어 가닥가닥 곱게 풀어야 해. 쿵쿵 쾅쾅! 솜처럼 풀어진 속껍질은 다시 물에 넣고 잘 풀어지라고 휘휘 저어. ㉢그런 다음 닥풀을 넣고 다시 잘 엉겨붙으라고 휘휘 저어 주지.

㉣이번에는 엉겨 붙은 속껍질을 물에서 떠내야 해. 촘촘한 대나무 발을 외줄에 걸어서 앞뒤로 찰방, 좌우로 찰방찰방 건져 올리면 물은 주룩주룩 빠지고 발 위에는 하얀 막만 남아. 젖은 종이처럼 말이야. 이렇게 한장 한 장 떠서 ㉤차곡차곡 쌓은 다음 무거운 돌로 하루 정도 눌러서 남은 물기를 빼.

마지막으로 차곡차곡 눌러둔 걸 한 장 한 장 떼어서 판판하게 말려야 해. 따뜻한 온돌 방바닥이나 판판한 벽에 쫙쫙 펴서 말리면 드디어 숨 쉬는 종이, 한지 완성!

16 이 글에서 설명하는 내용은 무엇입니까? ( )
① 한지의 역사
② 한지를 개발한 사람
③ 한지를 많이 만든 지역
④ 한지가 만들어지는 과정
⑤ 시대에 따라 불린 한지의 이름

17 이 글의 내용으로 알맞지 <u>않은</u> 것은 무엇입니까?

( )

① 한지는 닥나무의 속껍질로 만든다.
② 방바닥이나 벽에 한지를 펴서 말린다.
③ 대나무 발을 이용해 속껍질을 건져 올린다.
④ 속껍질을 하얗게 만들기 위해 삶아야 한다.
⑤ 닥풀을 넣으면 엉겨 붙은 속껍질이 풀어진다.

18 ㉠~㉤ 중에서 이 글의 구조를 파악할 수 있는 낱말이 <u>아닌</u> 것은 무엇입니까? ( )
① ㉠   ② ㉡   ③ ㉢
④ ㉣   ⑤ ㉤

서술형·논술형 문제

19 글의 내용을 다음 틀에 요약하시오.

> 닥나무를 푹 찌고, 속껍질만 모은다.

↓

> (1)

↓

> 속껍질을 나무판 위에 올려놓고 찧는다.

↓

> 속껍질을 물에 넣고, 거기에 닥풀을 넣고 젓는다.

↓

> 속껍질을 물에서 떠내 한 장씩 쌓고, 돌로 눌러둔다.

↓

> (2)

20 시간이나 공간의 순서에 따라 설명하는 글의 구조는 무엇입니까?

(순서 구조 / 나열 구조)

우리말 지킴이

8

개념 웹툰

요괴들이 싸울 때 한 말들의 문제점은 무엇일까요? 스마트폰에서 확인하세요!

개념 1 우리말 바르게 사용하기

① 줄임 말을 사용하지 않습니다.
② 사물을 높이는 표현을 사용하지 않습니다.
③ 외국어를 지나치게 많이 사용하지 않습니다.

■ 줄임 말
  '열공(열심히 공부)', '생파(생일 파티)'와 같이 낱말의 일부 글자만 모아 줄여서 표현한 말.

활동 바른 우리말 표현으로 고치기

수업 시간에 열공했더니 배고프다.

↓

수업 시간에 열심히 공부했더니 배고프다.

주문하신 사과주스 나오셨습니다.

↓

주문하신 사과주스 나왔습니다.

시가 정말 리얼한데?

↓

시가 정말 실감나는데?

개념 2 발표 주제를 생각하며 자료를 조사하고 구성하기

① 조사하고 싶은 주제를 정하고 주제가 적절한지 점검합니다.
② 주제에 맞는 조사 대상을 생각합니다.
③ 관찰, 설문지, 면담, 책이나 글 등 조사 방법을 정합니다.
④ 조사한 결과와 생각이나 느낌을 정리해 발표할 원고를 구성합니다.

활동 조사 방법의 장점과 단점

조사 방법	장점	단점
관찰	현장에서 대상을 직접 파악할 수 있다.	시간이 많이 걸린다.
설문지	여러 사람을 한꺼번에 조사할 수 있다.	답한 내용 외에는 자세한 내용을 알기 어렵다.
면담	자세한 정보를 수집할 수 있다.	시간이 오래 걸리고 원하는 인물과 면담을 하지 못할 수 있다.
책, 글	정확하고 다양한 정보를 얻을 수 있다.	내가 찾고 싶은 정보를 쉽게 찾지 못할 수 있다.

개념 3 발표할 때 주의할 점

① 발표 원고만 보면서 읽지 않고, 듣는 사람과 눈을 맞추며 발표합니다.
② 너무 빠른 속도나 작은 목소리로 발표하지 않습니다.
③ 어느 부분에서 어떤 표정과 몸짓을 할지 생각합니다.
④ 자료를 모두가 볼 수 있도록 제시합니다.
⑤ 바른 자세로 서서 진지하게 발표합니다.

활동 발표할 때 주의할 점

여진이가 발표 내용만 보며 발표하네.

여진

- 발표 내용만 보면서 읽듯이 발표하지 않습니다.
- 듣는 사람과 눈을 맞추며 발표합니다.

◉ 우리말이 훼손된 사례 살펴보기

1 그림의 간판에 나타난 문제점은 무엇인가요?

(1) 'Book적Book적', 'sweet카페'와 같은 간판이 많아

지면 [   ]을/를 모르는 사람은 가게를 찾

지 못할 수도 있다.

(2) '머찌나옷'은 '멋지나'를 [   ] 나는 대로 써

서 표기법에 맞지 않는다.

2 ❶에서 아이들이 대화할 때 잘못한 점은 무엇인가요?

(   )

① 비속어를 많이 썼다.

② 외국어로만 대화했다.

③ 말을 줄여서 사용했다.

④ 사물을 높이는 표현을 썼다.

⑤ 상대에게 높임말을 쓰지 않았다.

3 ❷와 ❸에서 빨간색으로 쓰인 부분을 바르게 고쳐 쓰

세요.

(1) 노잼이었어 → (   )

(2) 나오셨습니다 → (   )

🍘교과서 문제

4 그림에 나타난 간판을 자연스러운 우리말 간판으로 알맞

게 바꾼 것을 선으로 이으세요.

(1)	4U음식점	•	• ①	멋진 옷
(2)	머찌나옷	•	• ②	달콤한 찻집
(3)	Book적Book적	•	• ③	북적북적 서점
(4)	sweet카페	•	• ④	한마음 꽃집
(5)	한마음플라워	•	• ⑤	독특한 반려동물 가게
(6)	유니크펫숍	•	• ⑥	여러분을 위한 음식점

잘못된 우리말 사용 실태 조사하기

1 조사 주제 정하기

> 잘못 사용하는 우리말을 조사해 보면 어떨까?

여진

> 실제로 조사할 수 있는지, 조사 방법과 기간이 적절한지 주의해요.

----

2 조사 대상 정하기

> 우리 모둠은 '우리말이 있는데도 영어를 사용하는 예'를 조사하기로 했어. 영어를 무분별하게 사용하는 예로 무엇이 있을까? → 조사 주제

여진

> 영어를 새긴 옷이 너무 많아.

> 방송에서 영어를 가장 많이 사용하는 것 같아.

> 이 가운데에서 어떤 것을 조사해 볼까?

> 그럼 방송을 조사해 보면 어떨까? 방송은 아이들에게 영향을 많이 주잖아.

> 옷에 새긴 영어는 조사 대상으로 알맞지 않은 것 같아. 만약 옷이 수입된 것이라면 옷에 영어가 있는 것은 당연할지도 몰라.

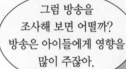

> 조사한 결과를 방송사에 알려 주고 영어 사용을 자제해 달라고 요청할 수도 있어.

> 그럼 방송에서 영어를 얼마나 사용하는지 조사해 보자.

> 그래.

5 ❶에서 여진이가 정한 조사 주제는 무엇인가요?

( )

📚교과서 문제

6 ❶에서 여진이가 정한 주제를 바꾸려고 할 때 어떤 문제가 있을지 쓰세요.

(1)
> 현경: 우리 지역의 모든 간판을 조사해 잘못된 표현을 찾아보면 어떨까?

→ 우리 지역의 모든 간판을 몇 사람만으로 조사하기 ( ).

(2)
> 남준: 우리나라 사람들이 하루 동안 잘못 사용하는 우리말을 찾아보면 어떨까?

→ 우리나라 사람들을 ( ) 조사할 수 없고 조사 기간이 적절하지 않다.

7 ❷에서 여진이네 모둠은 조사 대상을 무엇으로 정했는지 ○표 하세요.

(1) 옷에 새긴 영어 ( )

(2) 직업을 나타내는 영어 ( )

(3) 방송에서 사용하는 영어 ( )

8 여진이네 모둠이 문제 7에서 답한 내용을 조사 대상으로 정한 까닭은 무엇인가요? ( )

① 조사 범위가 넓기 때문이다.

② 자료를 쉽게 구할 수 있기 때문이다.

③ 아이들에게 영향을 많이 주기 때문이다.

④ 조사할 장소가 학교에서 가깝기 때문이다.

⑤ 다른 모둠이 발표하지 않은 내용이기 때문이다.

3 조사 방법 정하기

조사 방법	장점	단점
관찰	현장에서 조사 대상을 직접 파악할 수 있다.	시간이 많이 걸린다.
설문지	여러 사람을 한꺼번에 조사할 수 있다.	답한 내용 외에는 자세한 내용을 알기 어렵다.
면담	자세한 정보를 수집할 수 있다.	시간이 오래 걸리고 원하는 인물과 면담을 하지 못할 수도 있다.
책이나 글	정확하고 다양한 정보를 얻을 수 있다.	내가 찾고 싶은 정보를 쉽게 찾지 못할 수도 있다.

4 조사 계획에 맞게 조사하기

5 발표할 원고 구성하기

① 시작하는 말 구성하기

→ 모둠 이름　　　→ 조사 주제

시작하는 말	우리 샛별 모둠에서는 영어를 지나치게 많이 사용하는 실태를 조사했습니다. 발표 제목은 「영어가 아름다운 우리말을 사라지게 해요」입니다. └→ 발표 제목

② 전달하려는 내용 구성하기

자료	방송 프로그램 가운데에서 영어를 지나치게 많이 사용하는 동영상 보여 주기(출처: 샛별방송사 「다 같이 요리」 프로그램)　→ 자료의 출처를 밝힘.
설명하는 말	샛별방송사에서 방송한 「다 같이 요리」 프로그램을 짧게 보여 드리겠습니다. 이 동영상에서 "김○○ 셰프 출연"이라는 자막이 보입니다. '셰프'는 요리사를 뜻하는 영어입니다. 또 프로그램에 나오는 출연자가 '메인 디시'라는 영어를 지나치게 많이 사용하는데 그것을 편집하지 않고 그대로 방송했습니다.

③ 끝맺는 말 구성하기

→ 발표한 내용

끝맺는 말	지금까지 영어를 지나치게 많이 사용하는 실태를 발표했습니다. 아름다운 우리말을 보존할 수 있도록 우리말을 바르게 사용하는 습관을 기릅시다. └→ 모둠의 의견

9 책이나 글을 조사하는 방법의 특징을 두 가지 고르세요.
(　　,　　)

① 정확하고 다양한 정보를 얻을 수 있다.
② 여러 사람을 한꺼번에 조사할 수 있다.
③ 현장에서 조사 대상을 직접 파악할 수 있다.
④ 답한 내용 외에는 자세한 내용을 알기 어렵다.
⑤ 내가 찾고 싶은 정보를 쉽게 찾지 못할 수도 있다.

10 발표 원고를 구성할 때 각 부분에 어떤 내용을 써야 하는지 보기 에서 골라 기호를 쓰세요.

보기
㉠ 자료　　　　　　　㉡ 모둠 이름
㉢ 발표 제목　　　　　㉣ 모둠의 의견이나 전망

(1) 시작하는 말	
(2) 전달하려는 내용	
(3) 끝맺는 말	

진도 완료 체크

🖋️ 서술형·논술형 문제

11 전달하려는 내용에 인터넷에서 찾은 글이나 사진 자료를 넣을 때 주의할 점은 무엇인지 쓰세요.

_____

_____

12 이와 같은 발표 원고를 쓴 다음 확인할 내용으로 알맞지 않은 것은 무엇인가요? (　　　)

① 여행의 목적이 잘 드러나 있나요?
② 발표 내용에 알맞은 자료를 골랐나요?
③ 조사한 내용에 더 필요한 자료는 없나요?
④ 글이나 사진 자료를 사용할 때 출처를 표시했나요?
⑤ 사실이 아닌 내용이나 과장된 내용을 쓰지 않았나요?

여러 사람 앞에서 조사한 내용 발표하기

📍그림 ①~④에 나타난 여진이의 발표 태도

그림 ①	발표 내용만 보면서 읽 듯이 발표하고 있다.
그림 ②	너무 빠른 속도로 발표 하고 있다.
그림 ③	듣는 사람들이 알아듣 지 못하게 작게 말했다.
그림 ④	한 화면에 너무 많은 내용을 제시하였다.

📍 발표를 들을 때 주의할 점

① 새롭게 알려 주는 내용이 무엇인지 집중하며 들어야 합니다.

② 발표자에게 빨리하라고 하거나 야유를 보내서는 안 됩니다.

13 그림 ①의 여진이에게 해 줄 말로 알맞은 것에 ○표 하세요.

(1) 발표할 때 듣는 사람을 바라보며 바른 자세로 말해야겠어. (   )

(2) 자료를 보여 줄 때 자신 있는 표정을 지으며 손으로 화면을 가리키면 좋을 것 같아. (   )

14 그림 ②와 ③에서 여진이는 무엇에 주의하며 발표해야 하는지 선으로 이으세요.

(1) 그림 ② ·   · ㉠ 말하는 속도

(2) 그림 ③ ·   · ㉡ 목소리 크기

15 그림 ④에서 여진이가 잘못한 점은 무엇인가요?
(   )

① 자료를 제시하지 않았다.

② 바른 자세로 발표하지 않았다.

③ 화면을 보지 않고 발표를 했다.

④ 한 화면에 너무 많은 내용을 제시했다.

⑤ 자료를 보여 주면서 화면을 가리키지 않았다.

16 발표를 듣는 친구들이 생각할 내용으로 알맞지 <u>않은</u> 것은 무엇인가요? (   )

① 자료는 정확할까?

② 발표 주제가 무엇일까?

③ 다음 모둠은 어떤 발표를 할까?

④ 발표 내용이 주제와 관련 있을까?

⑤ 과장되거나 거짓인 내용은 없을까?

열심히 공부했더니
수업 시간에 열공했더니 배고프다.

나도 배고픈데 편의점에서 삼김 사 먹을까?
삼각김밥

저기 편의점이 있다.

편의점

오! 들어가자.

삼김 두 개 있어요?

삼김이라니? 무슨 말인지 모르겠구나.

삼각김밥 주세요.

나도 줄임 말을 사용하지 말아야겠구나.

만화에 나타난 표현 방법

장면	표현
2	손으로 편의점을 가리키는 동작을 그림.
4	딱딱한 표정으로 눈썹 사이를 찡그리는 모습을 그림.
5	이마 부분에 세로선을 여러 개 그림.

8단원

17 이 만화의 주제는 무엇인가요? (   )

① 비속어나 욕설을 줄이자.

② 지나친 줄임 말을 사용하지 말자.

③ 사물을 높이는 표현을 쓰지 말자.

④ 영어를 지나치게 많이 사용하지 말자.

⑤ 우리말 규칙을 파괴하는 신조어를 쓰지 말자.

교과서 문제

18 여자아이가 편의점을 발견한 장면은 어떻게 표현했는지 ○표 하세요.

(1) 손으로 무언가를 가리키는 동작을 그렸다. (   )

(2) 콧노래를 부르며 입 주변에 음표를 그렸다.

(   )

(3) 딱딱한 표정으로 눈썹을 찡그리는 모습을 그렸다.

(   )

19 남자아이의 어떤 마음을 나타내기 위해 다음과 같은 표현을 사용했나요? (   )

• 이마 부분에 세로선을 여러 개 그렸다.

• 뒷머리를 만지는 동작을 그렸다.

① 고맙다. ② 즐겁다.

③ 기대된다. ④ 후회된다.

⑤ 자랑스럽다.

20 인물이 후회하는 장면을 만화로 표현한다면 표정이나 몸짓을 어떻게 표현해야 할까요?

(   )

[1~3] 우리말이 훼손된 사례 ①

1 이 그림에서 할아버지께서 어느 가게에서 무엇을 파는지 알기 어려워하신 까닭은 무엇입니까?

• 같은 의미를 지닌 우리말이 있는데도 [   ] 을/를 그대로 간판에 사용했기 때문이다.

2 이 그림에서 아이들이 사용한 줄임 말을 바르게 고쳐 쓰시오.

(1) 열공했더니 → (   )

(2) 삼김 → (   )

3 그림 속 간판을 자연스러운 우리말로 고친 것은 어느 것입니까? (   )

① 유니크펫숍 → 예쁜 펫숍

② 한마음 플라워 → 한마음 찻집

③ 유니크펫숍 → 유니크 동물 가게

④ Book적Book적 → 북적북적 서점

⑤ Book적Book적 → 북적북적 노래방

[4~6] 우리말이 훼손된 사례 ②

🖊 서술형·논술형 문제

4 ㉠과 같은 간판이 문제가 되는 까닭을 쓰시오.

_____

_____

5 ㉡이 바르지 <u>않은</u> 까닭은 무엇입니까? (   )

① 비속어를 사용했다.

② 사물을 높여서 표현했다.

③ 높임 표현을 사용하지 않았다.

④ 우리말 대신 외국어로만 대화했다.

⑤ 영어와 우리말을 섞어 만든 신조어를 썼다.

6 ㉢을 바르게 고쳐 쓴 것은 무엇입니까? (   )

① 나왔다   ② 나왔어   ③ 나오셨어

④ 나오십니다   ⑤ 나왔습니다

7 다음 조사 주제가 적절하지 <u>않은</u> 까닭을 쓰시오.

┌─────────────────────────────┐
│ 우리나라 사람들 모두가 하루 동안 잘못 사용하는 │
│ 영어를 조사하면 어떨까? │
└─────────────────────────────┘

• 우리나라 사람들을 _____

[8~10] 여진이네 모둠의 대화

① 우리 모둠은 '우리말이 있는데도 영어를 사용하는 예'를 조사하기로 했어. 영어를 무분별하게 사용하는 예로 무엇이 있을까?

영어를 새긴 옷이 너무 많아.

방송에서 영어를 가장 많이 사용하는 것 같아.

②

③ 이 가운데에서 어떤 것을 조사해 볼까?

그럼 방송을 조사해 보면 어떨까? 방송은 아이들에게 영향을 많이 주잖아.

④

옷에 새긴 영어는 조사 대상으로 알맞지 않은 것 같아. 만약 옷이 수입된 것이라면 옷에 영어가 있는 것은 당연할지도 몰라.

조사한 결과를 방송사에 알려 주고 영어 사용을 자제해 달라고 요청할 수도 있어.

8 여진이네 모둠의 조사 주제를 쓰시오.

( )

9 여진이네 모둠이 '옷에 새긴 영어'가 조사 대상으로 알맞지 않다고 생각한 까닭은 무엇입니까? ( )
① 조사 기간이 짧아서
② 자료를 구하기 어려워서
③ 친구들이 관심 없는 내용이어서
④ 영어를 새기지 않은 옷이 더 많아서
⑤ 수입된 옷이라면 영어가 있는 것이 당연해서

10 여진이네 모둠은 조사 대상을 어떻게 정했는지 알맞은 것에 ○표 하시오.
(1) 자료를 많이 모으기 위해 범위를 넓혔다. ( )
(2) 아이들에게 영향을 많이 주는 것으로 조사 범위를 좁혔다. ( )

11 다음은 어떤 조사 방법의 장단점을 설명한 것입니까?
( )

• 여러 사람을 한꺼번에 조사할 수 있다.
• 답한 내용 외에는 자세한 내용을 알기 어렵다.

① 책   ② 글   ③ 관찰
④ 면담   ⑤ 설문지

12 현장에서 조사 대상을 직접 파악할 수 있는 조사 방법을 쓰시오.

( )

13 발표 원고를 구성할 때 끝맺는 말에 들어갈 내용을 두 가지 고르시오. (,)
① 모둠 이름   ② 발표 제목
③ 조사 주제   ④ 발표한 내용
⑤ 모둠의 의견이나 전망

14 다음은 발표 원고 중에서 어느 부분에 들어갈 내용입니까?

자료	방송 프로그램 가운데에서 영어를 지나치게 많이 사용하는 동영상 보여 주기(출처: 샛별방송사 「다 같이 요리」 프로그램)
설명하는 말	샛별방송사에서 방송한 「다 같이 요리」 프로그램을 짧게 보여 드리겠습니다. 이 동영상에서 "김○○ 셰프 출연"이라는 자막이 보입니다. '셰프'는 요리사를 뜻하는 영어입니다.

(시작하는 말 / 전달하려는 내용 / 끝맺는 말)

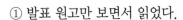

15 오른쪽 그림에 나타난 발표 태도가 바르지 <u>않은</u> 까닭은 무엇입니까?
( )

아름다운 우리말이 자리를 잃지 않도록……

목소리가 잘 안 들려.

① 발표 원고만 보면서 읽었다.
② 듣는 사람을 바라보지 않았다.
③ 목소리를 너무 작게 발표했다.
④ 사실이 아닌 내용을 발표했다.
⑤ 한 화면에 너무 많은 내용을 제시했다.

16 발표를 들을 때의 태도로 알맞지 <u>않은</u> 것에 ×표 하시오.
(1) 발표자에게 야유를 보내지 않는다. ( )
(2) 발표자에게 빨리하라고 재촉해서는 안 된다.
( )
(3) 발표 자료만 보고 발표 내용은 듣지 않아도 된다.
( )

8 단원

진도 완료 체크

[17~19] 우리말 바르게 사용하기를 알리는 만화

수업 시간에 열공했더니 배고프다.

나도 배고픈데 편의점에서 삼김 사 먹을까?

저기 편의점이 있다.

편의점

삼김 두 개 있어요?

오! 들어가자.

삼김이라니? 무슨 말인지 모르겠구나.

삼각김밥 주세요.

나도 줄임 말을 사용하지 말아야겠구나.

17 그림에 나타난 문제점은 무엇입니까? ( )
① 잘못된 높임 표현을 쓴다.
② 아이들이 비속어를 사용한다.
③ 아이들이 줄임 말을 사용한다.
④ 소리 나는 대로 글을 쓰는 사람이 많다.
⑤ 외래어와 우리말을 섞어 만든 신조어가 늘어났다.

18 두 아이가 잘못 사용한 말을 두 가지 찾아 쓰시오.
(,)

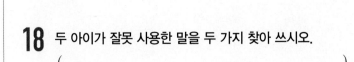

서술형·논술형 문제

19 아이들의 말을 듣고 당황한 아저씨의 모습을 어떻게 표현했는지 쓰시오.

_____

_____

20 다음 중 우리말을 바르게 사용한 것은 무엇입니까?
( )
① 나 심쿵했어.
② 와, 이거 꿀잼이네.
③ 너는 진짜 고답이다.
④ 내 생일잔치에 올래?
⑤ 강아지가 귀여우시네요.

문제 읽을 준비는
저절로 되지 않습니다.

문해력을 키우는 시간

하루
10분

똑똑한 하루 국어 시리즈

문제풀이의 핵심, 문해력을 키우는 승부수

예비초~초6 각A·B

교재별14권

예비초A·B, 초1~초6: 1A~4C

총 14권

온라인 학습북
포인트 ③가지

▶「**개념 동영상 강의**」로 교과서 핵심만 정리!

▶「**서술형 문제 강의**」로 사고력도 향상!

▶「**온라인 성적 피드백**」으로 단원별로 내가 부족한 부분 꼼꼼하게 체크!

우등생 온라인 학습북 활용법

home.chunjae.co.kr

온라인 강의
개념 / 서술형·논술형 평가
/ 단원 평가

**온라인 학습
스케줄 관리**
맞춤형 홈스쿨링 스케줄표 제공

**온라인 채점과
성적 피드백**
정답을 입력하면 채점과 성적 분석까지

단원 평가의 답을 입력하여 제출하면
틀린 문제에 대한 피드백과 동영상 강의 제공!

우등생 국어 5-2
홈스쿨링 스피드 스케줄표(8회)

스피드 스케줄표는 온라인 학습북을 8회로 나누어
빠르게 공부하는 학습 진도표입니다.

1. 마음을 나누며 대화해요	2. 지식이나 경험을 활용해요	3. 의견을 조정하며 토의해요
1회 온라인 학습북 4~9쪽	**2**회 온라인 학습북 10~15쪽	**3**회 온라인 학습북 16~21쪽
월 일	월 일	월 일

4. 겪은 일을 써요	5. 여러 가지 매체 자료	6. 타당성을 생각하며 토론해요
4회 온라인 학습북 22~27쪽	**5**회 온라인 학습북 28~33쪽	**6**회 온라인 학습북 34~39쪽
월 일	월 일	월 일

7. 중요한 내용을 요약해요	8. 우리말 지킴이
7회 온라인 학습북 40~46쪽	**8**회 온라인 학습북 47~52쪽
월 일	월 일

스피드
스케줄표
바로가기

차례

온라인 학습북

1단원

개념 강의

공감하며 대화하는 방법

1 경청하기
"용왕님의 병을 고치려고 그랬어. 속여서 미안해."
"그래, 그래서 그런 거였구나."

2 처지를 바꾸어 생각하기
"내가 너처럼 용왕님의 신하였다면 나라도 그랬을지 몰라."

3 공감하며 말하기
"나를 속인 건 화가 나지만 네 마음을 이해해. 내 간을 줄 수는 없으니 대신 내가 유명한 의사를 소개시켜 줄게."

❋ 강의를 들으며 중요한 내용을 메모하세요!

● 공감하며 대화해야 하는 까닭

● 공감하며 대화하는 방법

● 누리 소통망 대화

● 누리 소통망에서 예절을 지키며 대화하는 방법

● 누리 소통망 대화가 직접 하는 대화와 다른 점

개념 확인하기　정답에 ✔표를 하시오.　　　　　정답 19쪽

1 공감하는 대화에 대한 설명이 <u>아닌</u> 것은 어느 것입니까?

　㉠ 듣는 사람을 배려해 주는 대화 ☐

　㉡ 상대와 같은 마음으로 이해해 주는 대화 ☐

　㉢ 자신이 관심 있는 이야기만 말하는 대화 ☐

2 공감하며 대화하려면 어떠한 자세가 필요합니까?

　㉠ 상대의 입장과 처지에서 생각해 보는 자세 ☐

　㉡ 상대가 무엇을 잘못했는지 따져 보려는 자세 ☐

　㉢ 무엇이든 누가 옳고 그른지 가리려는 자세 ☐

3 누리 소통망 대화의 특성이 <u>아닌</u> 것은 어느 것입니까?

　㉠ 여러 사람과 동시에 대화를 할 수 있다. ☐

　㉡ 주로 문자보다 말소리를 사용해 대화를 주고받는다. ☐

4 누리 소통망에서 대화할 때 주의할 점은 무엇입니까?

　㉠ 자신이 할 말만 하고 대화방을 나온다. ☐

　㉡ 상대가 대화방에 없을 때는 험담을 해도 된다. ☐

　㉢ 상대가 대화하고 싶은지 확인하고 말을 걸어야 한다. ☐

연습 🦉 도움말을 참고하여 내 생각을 차근차근 써 보세요.

1 다음 대화를 읽고 물음에 답하시오. [13점]

> 명준: 지난번 질서 지키기 그림 대회에서 내가 그린 그림이 뽑히지 않아서 무척 서운했어.
>
> 지윤: ㉠네가 그림을 못 그렸겠지. 그러니까 할 수 없잖아?
>
> 명준: 너는 친구에게 어떻게 그런 말을 하니?
>
> 지윤: 그냥 내 생각을 말한 건데, 왜?

(1) 지윤이의 말을 듣고 명준이는 어떠한 마음이 들었겠습니까? [3점]

_____

_____

(2) 공감하는 대화가 되도록 ㉠을 고쳐 쓰시오. [5점]

답안 작성 시 유의사항	공감하며 대화하는 방법 중 '처지를 바꾸어 생각하기'에 어울리는 대답을 쓴다.

_____

_____

(3) 공감하는 대화를 하려면 어떤 자세가 필요한지 쓰시오. [5점]

> 🦉 대화를 할 때 어떤 마음을 가지고 어떤 태도를 지녀야 하는지 생각해서 써요.
>
> 꼭 들어가야 할 말 처지, 배려

_____

_____

2 다음 글을 읽고 물음에 답하시오. [18점]

> 흐뭇한 얼굴로 부엌을 둘러보시던 엄마께서 놀란 표정으로 물으셨다.
>
> "현욱아, 혹시 프라이팬도 닦았니?"
>
> "예, 제가 철 수세미로 문질러 깨끗이 닦았어요."
>
> "뭐라고? 철 수세미로 문질렀다는 말이니?"
>
> "예. 수세미로는 잘 닦이지 않아서 철 수세미를 썼어요."
>
> 엄마는 한숨을 한 번 쉬시고는 다시 웃음을 띠고 말씀하셨다.
>
> "⬜㉠⬜ 그렇지만 금속으로 프라이팬 바닥을 긁으면 바닥이 벗겨져서 못 쓰게 된단다."

(1) 현욱이가 한 실수는 무엇입니까? [5점]

_____

_____

(2) ㉠에 들어갈, 어머니가 현욱이의 처지를 생각해 보는 말을 쓰시오. [5점]

_____

_____

(3) 공감하는 대화가 되도록 다음 현욱이와 엄마의 대화를 완성하시오. [8점]

> 현욱: 죄송해요, 엄마. 집안일을 도와드리려다 오히려 프라이팬만 망가뜨렸어요.
>
> 엄마:
>
> _____
>
> _____

1 공감하며 대화해야 하는 까닭으로 알맞지 <u>않은</u> 것은 무엇입니까? ( )

① 상대의 마음을 알 수 있기 때문이다.
② 기분 좋은 대화를 할 수 있기 때문이다.
③ 상대의 처지를 이해할 수 있기 때문이다.
④ 대화를 즐겁게 이어갈 수 있기 때문이다.
⑤ 상대의 말 중에서 잘못된 것을 쉽게 찾을 수 있기 때문이다.

[2~3] 다음 대화를 보고 물음에 답하시오.

2 명준이에 대한 지윤이의 태도는 어떠합니까? ( )

① 질투한다.　　　　② 무시한다.
③ 자상하다.　　　　④ 너그럽다.
⑤ 부러워한다.

3 명준이가 지윤이에게 화가 난 까닭은 무엇입니까?
( )

① 명준이의 이야기를 듣지 않아서
② 명준이의 부족한 점을 일깨워 주어서
③ 명준이보다 지윤이가 그림을 잘 그려서
④ 명준이가 그림에 소질이 있다고 말해 주어서
⑤ 명준이의 기분을 생각하지 않고 함부로 말해서

[4~5] 다음 글을 읽고 물음에 답하시오.

"현욱아, 혹시 프라이팬도 닦았니?"
"예. 제가 철 수세미로 문질러 깨끗이 닦았어요."
"뭐라고? 철 수세미로 문질렀다는 말이니?"
"예. 수세미로는 잘 닦이지 않아서 철 수세미를 썼어요."
엄마는 한숨을 한 번 쉬시고는 다시 웃음을 띠고 말씀하셨다.
"㉠우리 아들이 집안일을 도와주려는 마음으로 설거지를 열심히 했구나. 그렇지만 금속으로 프라이팬 바닥을 긁으면 바닥이 벗겨져서 못 쓰게 된단다."

4 엄마께서 한숨을 쉬었다가 다시 웃음을 띠고 말씀하신 까닭은 무엇입니까? ( )

① 현욱이가 말할 때의 표정이 재미있어서
② 집 안이 어질러져 있는 것이 화가 나서
③ 설거지를 하지 않아도 되는 것이 기뻐서
④ 시키지도 않은 일을 한 현욱이를 이해할 수 없어서
⑤ 집안일을 도와주려는 현욱이의 착한 마음씨에 고마움을 느껴서

5 ㉠에서 알 수 있는 공감하며 대화하는 방법은 무엇입니까? ( )

① 처지를 바꾸어 생각한다.
② 꾸며 주는 말을 사용한다.
③ 생각을 정확하게 전달한다.
④ 높임 표현을 바르게 사용한다.
⑤ 이해하기 쉬운 낱말을 사용한다.

6 상대의 말을 경청할 때의 표정이나 행동으로 알맞지 <u>않은</u> 것은 어느 것입니까? (　　　)

① 손뼉을 친다.

② 하품을 한다.

③ 고개를 끄덕인다.

④ 눈을 맞추고 웃는다.

⑤ 상황에 맞게 손짓을 한다.

7 다음과 같이 말하는 방법은 어디에 해당합니까?

(　　　)

> 주현: 너는 맡은 청소 구역이 넓어서 그동안 무척 힘
> 들었겠다. 네 말대로 좋은 방법을 생각해 보자.
> 희주: 그러니까 청소 구역을 자주 바꾸면 좋겠어. 내
> 말에 공감하며 말해 줘서 정말 고마워.
> 주현: 아니야. 네가 힘들었던 것을 미리 알아주지 못
> 해서 미안해.

① 격려하기　　　　② 조언하기

③ 경청하기　　　　④ 칭찬하기

⑤ 공감하며 말하기

8 공감하며 대화하는 방법으로 알맞지 <u>않은</u> 것은 무엇입니까? (　　　)

① 상대의 처지를 생각하면서 말한다.

② 자신의 생각만을 강조하면서 말한다.

③ 말하는 사람의 처지가 되어 생각한다.

④ 자신의 말에 상대가 어떻게 반응하는지 살펴본다.

⑤ 말하는 사람에게 주의를 기울여 집중해서 듣는다.

9 누리 소통망 대화에 대한 설명으로 알맞지 <u>않은</u> 것은 무엇입니까? (　　　)

① 멀리 떨어져 있을 때 사용한다.

② 대화 분위기를 금방 알 수 있다.

③ 직접 말하기 어색할 때 사용하면 좋다.

④ 글이나 사진을 올리거나 나눌 수 있다.

⑤ 많은 사람에게 알릴 것이 있는 경우에 사용한다.

10 밑줄 그은 부분과 같이 누리 소통망 대화에서 그림말을 사용하면 좋은 점은 무엇입니까? (　　　)

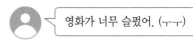
영화가 너무 슬펐어. (ㅜㅜ)

① 정보를 여러 사람에게 전할 수 있다.

② 어려운 낱말의 뜻을 쉽게 알 수 있다.

③ 자신의 기분을 감추며 이야기할 수 있다.

④ 자신의 기분을 실감 나게 표현할 수 있다.

⑤ 상대의 동의가 없어도 대화를 할 수 있다.

11 누리 소통망 대화를 할 때 지켜야 할 예절로 알맞지 <u>않은</u> 것은 무엇입니까? (　　　)

① 지나친 줄임 말을 쓰지 않는다.

② 대화방에 없는 친구를 험담하지 않는다.

③ 그림말을 최대한 많이 써서 재미있게 한다.

④ 상대의 의사를 물어본 뒤에 대화에 초대한다.

⑤ 다른 사람에게 상처를 주는 말을 하지 않는다.

12 누리 소통망에서 댓글을 달 때의 예절로 알맞지 <u>않은</u> 것은 무엇입니까? (   )

① 바르고 고운 말을 쓴다.

② 상대가 싫어하는 말을 쓰지 않는다.

③ 혼자서 너무 많이 댓글을 달지 않는다.

④ 자신의 의견대로 하자고 강하게 주장한다.

⑤ 공감한다는 그림말을 사용해 댓글을 단다.

14 창진이가 처해 있는 상황으로 알맞은 것은 무엇입니까?
(   )

① 병원에 입원해 있다.

② 교실에서 공부하고 있다.

③ 동생과 함께 요리를 하고 있다.

④ 집에서 부모님의 일을 돕고 있다.

⑤ 놀이터에서 친구와 함께 야구 놀이를 하고 있다.

15 창진이의 기분 변화로 가장 알맞은 것은 무엇입니까?
(   )

① 기쁨 → 슬픔

② 슬픔 → 고마움

③ 신기해함 → 슬픔

④ 슬픔 → 어리둥절함

⑤ 외로움 → 안타까움

[13~16] 다음 대화를 보고 물음에 답하시오.

> **가** 창진: 빨리 학교에 가고 싶다. 다들 어떻게 지낼까? 그래, 누리 소통망으로 연락해 볼까?
>
> **나** ☹창진: 빨리 나아서 학교에 가고 싶어. 모두 보고 싶어요.(ㅠ.ㅠ)
>
> **다** ☺선생님: 얼른 나아서 건강하게 돌아오렴.
> ☺친구: 보고 싶어. 사랑해, 친구야~♥
>
> **라** ☺창진: 선생님, 고맙습니다. 빨리 나을게요. 모두 정말 고마워.(\^^/)

13 이 대화는 어디에서 이루어지고 있습니까? (   )

① 운동장

② 학교 교실

③ 학교 누리집

④ 창진이네 집

⑤ 누리 소통망

16 이와 같은 대화에서 상대의 말에 공감하며 대화하는 방법으로 알맞지 <u>않은</u> 것은 무엇입니까? (   )

① 고맙다는 말을 많이 한다.

② 격려하는 말을 많이 한다.

③ 대화방에 모든 사람을 초대하여 자기의 의견을 말한다.

④ "힘내, 잘할 수 있어."와 같은 듣기 좋은 말을 사용한다.

⑤ 말을 하는 중간중간 "그렇구나." 같은 말로 잘 듣고 있음을 표현한다.

[17~20] 다음 글을 읽고 물음에 답하시오.

가 "일본은 물러가라!"

"조선 땅에서 물러가라."

사람이 많이 잡혔네. 나도 일본 경찰에게 잡혔네. 경찰이 학교에 못 다니게 하네. 조선 사람들은 힘을 모아 싸웠어. 나는 무기를 나르고 돈을 모으다가 또 잡혔어. 깜깜한 감옥으로 끌려갔어. 내 손으로 내 나라를 되찾는 게 죄야?

우리 땅에서 또 싸우다 잡히면 죽을 거야. 나는 가족을 떠나 중국으로 가는 배를 탔지. 깜깜한 밤바다, 빼앗긴 내 나라 이제 다시는 못 갈지 몰라. 못 가는 곳이 없던데, 저 비행기란 놈은……

'그래! 진짜로 비행사가 되는 거야. 비행기를 타고 날아가서 일본과 싸우는 거야!'

나 "여자가 어떻게 여기 왔나?"

"세상을 돌고 돌아 왔어요."

"여자가 왜 여기 왔나?"

"하늘을 날고 싶어서요."

"여자가 왜 비행사가 되려 하나?"

"내 나라를 빼앗아 간 일본과 싸우려고요!"

㉠"…… 좋다!"

당 장군은 비행 학교에다 편지를 썼어. 여자가 자기 나라를 되찾으려고 왔으니 꼭 들여보내라고 썼어.

다 내 이름은 권기옥. 사람들이 그러지, 처음으로 하늘을 난 우리나라 여자라고.

나는 하늘을 훨훨 날고 싶었어야. 온 세상이 너더러 날 수 없다고 말해도 날고 싶다면 이 세상 끝까지 달려가 보라. 어느 날 니 몸이 훨훨 날아오를 거야. 니 꿈을 ㉡좇으며 자유롭게 살게 될 거야.

17 글 **가**에서 '내'가 한 일은 무엇입니까? ( )

① 독립운동

② 환경 운동

③ 여성 운동

④ 민주화 운동

⑤ 자연 보호 운동

18 글 **나**의 당 장군이 권기옥을 배려하며 말한다면 ㉠을 어떻게 말하였겠습니까? ( )

① 네가 뭔데?

② 그런다고 이길 수 있을 것 같으냐?

③ 그것이 나와 무슨 상관이 있단 말이냐.

④ 나는 바쁜 사람이니 할 말이 끝났으면 어서 가거라.

⑤ 네 마음을 이해한다. 네가 비행 학교에 들어갈 수 있도록 내가 힘써 보마.

19 글 **다**에서 말하는 이가 하고 싶은 말은 무엇입니까?

( )

① 비행사가 가장 훌륭한 직업이다.

② 여자의 능력은 남자보다 뛰어나다.

③ 자신의 분수에 맞게 사는 것이 중요하다.

④ 꿈을 가지고 꿈을 이루기 위해 노력하라.

⑤ 쉬지 않고 운동을 해야 건강하게 살 수 있다.

20 다음 중 ㉡'좇다'가 바르게 쓰인 문장은 어느 것입니까?

( )

① 경찰이 도둑을 좇아간다.

② 사냥꾼이 노루 뒤를 바짝 좇고 있다.

③ 옹고집은 스님을 대문 밖으로 좇아 보냈다.

④ 눈을 깜박이며 밀려드는 졸음을 좇기 바쁘다.

⑤ 물질적인 풍요만을 좇는 삶에 무슨 의미가 있겠나.

· 답안 입력하기 · 평가 분석표 받기

개념 강의

2 단원

알고 싶은 것 떠올리기
옛날에는 얼음을 어떻게 오랫동안 보관했을까?

짐작한 것 떠올리기
열의 이동과 관련이 있을까?

뜨거운 공기는 위로
차가운 공기는 아래로

새롭게 안 것 떠올리기
석빙고 지붕에 구멍이 있다니 놀라워.

이미 아는 것과 비교하기
아이스박스와 비슷하지 않을까?

석빙고의 과학

지식이나 경험을 활용해 글 읽기

✳ 강의를 들으며 중요한 내용을 메모하세요!

● 지식이나 경험을 활용해 글을 읽으면 좋은 점

● 지식이나 경험을 활용해 글을 읽는 방법

● 체험한 일을 떠올리며 감상이 드러나는 글 쓰기

● 지식이나 경험을 활용해 함께 글을 고치면 좋은 점

● 친구의 글에 대한 의견을 말할 때 주의할 점

개념 확인하기 정답에 ✔표를 하시오.

정답 21쪽

1 자신이 실제로 해 보거나 겪은 일을 무엇이라고 합니까?

ㄱ 경험 [ ]　　ㄴ 지식 [ ]　　ㄷ 자료 [ ]

2 지식이나 경험을 활용해 글을 읽으면 좋은 점이 아닌 것은 어느 것입니까?

ㄱ 더 집중해서 읽을 수 있다. [ ]

ㄴ 글을 더 천천히 읽을 수 있다. [ ]

ㄷ 글 내용을 깊이 이해할 수 있다. [ ]

3 체험한 일에 대하여 글을 쓰는 방법으로 알맞지 않은 것은 어느 것입니까?

ㄱ 인상 깊은 체험을 중심으로 쓴다. [ ]

ㄴ 기억이 안 나는 부분은 꾸며서 쓴다. [ ]

ㄷ 본 것, 들은 것, 한 것을 자세히 풀어 쓴다. [ ]

4 함께 글을 고칠 때 주의할 점은 어느 것입니까?

ㄱ 무조건 비난한다. [ ]

ㄴ 미리 정한 평가 기준을 생각하며 말한다. [ ]

ㄷ 단점만 말하고 어떻게 고칠지는 말하지 않는다. [ ]

연습 🦉 도움말을 참고하여 내 생각을 차근차근 써 보세요.

1 다음 글을 읽고 물음에 답하시오. [10점]

우리 조상들은 왜 줄을 만들어 서로 당기는 놀이를 했을까요? 그것은 농사와 관련이 깊어요. 오랜 세월 동안 농사를 지어 온 우리 조상들의 가장 큰 소망은 풍년이었어요. 농사가 잘되려면 물이 가장 중요하고요. 그런데 우리 조상들은 용이 물을 다스리는 신이라고 생각했답니다. 그래서 용을 닮은 줄을 만들고 흥겹게 줄다리기를 해서 용을 기쁘게 하려고 했어요. 물의 신인 용을 즐겁고 기쁘게 해야 풍년이 들 테니까요.

(1) 무엇에 대해 설명하고 있는 글입니까? [2점]

> 🦉 글의 처음 부분에 읽는 이에게 무엇을 물어보는지 생각해 보면 글의 중심 내용을 알 수 있어요.

(   )

(2) 우리 조상들은 용에 대해 어떤 생각을 하였습니까? [3점]

• 용은 _____

(3) 우리 조상들이 줄다리기를 한 까닭은 무엇인지 새롭게 알게 된 점을 쓰시오. [5점]

> 🦉 농사와 어떤 관련이 있는지, 줄다리기의 줄은 무엇을 닮았는지 생각해서 써 보세요.
> 꼭 들어가야 할 말 용, 풍년

_____

_____

2 다음 글을 읽고 물음에 답하시오. [8점]

조선 시대에는 서울 한강가에 얼음 창고를 만들었는데, 동빙고와 서빙고를 두었다. 동빙고는 왕실의 제사에 쓰일 얼음을 보관했고, 서빙고는 음식 저장용, 식용, 또는 의료용으로 쓸 얼음을 왕실과 고급 관리들에게 공급했다. 조선 시대의 빙고는 정식 관청이었으며, 얼음의 공급 규정을 법으로 엄격히 규정할 만큼 얼음의 공급을 중요하게 여겼다.

한겨울의 얼음을 보관했다가 쓰는 기술을 장빙이라고 했다. 우리나라는 여름과 겨울의 기온 차가 커서 옛날부터 장빙 기술이 크게 발달했다.

(1) 이 글의 내용에서 짐작하거나 알 수 있는 다음 낱말의 뜻을 쓰시오. [4점]

㉠ 빙고	
㉡ 장빙	

(2) 동빙고와 서빙고의 다음 역할로 보아, 짐작할 수 있는 사실을 한 가지만 더 쓰시오. [4점]

동빙고	왕실의 제사에 쓰일 얼음을 보관했다.
서빙고	음식 저장용, 식용, 또는 의료용으로 쓸 얼음을 왕실과 고급 관리들에게 공급했다.

• 옛날에는 왕실의 제사를 중요하게 여겼던 것 같다.

• _____

_____

[1~3] 다음 글을 읽고 물음에 답하시오.

가 아이들 줄다리기가 끝나고 어느 편이 이겼다는 소리가 돌면 그제야 장정들이 나섭니다. 장정들은 집집을 돌면서 짚을 모아 마을 사람들과 함께 줄을 만들지요. 음력 정월은 농한기라서 마을 사람이 모두 모여 줄을 만드는 일에만 매달릴 수 있어요.

나 줄을 다 만들면 여러 마을에서 모인 농악대가 앞장을 서고, 그 뒤로 수백 명의 장정이 줄을 어깨에 메고서 줄다리기할 곳으로 줄을 옮깁니다. 그리고 노인들과 아이들, 여자들이 행렬 끝에 서서 쫓아갑니다. 이렇게 줄을 메고 가는 모습을 멀리서 보면, 마치 용이 꿈틀거리는 것 같답니다.

다 장소에 도착하자마자 줄을 당기는 것은 아닙니다. 한동안 암줄과 수줄을 합하지 않고 어르기만 하다가 어느 정도 시간이 지난 뒤에야 암줄에 수줄을 끼우고 비녀목을 지릅니다. 그러고 나서 양편에서 서로 힘차게 줄을 당겨서 승부를 가리지요. 이때 모두 신이 나서 자기편을 응원합니다.

1 이 글에서 소개한 줄다리기에 대해 **잘못** 말한 것은 어느 것입니까? (   )

① 아이들 줄다리기를 먼저 한다.

② 마을 사람 모두가 줄다리기 줄을 함께 만든다.

③ 줄을 당겨 승부를 가릴 때는 모두 조용히 한다.

④ 줄다리기의 줄은 수백 명의 장정이 어깨에 메고 옮긴다.

⑤ 줄다리기할 장소에 도착하자마자 줄을 당기는 것은 아니다.

2 글 가 를 읽을 때 도움이 되는 지식이나 경험과 관련이 **없는** 것은 어느 것입니까? (   )

① 줄넘기를 하는 방법

② '장정'에 대한 낱말 뜻

③ '농한기'에 대한 낱말 뜻

④ 음력 정월이 농한기인 까닭

⑤ 짚을 엮어서 줄을 만드는 방법

3 글 다 에서 설명하는 줄다리기의 과정은 무엇입니까?
(   )

① 줄 당기기   ② 줄 만들기

③ 줄 옮기기   ④ 줄 내리기

⑤ 줄 꾸미기

[4~5] 다음 글을 읽고 물음에 답하시오.

오랜 세월 동안 농사를 지어 온 우리 조상들의 가장 큰 소망은 풍년이었어요. 농사가 잘되려면 물이 가장 중요하고요. 그런데 우리 조상들은 용이 물을 다스리는 신이라고 생각했답니다. 그래서 용을 닮은 줄을 만들고 흥겹게 줄다리기를 해서 용을 기쁘게 하려고 했어요. 물의 신인 용을 즐겁고 기쁘게 해야 풍년이 들 테니까요.

4 무엇에 대하여 설명하는 글입니까? (   )

① 농사지을 때 주의할 점

② 줄다리기에서 이기는 방법

③ 우리 조상들이 줄다리기를 한 까닭

④ 우리 조상들이 믿던 여러 신의 특징

⑤ 우리 조상들이 농사를 짓기 시작한 때

5 이 글을 읽을 때 떠올릴 수 있는 지식으로 보기 **어려운** 것은 어느 것입니까? (   )

① 벼농사를 지으려면 물이 많이 필요하다.

② 우리 문화는 농사를 중심으로 발달했다.

③ 풍물놀이도 풍년을 기원하며 많이 해 왔다.

④ 우리 조상들은 효를 중요한 가치로 생각했다.

⑤ 우리 조상들은 예로부터 용을 신령스러운 동물로 여겼다.

[6~10] 다음 글을 읽고 물음에 답하시오.

가 현대인의 생활필수품인 냉장고는 냉기나 얼음을 인공적으로 만드는 기계 장치이지만, 빙고는 겨울에 보관해 두었던 얼음을 봄·여름·가을까지 녹지 않게 효과적으로 보관하는 냉동 창고이다.

나 우리나라에서 얼음을 보관하기 시작했다는 기록은 『삼국사기』에 나타난다. 또한 신라 시대 때에는 얼음 창고에 관한 일을 맡아보던 '빙고전'이라는 기관이 있었다고 한다.

다 고려 시대에 얼음을 보관하여 사용한 기록은 『고려사』에 나타나는데, 음력 4월에 임금에게 얼음을 진상한 기록이 있고 또 법으로 해마다 6월부터 입추까지 신하들에게 얼음을 나누어 준 기록이 있다.

라 조선 시대에는 서울 한강가에 얼음 창고를 만들었는데, 동빙고와 서빙고를 두었다. 동빙고는 왕실의 제사에 쓰일 얼음을 보관했고, 서빙고는 음식 저장용, 식용, 또는 의료용으로 쓸 얼음을 왕실과 고급 관리들에게 공급했다. 조선 시대의 빙고는 정식 관청이었으며, 얼음의 공급 규정을 법으로 엄격히 규정할 만큼 얼음의 공급을 중요하게 여겼다.

마 한겨울의 얼음을 보관했다가 쓰는 기술을 장빙이라고 했다. 우리나라는 여름과 겨울의 기온 차가 커서 옛날부터 장빙 기술이 크게 발달했다. 장빙 기술을 활용한 석빙고는 현재 일곱 개가 남아 있는데, 남한에는 경주, 안동, 영산, 창녕, 청도, 현풍에 각각 한 개가, 북한 해주에 한 개가 남아 있다. 그중 가장 완벽한 것이 바로 경주의 석빙고이다.

6 해마다 6월부터 입추까지 신하들에게 얼음을 나누어 주었던 때는 언제입니까? (   )
① 신라 시대
② 백제 시대
③ 고려 시대
④ 조선 시대
⑤ 일제 강점기

7 신라 시대에 얼음 창고에 관한 일을 맡아보던 기관은 무엇입니까? (   )
① 장빙   ② 석빙고   ③ 고려사
④ 빙고전   ⑤ 삼국사기

8 조선 시대에 동빙고나 서빙고에 있던 얼음을 쓸 수 있었던 것은 누구입니까? (   )
① 상인   ② 스님   ③ 광대
④ 평민   ⑤ 고급 관리

9 서빙고의 역할로 알맞은 것은 어느 것입니까? (   )
① 인공적으로 얼음을 만들었다.
② 평민들이 쓰는 얼음을 보관하였다.
③ 왕실 제사에 쓰는 얼음을 보관하였다.
④ 다른 나라에 얼음을 보내는 일을 하였다.
⑤ 음식 저장용, 식용, 의료용 얼음을 보관하였다.

10 다음과 같이 궁금한 점을 떠올리며 이 글을 읽으면 좋은 점은 무엇입니까? (   )

> 윤석: 어떻게 겨울에 만든 얼음을 이듬해 가을까지 보관할 수 있었을까?

① 글쓴이에 대해 더 잘 알 수 있다.
② 글의 짜임을 쉽게 정리할 수 있다.
③ 등장인물의 성격을 보다 잘 이해할 수 있다.
④ 글에 더 흥미를 가지고 집중하여 읽을 수 있다.
⑤ 글의 앞부분만 읽어도 전체 내용을 알 수 있다.

[11~15] 다음 글을 읽고 물음에 답하시오.

가 보물인 경주 석빙고는 1738년에 만들었으며, 입구에서부터 점점 깊어져 창고 안은 길이 14미터, 너비 6미터, 높이 5.4미터이다. 석빙고는 온도 변화가 적은 반지하 구조로 한쪽이 긴 흙무덤의 모양이며, 바깥 공기가 들어오지 않도록 출입구의 동쪽은 담으로 막고 지붕에는 구멍을 뚫었다.

나 지붕은 이중 구조인데 바깥쪽은 열을 효과적으로 막아 주는 진흙으로, 안쪽은 열전달이 잘되는 화강암으로 만들었다. 천장은 반원형으로 기둥 다섯 개에 장대석이 걸쳐 있고, 장대석을 걸친 곳에는 밖으로 통하는 공기구멍이 세 개가 나 있다.

다 또한 지붕에는 잔디를 심어 태양열을 차단했고, 내부 바닥 한가운데에 배수로를 5도 경사지게 파서 얼음에서 녹은 물이 밖으로 흘러 나갈 수 있는 구조를 갖추어 과학적이다.

라 여기에다가 석빙고의 얼음을 왕겨나 짚으로 싸 보관했다. 왕겨나 짚은 단열 효과를 높이기도 하지만, 얼음이 약간 녹을 때 주변 열도 흡수하므로 왕겨나 짚의 안쪽 온도가 낮아져 얼음을 오랫동안 보관할 수 있다.

마 석빙고는 자연 그대로의 순환 원리에 맞춰 계절의 변화와 돌, 흙, 바람, 지형 등을 활용해 자연 상태에서 가장 효과적으로 얼음을 오랫동안 저장할 수 있는 구조로 되어 있다. 이러한 시설은 세계적으로 드문데 조상들의 ⓐ 인 지혜를 한껏 엿볼 수 있다.

11 무엇에 대해 설명하고 있습니까? ( )
① 석빙고의 역할
② 석빙고의 구조
③ 석빙고의 쓰임
④ 석빙고의 유래
⑤ 석빙고의 역사

12 석빙고의 이중 구조 지붕에 열전달이 잘되도록 사용된 재료는 무엇입니까? ( )
① 진흙
② 유리
③ 화강암
④ 현무암
⑤ 대리석

13 석빙고에서 얼음을 오랫동안 저장할 수 있는 까닭과 관련이 없는 것은 어느 것입니까? ( )
① 지붕에는 잔디를 심었다.
② 반지하 구조로 만들어졌다.
③ 지붕에 공기구멍 세 개가 나 있다.
④ 출입구의 동쪽이 담으로 막혀 있다.
⑤ 공기가 잘 통하도록 입구가 여러 개 있다.

14 석빙고 지붕에 세 개의 구멍을 뚫은 까닭에 대해 이해할 때 도움이 되는 지식은 무엇입니까? ( )
① 자석의 성질
② 식물의 광합성
③ 빛의 굴절 현상
④ 고체에서 열의 이동
⑤ 기체에서 열의 이동

15 ⓐ 안에 들어갈 말로 가장 알맞은 것은 무엇입니까?
( )
① 역사적
② 평화적
③ 탄력적
④ 개방적
⑤ 과학적

[16~19] 다음 글을 읽고 물음에 답하시오.

가 ㉠상설 전시실 바로 위에는 '한글 놀이터'와 '한글 배움터' 그리고 '특별 전시실'이 있었다. 아이들이 놀면서 한글을 배울 수 있는 '한글 놀이터', 한글에 익숙하지 않은 사람들을 위해 마련한 '한글 배움터'는 모두 체험과 놀이를 하면서 한글을 이해하도록 만들어졌다는 점이 흥미로웠다. '특별 전시실'에서는 국립한글박물관 개관 기념 특별전을 진행했는데, '세종 대왕, 한글문화 시대를 열다'라는 기획 아래 세종 대왕의 업적과 일대기, 세종 시대의 한글문화, 세종 정신 따위를 주제로 한 ㉡전통적인 유물과 이를 현대적으로 해석한 현대 작가의 작품을 만날 수 있었다.

나 박물관을 관람하면서 책과 화면으로만 봤던 한글 유물을 직접 볼 수 있어서 신기하고 즐거웠다. 그뿐만 아니라 날마다 세 번씩 운영하는 해설이 있는 관람 프로그램을 활용하면 더 많은 지식을 쌓으며 관람할 수 있겠다는 생각이 들었다. 이번 관람으로 ㉢국어 시간에 배웠던 한글을 더 생생하고 자세하게 배우는 소중한 기회를 얻어서 무척 뿌듯했다.

16 한글에 익숙하지 않은 사람들을 위해 마련한 곳은 어디입니까? ( )
① 한글 학교
② 한글 놀이터
③ 한글 배움터
④ 특별 전시실
⑤ 상설 전시실

17 ㉠~㉢ 중 글쓴이가 체험한 일에 대한 감상에 해당하는 것은 어느 것입니까? ( )
① ㉠
② ㉠, ㉡
③ ㉢
④ ㉡, ㉢
⑤ ㉠, ㉡, ㉢

18 이와 같이 체험한 일을 글로 쓴다면 어떠한 체험을 글로 쓰는 것이 좋습니까? ( )
① 가장 오랜 시간이 걸렸던 체험
② 가장 많은 친구들과 함께 갔던 체험
③ 가장 인상 깊고 느낀 것이 많았던 체험
④ 자유롭게 노는 시간이 가장 많았던 체험
⑤ 체험한 장소가 학교에서 가장 멀었던 체험

2 단원
진도 완료 체크

19 이와 같이 체험한 일을 떠올리며 글을 쓰는 방법으로 알맞지 않은 것은 어느 것입니까? ( )
① 인상적인 체험을 중심으로 쓴다.
② 체험한 내용을 자세하게 풀어 쓴다.
③ 체험에 대한 감상은 끝 부분에만 쓴다.
④ 체험에 대한 생각이나 느낌을 생생하게 쓴다.
⑤ 글 내용에 따라 적절하게 문단을 나누어 쓴다.

20 지식이나 경험을 활용해 함께 글을 고치면 좋은 점으로 알맞지 않은 것은 무엇입니까? ( )
① 내가 잘못 이해하고 쓴 내용을 바르게 고쳐 쓸 수 있다.
② 내가 몰랐던 부분에 대해서 친구들의 도움을 받을 수 있다.
③ 서로의 경험을 활용해서 글 내용을 생생하게 고칠 수 있다.
④ 배운 지식을 활용해 글 내용을 더 정확하게 나타낼 수 있다.
⑤ 친구들의 생각과 느낌을 모두 내가 느낀 것처럼 꾸며 쓸 수 있다.

· 답안 입력하기 · 평가 분석표 받기

개념 강의

의견을 조정하며 토의해요

■ 해결하려는 문제를 **정확히 파악**한다.
■ 여러 사람의 **다양한** 의견을 들어 본다.

■ 문제를 해결하기에 적합한 의견인지 생각한다.
■ 자료를 찾아 의견을 뒷받침한다.

O1
문제 파악하기

O2
의견 실천에
필요한 조건 따지기

의견을
조정하는
방법

O3
결과 예측하기

O4
반응 살펴보기

■ 의견에 대한 **토의 참여자**의 생각을 듣는다.
■ 어떤 의견을 더 따르고 싶어 하는지 살펴본다.

■ 의견대로 실천했을 때의 **결과**를 생각한다.
■ 의견에 따라 일어날 수 있는 **문제점**을 예측한다.

✳ 강의를 들으며 중요한 내용을 메모하세요!

● 의견을 조정해야 하는 까닭

● 의견을 조정하는 방법

● 자료에 따른 읽기 방법

● 찾은 자료를 알기 쉽게 표현하는 방법

개념 확인하기   정답에 ✔표를 하시오.

정답 23쪽

1 토의에 참여하는 태도로 알맞지 <u>않은</u> 것은 어느 것입니까?

㉠ 상대에게 예의를 지켜 말한다. ☐

㉡ 토의 주제와 관련 있는 의견과 근거를 말한다. ☐

㉢ 상대를 무시하는 듯한 말을 하며 상대의 의견을 비판한다. ☐

2 의견을 조정해야 하는 까닭은 무엇입니까?

㉠ 문제를 더 복잡하게 만들기 위해 ☐

㉡ 문제를 합리적으로 해결하기 위해 ☐

3 의견을 실천했을 때 일어날 수 있는 문제점을 예측해 보는 것은 어느 단계에서 할 일입니까?

㉠ 문제 파악하기 ☐

㉡ 의견 실천에 필요한 조건 따지기 ☐

㉢ 결과 예측하기 ☐

㉣ 반응 살펴보기 ☐

4 다음 중 글을 읽어야 상세한 정보를 얻을 수 있는 자료는 무엇입니까?

㉠ 책 ☐   ㉡ 사진 ☐   ㉢ 그림 ☐

3. 의견을 조정하며 토의해요

첨삭 강의

정답 23쪽

연습 😺 도움말을 참고하여 내 생각을 차근차근 써 보세요.

1 다음 그림을 보고 물음에 답하시오. [7점]

(1) 어떤 의견이 제시되었는지 두 가지를 쓰시오. [4점]

> 😺 장면 ②, ③에서 어떤 의견을 제시했는지 살펴봅니다.

① _____

② _____

(2) 토의 주제에 대한 자신의 의견을 한 가지 쓰시오. [3점]

> 😺 토의 주제와 다른 사람의 의견을 참고합니다.

_____

_____

2 다음 그림을 보고 물음에 답하시오. [8점]

(1) 이슬이의 토의 태도와 관련한 문제점을 한 가지 쓰시오. [4점]

_____

_____

(2) 토의를 하는 과정에서 필요한 토의 참여 태도에 대해 한 가지 쓰시오. [4점]

_____

_____

3 **단원**

3 단원

[1~5] 다음 그림을 보고 물음에 답하시오.

1 이 토의 주제로 알맞은 것은 무엇입니까? (   )
① 에너지 자원 절약 방안
② 체육 시간을 늘리는 방안
③ 교실 청소 당번을 정하는 방안
④ 미세 먼지 문제에 대처하는 방안
⑤ 운동장을 효율적으로 사용하는 방안

2 공기 청정기를 설치하자는 의견에 대한 근거는 무엇입니까? (   )
① 전기를 아낄 수 있다.
② 감기에 걸리지 않는다.
③ 공기를 깨끗하게 해 준다.
④ 몸에 해로운 미세 먼지를 막아 준다.
⑤ 공기 청정기가 설치된 곳에서만 지내야 한다.

3 장면 ③, ④의 친구들에게 할 말로 알맞은 것은 어느 것입니까? (   )
① 큰 목소리로 말해야 해.
② 예사말을 사용하는 것이 좋아.
③ 토의에 적극적으로 참여해야 해.
④ 상대의 의견을 비판만 하면 안 돼.
⑤ 적절한 몸짓을 하면서 말하는 것이 좋아.

4 장면 ⑥에 나타난 문제는 무엇입니까? (   )
① 토의 주제와 관련 없는 말을 하였다.
② 토의에 적극적으로 참여하지 않았다.
③ 상대 의견을 끝까지 듣지 않고 말하였다.
④ 상대를 배려하지 않고 무시하듯이 말하였다.
⑤ 문제를 해결하는 데 무관심한 태도를 보였다.

5 그림과 같이 의견이 잘 모이지 않아 갈등을 겪을 때 의견을 모으기 위해 필요한 과정은 무엇입니까? (   )
① 의견 조정   ② 토의 종료
③ 사회자 선정   ④ 토의 주제 선정
⑤ 토의 인원수 제한

[6~9] 다음 그림을 보고 물음에 답하시오.

잠시 뒤

6 ❶~❸의 과정에서 한 일은 무엇입니까? (   )

① 사회자를 정했다.

② 토의 방법을 정했다.

③ 토의 주제에 대한 의견을 말했다.

④ 토의 주제에 대한 근거를 마련하기로 했다.

⑤ 토의로 해결할 문제를 다시 파악해 보았다.

7 의견을 실천하려면 무엇이 필요한지 따져 보기 위해 어떻게 하였습니까? (   )

① 담임 선생님께 여쭈어 보았다.

② 토의 주제를 바꾸기로 하였다.

③ 자료를 찾아 의견을 뒷받침하였다.

④ 전문가를 찾아 가 면담을 하기로 하였다.

⑤ 상대의 의견대로 했을 때 단점을 생각하였다.

8 장면 ❼~❾는 의견 조정하기 과정 중 어느 단계에 해당합니까? (   )

① 문제 파악하기

② 의견 실천에 필요한 조건 따지기

③ 결과 예측하기

④ 반응 살펴보기

⑤ 결정된 의견 실천하기

9 ❾의 과정 이후에 사회자가 할 일은 무엇입니까?

(   )

① 새로운 토의 주제를 정한다.

② 자료를 찾아 의견을 뒷받침한다.

③ 해결하려는 문제를 정확히 파악한다.

④ 자기 마음에 드는 의견으로 결정한다.

⑤ 어떤 의견을 더 따르고 싶어 하는지 물어본다.

10 의견을 조정할 때의 태도로 알맞지 <u>않은</u> 것은 무엇입니까? (   )

① 결정한 의견에 따른다.

② 의견과 발언에 집중한다.

③ 해결 방안을 끝까지 알아본다.

④ 자신의 생각을 적극적으로 표현한다.

⑤ 다른 사람의 의견을 무조건 받아들인다.

[11~15] 다음 그림을 보고 물음에 답하시오.

11 뉴스에서 어떤 문제를 제기했습니까? (   )

① 학교 주변 불량식품 문제가 심각하다.

② 게임 중독에 빠진 초등학생이 늘어나고 있다.

③ 초등학생의 스마트폰 사용 시간이 너무 많다.

④ 초등학생의 건강 문제를 해결할 방법이 필요하다.

⑤ 초등학생들이 줄임말이나 신조어를 많이 사용한다.

12 뉴스를 보고 정한 토의 주제로 ㉠에 들어갈 알맞은 말은 무엇입니까? (   )

① 체육대회 우승

② 건강한 학교생활

③ 우리 반 성적 향상

④ 깨끗한 교실 만들기

⑤ 불우이웃 돕기 모금 활동

13 남자아이의 의견을 뒷받침하는 근거는 무엇입니까?

(   )

① 식물을 기르면 공기가 깨끗해진다.

② 식물을 기르면 마음이 차분해진다.

③ 식물을 기르면 환경을 보호할 수 있다.

④ 식물을 기르면 다이어트에 도움이 된다.

⑤ 식물 기르기는 비용이 별로 들지 않는다.

14 남자아이가 자료를 찾은 방법은 무엇입니까? (   )

① 도서관에서 책 찾기

② 텔레비전 방송 뉴스 보기

③ 전문가를 찾아가 면담하기

④ 컴퓨터로 신문 기사 검색하기

⑤ 컴퓨터로 설문 조사 결과 검색하기

15 남자아이가 찾은 자료에 따른 읽기 방법으로 알맞지 <u>않은</u> 것은 무엇입니까? (   )

① 필요한 내용을 찾으며 정리한다.

② 찾고 싶은 자료와 관련한 책을 찾는다.

③ 의견을 뒷받침하는 내용은 자세히 읽는다.

④ 자료를 사용할 때 글쓴이와 출판사를 쓴다.

⑤ 처음부터 꼼꼼히 책을 읽은 뒤 차례를 살펴본다.

[16~19] 다음 자료를 보고 물음에 답하시오.

세계보건기구[WHO]는 아동 비만을 21세기 최대 건강 문제 가운데 하나로 꼽고 있다. 한국도 예외는 아니다. 교육부에 따르면 2017년을 기준으로 우리나라 초중고 비만 학생은 100명당 약 17.3명인데 해마다 꾸준히 증가하고 있다.

영국의 한 초등학교에서 실시한 건강 달리기 프로그램이 성공을 거두어 큰 관심을 끌고 있다. 이 학교는 날마다 적절한 시간을 정해 1.6킬로미터를 달리게 하고 있다. 학생들을 관찰한 □□대학의 ○ 박사는 "이 학교의 학생들에게는 비만 문제가 보이지 않는다."라고 했다.

미국 일리노이주의 한 학교 역시 건강 달리기로 하루를 시작한다. 이 학교의 학생들은 건강은 물론 집중력도 향상되었고, 우울증과 불안감은 줄어들었다고 한다.

『○○신문』

16 이 자료의 출처로 알맞은 것은 어느 것입니까? (   )

① 백과사전
② 신문 기사
③ 선생님 말씀
④ 전문가가 쓴 책
⑤ 텔레비전 방송 뉴스 보도

17 이 자료의 내용과 관련이 <u>없는</u> 것은 무엇입니까?

(   )

① 건강 달리기는 비만을 줄인다.
② 달리기는 집중력을 향상시킨다.
③ 달리기는 불안감과 우울증을 감소시킨다.
④ 비만 학생은 해마다 꾸준히 증가하고 있지만 한국은 예외다.
⑤ 세계보건기구는 아동 비만을 21세기 최대 건강 문제 가운데 하나로 꼽고 있다.

18 이 기사는 어떤 의견을 뒷받침하는 데 적절합니까?

(   )

① 건강을 위해 편식을 하지 말자.
② 매일 아침에 15분씩 독서를 하자.
③ 건강한 학교생활을 위해 건강 달리기를 하자.
④ 깨끗한 교실을 만들기 위해 청소를 열심히 하자.
⑤ 비만 문제를 해결하기 위해 인스턴트 식품의 섭취를 줄이자.

19 이 자료의 내용을 다음과 같이 나타내면 좋은 점은 무엇입니까? (   )

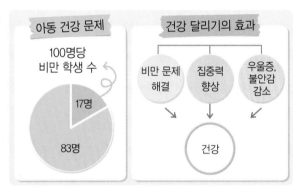

① 한눈에 알아보기 쉽다.
② 글의 분량을 짐작할 수 있다.
③ 글보다 자세한 내용을 알 수 있다.
④ 글에 나오지 않은 정보를 얻을 수 있다.
⑤ 전하고자 하는 내용을 어렵게 전달할 수 있다.

20 자료를 알기 쉽게 표현하는 방법이 <u>아닌</u> 것은 무엇입니까? (   )

① 간단히 요약한다.
② 글씨 크기를 똑같이 한다.
③ 공간에 적절하게 배치한다.
④ 차례 또는 단계로 나타낸다.
⑤ 사진이나 그림으로 나타낸다.

· 답안 입력하기   · 평가 분석표 받기

개념 강의

* 강의를 들으며 중요한 내용을 메모하세요!

● 문장 성분의 호응 관계

1 계획하기
글을 쓸 준비를 하는 단계

2 생성하기
쓸 내용을 떠올리는 단계

● 겪은 일이 드러나게 글 쓰기

3 조직하기
쓸 내용을 나누는 단계

4 표현하기
직접 글을 쓰는 단계

● 매체를 활용해 겪은 일이 드러나게 글 쓰기

5 고쳐쓰기
글을 고치는 단계

겪은 일을 써요

개념 확인하기   정답에 ✔표를 하시오.

정답 25쪽

1 '어제'와 호응하는 서술어는 무엇입니까?

㉠ 간다 ☐   ㉡ 갔다 ☐   ㉢ 온다 ☐

2 '할아버지께서'와 호응하는 말이 <u>아닌</u> 것은 무엇입니까?

㉠ 가셨다 ☐   ㉡ 먹는다 ☐   ㉢ 오신다 ☐

3 '전혀'와 호응하는 말은 어느 것입니까?

㉠ 보고 싶었다. ☐   ㉡ 먹고 싶지 않다. ☐

4 겪은 일이 드러나게 글을 쓸 때 '고쳐쓰기' 단계에서 하는 일은 무엇입니까?

㉠ 계획을 세우고 글 내용 생성하기 ☐

㉡ 내용, 조직, 표현을 살펴 고쳐 써 보기 ☐

㉢ '처음-가운데-끝'의 세 부분으로 나누기 ☐

5 매체를 활용해 겪은 일이 드러나게 글을 쓸 때 가장 먼저 해야 하는 일은 무엇입니까?

㉠ 의견 주고받기 ☐   ㉡ 활용할 매체 정하기 ☐

연습 🦉 도움말을 참고하여 내 생각을 차근차근 써 보세요.

1 다음 글을 읽고 물음에 답하시오. [9점]

> "아함! 졸려."
> ㉠어제저녁에 방에서 컴퓨터를 하는데 졸음이 밀려 온다. 안방으로 가서 가만히 누워 있는데 내 동생 용준이가 나를 툭툭 치며 장난을 걸어왔다. 나는 용준이가 또 덤빌까 봐 용준이 손을 잡고 안 놓아주었다. 그러다가 그만 내 눈에 쇳덩어리(용준이 머리)가 '쿵' 하고 부딪쳤다. / "아야!"
> 나는 너무 아파서 눈물을 글썽였다. 그랬더니 용준이가 혼날까 봐 따라 울려고 그랬다. 나는 결코 용준이를 아프게 한 적이 없는데도 말이다.
> "야, 네가 왜 울어?"
> 그때였다. 아버지께서 눈을 크게 뜨며
> "진윤서, 너 왜 동생 울려?"
> 하고 큰소리를 내셨다. 나한테만 뭐라고 하시는 아버지를 이해할 수 없었다. 나는 화가 나서 울며 내 방으로 들어가 침대에 누웠다.

(1) 아버지께서 '내'게 큰소리를 내신 까닭은 무엇입니까? [3점]

> 🦉 윤서와 동생 용준이 사이에서 어떤 일이 있었는지 살펴보세요.

(2) ㉠을 다음과 같이 고쳐 써야 하는 까닭을 쓰시오. [6점]

> 어제저녁에 방에서 컴퓨터를 하는데 졸음이 밀려왔다.

> 🦉 문장 성분의 호응이 바른지 살펴보세요.

2 문장 성분의 호응 관계를 생각하며 다음 물음에 답하시오. [9점]

> ㉠ 할아버지는 얼른 밥을 다 먹고 또 일하러 나가셨다.
> ㉡ 어제저녁 우리 가족은 함께 동네 공원으로 산책을 나간다.
> ㉢ 우리가 환경을 보호해야 하는 까닭은 환경 파괴의 피해가 결국 우리에게 돌아오는 것이라고 생각한다.

(1) ㉠~㉢ 중 높임의 대상을 나타내는 말과 서술어의 호응이 바르지 <u>않은</u> 문장의 기호를 쓰고 바르게 고쳐 쓰시오. [3점]

① 잘못된 문장	② 고쳐쓰기

(2) ㉠~㉢ 중 시간을 나타내는 말과 서술어의 호응이 바르지 <u>않은</u> 문장의 기호를 쓰고 바르게 고쳐 쓰시오. [3점]

① 잘못된 문장	② 고쳐쓰기

(3) ㉠~㉢ 중 주어와 서술어의 호응이 바르지 <u>않은</u> 문장의 기호를 쓰고 바르게 고쳐 쓰시오. [3점]

① 잘못된 문장	② 고쳐쓰기

1 시간을 나타내는 말 중, 빈칸에 들어갈 수 <u>없는</u> 말은 무엇입니까? (   )

나는 (   ) 가족과 함께 놀이공원에 놀러 갈 것이다.

① 곧   ② 내일   ③ 모레
④ 다음 주   ⑤ 어제저녁

[2~3] 다음 문장을 읽고 물음에 답하시오.

<u>할아버지는 얼른 밥을 다 먹고</u> 또 일하러 나가셨다.

2 밑줄 친 부분을 고쳐 써야 하는 까닭은 무엇입니까?
(   )

① 띄어쓰기를 제대로 하지 않아서
② 높일 필요가 없는 물건을 높여서
③ 높임을 나타내는 표현과 호응 관계가 틀려서
④ 시간을 나타내는 말과 호응 관계가 안 맞아서
⑤ 호응하는 서술어가 따로 있는 낱말을 빠뜨려서

3 밑줄 그은 부분을 바르게 고쳐 쓴 것은 무엇입니까?
(   )

① 할아버지는 얼른 진지를 다 먹고
② 할아버지는 얼른 밥을 다 잡수시고
③ 할아버지는 얼른 진지를 다 잡수시고
④ 할아버지께서는 얼른 밥을 다 잡수시고
⑤ 할아버지께서는 얼른 진지를 다 잡수시고

4 문장 성분의 호응이 바르지 <u>않은</u> 문장은 무엇입니까?
(   )

① 내 동생은 전혀 내 기분을 알지 못한다.
② 어머니께서는 전혀 내 말을 믿어 주었다.
③ 나는 게임하는 것을 별로 좋아하지 않는다.
④ 나는 결코 친구에게 나쁜 말을 하지 않았다.
⑤ 그 숙제를 해내는 일은 여간 어려운 일이 아니다.

5 빈칸에 '전혀'가 들어가기에 알맞은 문장은 어느 것입니까? (   )

① 날씨가 (   ) 덥다.
② 나는 지호의 생각을 (   ) 이해한다.
③ 나는 책 읽기를 (   ) 좋아하는 편이다.
④ 선생님 말씀은 (   ) 들어 보지 못한 내용이었다.
⑤ 나는 친구가 거짓말을 한 것이 (   ) 바른 행동이라고 생각한다.

6 다음 문장들이 잘못된 까닭은 무엇입니까? (   )

> • 나는 친구가 거짓말을 한 것이 결코 바른 행동이라
>   고 생각한다.
> • 선생님 말씀은 전혀 들어 본 내용이었다.
> • 나는 책 읽기를 별로 좋아하는 편이다.

① 주어와 서술어의 호응 관계가 바르지 않다.

② 시간을 나타내는 말과 서술어의 호응 관계가 바르
지 않다.

③ '결코, 전혀, 별로'와 같은 낱말과 서술어가 어울리
지 않는다.

④ 동작을 당하는 주어와 서술어의 호응 관계가 바르
지 않다.

⑤ 높임의 대상을 나타내는 말과 서술어의 호응 관계
가 바르지 않다.

7 다음 문장에서 밑줄 친 부분을 바르게 고쳐 쓴 것은 무
엇입니까? (   )

> 나는 친구가 거짓말을 한 것이 결코 <u>바른 행동이</u>
> <u>라고 생각한다.</u>

① 바른 행동이었다.

② 바른 행동을 했다.

③ 바른 행동을 했다고 생각한다.

④ 바른 행동이라고 생각할 것이다.

⑤ 바른 행동이 아니라고 생각한다.

8 문장 성분의 호응이 틀린 문장은 무엇입니까? (   )

① 날씨가 <u>그다지</u> 덥지 않다.

② 나는 게임하는 것을 <u>별로</u> 좋아하지 않는다.

③ 나는 <u>결코</u> 친구에게 나쁜 말을 하지 않았다.

④ 나는 지호의 생각을 <u>도저히</u> 이해할 수 있다.

⑤ 그 숙제를 해내는 일은 <u>여간</u> 어려운 일이 아니다.

9 다음 빈칸에 들어갈 알맞은 말은 어느 것입니까?
(   )

> (   )은/는 자신이 글로 나타내고 싶은
> 생각을 말한다.

① 글감   ② 주제   ③ 문단

④ 개요   ⑤ 글머리

4
단원

10 자신이 겪은 일 또는 자신의 생각 가운데에서 글로 표현
하기에 가장 알맞은 것은 무엇입니까? (   )

① 누구나 경험할 만한 것

② 주제가 잘 드러나지 않는 것

③ 내용을 자세히 풀어 쓸 수 없는 것

④ 장소나 등장인물의 변화가 너무 많은 것

⑤ 글을 읽는 사람이 흥미를 느낄 수 있는 것

11 글쓰기를 계획하고 정리했습니다. 빈칸에 들어갈 알맞은
말은 무엇입니까? (   )

> • (   ): 글 모음집에 실으려고
> • 글의 종류: 겪은 일을 표현하는 글
> • 읽는 사람: 친구, 부모님
> • 글의 주제: 가족의 사랑

① 목적   ② 글쓴이   ③ 쓰는 사람

④ 쓰는 방법   ⑤ 쓰는 장소

12 다음 중 '주어, 목적어, 서술어'로 이루어진 문장이 <u>아닌</u> 것은 무엇입니까? (   )

① 윤서가 책을 읽는다.
② 토끼가 마을에 갔다.
③ 선우가 떡을 자른다.
④ 가수가 노래를 부른다.
⑤ 용준이가 우유를 마신다.

4
단원

13 글쓰기를 계획하는 과정에서 정해야 할 것이 <u>아닌</u> 것은 무엇입니까? (   )

① 쓰는 목적
② 읽는 사람
③ 글의 주제
④ 글의 종류
⑤ 글 쓸 장소

14 글머리를 시작하는 여러 가지 방법 중 다음 문장은 어디에 해당합니까? (   )

> "괜찮아."
> 드디어 유나가 입을 열었다.

① 대화 글로 시작하기
② 인물 설명으로 시작하기
③ 상황 설명으로 시작하기
④ 날씨 표현으로 시작하기
⑤ 속담이나 격언으로 시작하기

15 매체를 활용해 겪은 일이 드러나는 글을 쓰려고 합니다. 가장 먼저 할 일은 무엇입니까? (   )

① 고쳐쓰기
② 의견 주고받기
③ 활용할 매체 정하기
④ 매체를 활용해 글 쓰기
⑤ 매체를 활용할 때 주의할 점 알기

16 다음 문장을 고쳐 쓰려고 합니다. 알맞은 의견을 말한 사람은 누구입니까? (   )

> 선생님께서는 이번 시험 문제가 쉽다고 말씀하셨는데 전혀 쉬워서 친구들이 모두 놀랐다.

① 상현: '말씀'을 '말'로 고쳐야 합니다.
② 미영: '쉽다고'를 '쉬워서'로 바꿔야 합니다.
③ 지희: '놀랐다'를 '기뻤다'로 바꿔야 합니다.
④ 지성: '선생님께서는'을 '선생님은'으로 바꿔야 합니다.
⑤ 민수: '전혀 쉬워서'를 '전혀 쉽지 않아서'로 고쳐야 합니다.

17 매체를 활용해 글을 쓰고 의견을 나누었을 때의 특징으로 알맞지 <u>않은</u> 것은 무엇입니까? ( )

① 글을 고치기에 불편하다.

② 의견을 쉽게 주고받을 수 있다.

③ 고칠 부분을 편하게 전할 수 있다.

④ 칭찬하는 말을 편하게 전할 수 있다.

⑤ 한 사람이 쓴 글을 여러 사람이 동시에 읽고 의견을 쓸 수 있다.

18 매체를 활용해 겪은 일을 쓰고 의견을 나누기 위해 정한 매체의 특징입니다. 정한 매체는 무엇이겠습니까?

( )

> • 여러 사람이 동시에 대화할 수 있다.
> • 스마트폰이 없는 친구들은 대화에 참여하기 어렵다.

① 책

② 신문

③ 편지

④ 라디오

⑤ 단체 대화방

19 다음을 보아 매체를 활용해 글을 쓰거나 의견을 나눌 때 주의할 점은 무엇입니까? (,)

① 글은 반드시 길게 쓴다.

② 반드시 사진을 첨부한다.

③ 어려운 낱말을 많이 쓴다.

④ 저작권을 침해하지 않는다.

⑤ 읽기 쉽게 글자 크기와 줄 간격 등을 조정한다.

4 단원

진도 완료 체크

20 '학급 누리집'을 활용해 글을 쓰고 의견을 나누면 좋은 점이 <u>아닌</u> 것은 무엇입니까? ( )

① 글을 고치기에 편리하다.

② 의견을 쉽게 주고받을 수 있다.

③ 칭찬하는 말이나 고칠 부분을 편하게 전할 수 있다.

④ 글쓴이를 숨기고 남을 비방하거나 지적하는 말을 할 수 있다.

⑤ 한 사람이 쓴 글에 대해 여러 사람이 동시에 의견을 쓸 수 있다.

· 답안 입력하기   · 평가 분석표 받기

5단원

개념 강의

매체 자료의 종류와 읽는 방법

인쇄 매체 자료
- 글, 그림, 사진으로 정보 전달
- 글, 그림, 사진이 주는 시각 정보를 잘 살펴보며 읽기

영상 매체 자료
- 소리, 자막 등 여러 가지 연출 방법을 사용하여 정보 전달
- 화면 구성을 잘 살피고 소리에 담긴 정보를 탐색하며 보기

인터넷 매체 자료
- 인쇄 매체 자료와 영상 매체 자료의 사용 방식을 모두 사용하여 정보 전달
- 시각 정보(글, 사진)와 화면 구성, 소리에 담긴 정보를 탐색하며 보기

신문 / 잡지 / 연속극 / 영화 / 문자 / SNS

✳ 강의를 들으며 중요한 내용을 메모하세요!

● 자료에 따른 읽기 방법

● 여러 가지 매체 자료를 읽는 방법

● 알리고 싶은 인물 소개하기

개념 확인하기 정답에 ✔표를 하시오.

정답 27쪽

1 인쇄 매체 자료에 해당하지 <u>않는</u> 것은 무엇입니까?

㉠ 신문 ☐ ㉡ 영화 ☐ ㉢ 잡지 ☐

2 연속극은 어떤 매체 자료에 해당합니까?

㉠ 인쇄 매체 자료 ☐ ㉡ 영상 매체 자료 ☐

3 글과 그림, 사진이 주는 시각 정보를 잘 살펴볼 뿐만 아니라 화면 구성과 소리에 담긴 정보도 탐색하며 읽어야 하는 것은 무엇입니까?

㉠ 인쇄 매체 자료 ☐ ㉡ 인터넷 매체 자료 ☐

4 종류가 <u>다른</u> 매체 자료 하나는 어느 것입니까?

㉠ 영화 ☐ ㉡ 연속극 ☐ ㉢ SNS ☐

5 알리고 싶은 인물을 소개하는 방법으로 알맞지 <u>않은</u> 것은 무엇입니까?

㉠ 인물을 알리고 싶은 까닭을 떠올린다. ☐

㉡ 알리고 싶은 인물을 다양한 매체에서 조사한다. ☐

㉢ 그 인물에 대한 내용은 하나도 빠뜨리지 않고 모두 소개한다. ☐

연습 도움말을 참고하여 내 생각을 차근차근 써 보세요.

1 남자아이가 어떤 매체 자료를 보고 있는지 살펴보고 물음에 답하시오. [10점]

(1) 남자아이는 어떤 매체 자료를 보고 있습니까? [3점]

(   )

(2) 가장 최근에 이 그림에서 남자아이가 본 매체 자료와 비슷한 매체 자료를 본 경험을 쓰시오. [3점]

영상 매체 자료를 본 경험을 떠올려 보세요.

_____

_____

(3) 나는 이 그림에서 나온 매체 자료를 볼 때 무엇을 주의하며 보았는지 쓰시오. [4점]

영상 매체 자료에서 정보를 얻거나 내용을 이해하기 위해 무엇을 살펴보았는지 생각해 보세요.

_____

_____

[2~3] 다음 연속극을 보고 물음에 답하시오.

① 유도지는 아버지와 사이가 나쁜 벼슬아치들에게 뇌물을 주었습니다.

② 과거 시험에서 아버지를 생각하지 말고 자신의 실력만을 보아 달라고 부탁하였습니다.

③ 뇌물을 받은 벼슬아치는 놀란 표정으로 유도지를 바라보았습니다.

2 장면 ②에서 카메라가 유도지 쪽으로 가까이 다가가는 까닭은 무엇일지 쓰시오. [10점]

_____

_____

3 장면 ③의 표현 방법이 나타내려는 것을 생각하며 빈 곳에 알맞은 내용을 쓰시오. [10점]

인물의 놀라는 모습에 긴장감이 느껴지는 배경 음

악을 사용하여 _____

_____

5. 여러 가지 매체 자료

5 단원

[1~6] 다음 자료를 보고 물음에 답하시오.

아픈 사람들이 허준에게 치료를 받기 위해 길게 줄을 섰습니다.

허준은 과거 시험을 보러 가야 하지만 조금 더 치료하기로 하였습니다.

정신을 차려야 한다. 여기서 무너지면 안 돼!

허준은 밤이 새도록 환자들을 치료하였습니다.

허준은 피곤해도 무너지면 절대 안 된다고 다짐하였습니다.

시험장으로 안내하기로 한 돌쇠는 허준을 자신의 집으로 데리고 왔습니다.

돌쇠는 허준이 자신의 어머니를 치료하게 하려고 거짓말을 하였습니다.

1 다음 빈칸에 들어갈 알맞은 말은 어느 것입니까?
( )

이 자료는 텔레비전 연속극으로, ( ) 매체 자료에 속한다.

① 신문　　② 사진　　③ 그림
④ 영상　　⑤ 영화

2 이와 같은 자료를 잘 이해하는 방법은 무엇입니까?
( )

① 소리는 무시하고 영상만 본다.
② 화면에 나오는 글자는 보지 않는다.
③ 영상보다는 말과 소리에 집중하며 본다.
④ 지루한 부분은 빨리 넘겨서 훑으며 본다.
⑤ 장면과 어우러지는 음악이나 연출 기법의 의미를 생각하며 본다.

3 허준이 한 일은 무엇입니까? ( )
① 병이 들어 의원에게 치료를 받았다.
② 늦은 밤에 몰래 시험장으로 떠났다.
③ 밤이 새도록 아픈 사람들을 치료하였다.
④ 어느 마을에서 의원에게 의술을 배웠다.
⑤ 아픈 사람들을 두고 시험을 치러 떠났다.

4 허준이 시험일이 촉박하지만 마을에 머무는 까닭은 무엇입니까? ( )
① 몸이 아파서
② 여비가 다 떨어져서
③ 시험공부를 마치지 못하여서
④ 아픈 마을 사람들을 치료하려고
⑤ 시험장으로 가는 길을 잃어버려서

5 장면 ❸에 사용할 음악으로 알맞은 것은 무엇입니까?
( )

① 기쁜 느낌의 음악
② 슬픈 느낌의 음악
③ 괴로운 느낌의 음악
④ 불안한 느낌의 음악
⑤ 비장한 느낌의 음악

6 돌쇠가 허준을 자신의 집으로 데리고 간 까닭은 무엇입니까? (   )

① 허준을 쉬게 하려고

② 허준에게 보답을 하려고

③ 시험장과 가까운 곳이어서

④ 허준이 시험을 보지 못하게 하려고

⑤ 허준이 자기 어머니를 치료하게 하려고

[7~12] 다음 자료를 보고 물음에 답하시오.

김득신은 열 살에 처음 글을 배우기 시작했다.

김득신은 정삼품 부제학을 지낸 김치의 아들로 태어났다. 주변에서는 우둔한 김득신을 포기하라고 했다.

"나는 저 아이가 저리 미욱하면서도 공부를 포기하지 않는 것이 대견스럽네."
하지만 김득신의 아버지는 공부를 포기하지 않는 김득신을 대견스럽게 여겼다.

"나으리, 정말 모르신단 말씀이십니까?"
김득신은 하인도 외우는 내용을 기억하지 못하고 남의 글을 자기가 쓴 것으로 착각하기도 하였다.

수만 번 외워도 잊어버리고 착각까지 했던 그는 특별한 기록을 한다.
김득신은 자신의 한계를 극복하기 위해 만 번 이상 읽은 책에 대한 기록을 남긴다.

59세 문과 급제 성균관 입학
김득신은 59세에 문과에 급제해 성균관에 입학한다.

오언절구와 칠언절구가 빼어난 백곡 김득신(金得臣, 1604~1608)은 당대 최고의 시인으로 추앙받았다.
김득신은 자신만의 시어로 시를 쓴다. 많은 사람이 김득신의 시를 높이 평가했다.

7 장면 ❷에서 김득신을 두고 주위 사람들은 어떻게 말하였습니까? (   )

① 게으르다.　　　　② 똑똑하다.

③ 우둔하다.　　　　④ 끈기가 없다.

⑤ 공부에 흥미가 없다.

8 김득신이 자신의 한계를 극복하기 위해서 한 독특한 공부 방법은 무엇입니까? (   )

① 책 만 권 읽기

② 중국으로 유학하기

③ 책을 읽고 그대로 따라 쓰기

④ 책을 통째로 외울 때까지 읽기

⑤ 만 번 이상 읽은 책의 기록 남기기

9 김득신이 59세 때에 한 것은 무엇입니까? (   )

① 과거 시험을 보았다.

② 과거에 급제를 하였다.

③ 스스로 작문을 하였다.

④ 책 한 권을 끝까지 읽었다.

⑤ 책 한 권을 모조리 외웠다.

10 문과에 급제한 뒤 사람들은 김득신을 어떻게 평가하였습니까? (   )

① 계속 어리석다.

② 벼슬 욕심이 많다.

③ 당대 최고의 시인이다.

④ 시는 잘 짓지만 글씨는 잘 못 쓴다.

⑤ 열심히 노력하지만 좋은 시를 짓지 못한다.

11 김득신에 대한 설명으로 알맞은 것은 무엇입니까?
(   )

① 게으르다.　　　　② 머리가 좋다.

③ 기억력이 좋다.　　④ 노력을 하지 않는다.

⑤ 뛰어난 재능을 갖지는 못하였다.

12 장면 **7**에 사용하기에 알맞은 음악은 무엇입니까?
( )

① 분주한 분위기의 음악
② 무서운 분위기의 음악
③ 비장한 분위기의 음악
④ 시끄러운 분위기의 음악
⑤ 고요하고 희망찬 분위기의 음악

13 미라가 서영이에 대한 거짓 글을 쓴 까닭은 무엇입니까?
( )

① 서영이가 미라를 무시하여서
② 서영이가 자신의 험담을 하고 다녀서
③ 서영이가 자신과는 친하게 지내지 않아서
④ 서영이 때문에 미라가 전학을 가게 되어서
⑤ 서영이가 친구들과 잘 어울리는 것이 부러워서

14 '흑설 공주'는 누구의 계정입니까? ( )
① 서영 ② 미라 ③ 민주
④ 선생님 ⑤ 부모님

[13~16]

다음 자료를 보고 물음에 답하시오.

가 |앞 이야기|

전학 온 서영이는 성격이 좋아 금세 친구들과 잘 어울렸다. 그런 서영이가 부러운 미라는 핑공 카페에 '흑설 공주'라는 계정으로 서영이와 관련한 거짓 글을 올린다. 아이들은 서영이가 거짓으로 부모님 이야기를 한다는 '흑설 공주'의 글을 읽고 수군대기 시작한다.

한편, 미라와 친해지고 싶었던 민주는 '흑설 공주'인 미라가 거짓말을 하고 있다는 것을 알았지만 서영이에게 그 사실을 알리지 못하고 망설인다.

15 이 글의 제목을 다음에서 설명하는 말로 정했을 때, 이 글의 제목으로 알맞은 것은 무엇입니까? ( )

• 15세기 이후 다른 종교를 믿는 사람들을 공격하고 괴롭히던 현상
• 요즘에는 뜻이 다른 사람을 따돌리는 현상에 이런 표현을 쓰기도 함.

① 괴물 ② 흑기사 ③ 십자군
④ 마녀사냥 ⑤ 집단 괴롭힘

나 민주는 날마다 핑공 카페를 들여다보았다. 혹시 서영이가 무슨 반박 글을 올리지 않을까 해서였다. 그러던 어느 날 민주는 눈이 휘둥그레졌다. 마침내 서영이가 자기 입장을 밝히는 글을 올린 것이다.

"서영이가 이제 모든 걸 다 알았구나. 어떻게 알았지? 누가 핑공에 들어가 보라고 일러 주었나?"

민주는 떨리는 마음으로 서영이가 올린 글을 읽어 보았다. 흑설 공주에 대한 분노, 엄마 아빠에 대한 자부심과 사랑과 함께 흑설 공주의 글이 모두 사실이 아니라는 걸 당당하게 밝혀 놓은 글이었다.

'역시 민서영이구나.'

민주는 자기 생각을 당당하게 밝힐 줄 아는 서영이의 용기가 몹시 부러웠다. 하지만 핑공 카페에 들어와 서영이가 올린 글을 읽은 아이들은 저마다 자기 의견을 달아 놓았다. 그중에는 서영이를 두둔하는 선플도 있었지만, 흑설 공주를 비방하는 악플과 함께 여전히 ㉠흑설 공주 편을 드는 아이들도 있었다.

16 ㉠에 해당하는 것으로 알맞은 것은 무엇입니까?
( )

① 빨간 풍선: 민서영이 흑설 공주에게 일방적으로 당한 것 같다. 지금이라도 민서영이 자기 입장을 밝혀 주어 속 시원하다.
② 은하수: 내가 보기에 흑설 공주가 너무 심하다. 본인이 사실이 아니라는데 왜 그런 거짓 글을 실었을까?
③ 거지 왕자: 어쩌면 우리가 모르는 두 사람만의 갈등이 있는 건 아닐까?
④ 하이디: 흑설 공주의 글을 보면 민서영에 대해서 잘 알고 있는 듯하다. 그러니 어쩌면 흑설 공주의 글이 사실인 것 같다.
⑤ 기쁜 나무: 아무리 흑설 공주의 글이 사실이라고 해도 인터넷에 남의 사생활을 퍼뜨리는 건 나쁜 짓이다.

[17~20] 다음 글을 읽고 물음에 답하시오.

> **가** 흑설 공주의 글이 사실이 아니라는 증거 두 가지
>
> 여러분, 저는 흑설 공주에게 모함을 받고 있는 민서영입니다.
>
> 여러분 중에서도 흑설 공주의 글을 읽고 여전히 제가 거짓말쟁이라고 의심하는 분들이 있다는 걸 알고 매우 슬펐습니다. 만약 아직도 저에 대한 의심과 오해를 풀지 못한 분이 있다면 아래에 있는 사진을 참조해 주시기 바랍니다.
>
> 첫 번째는 우리 아빠가 아프리카 탄자니아 은좀베에서 의료 봉사를 하고 있는 병원의 모습을 찍은 사진입니다. 진찰실에서 청진기를 들고 아프리카 아이를 진찰하고 있는 분이 바로 우리 아빠입니다. 정말 자랑스러운 우리 아빠 말이지요.
>
> **나** 서영이가 핑공 카페에 아빠가 은좀베 마을에서 의료 봉사를 하는 모습과 엄마가 디자인한 옷을 입고 모델들이 패션쇼를 하는 사진을 올리자, 이번에는 서영이를 응원하는 댓글과 ㉠흑설 공주를 비난하는 댓글이 수없이 올라와 있었다.

17 서영이가 **가**와 같은 글을 쓴 까닭으로 알맞은 것은 무엇입니까? ( )

① 흑설 공주를 모함하려고
② 흑설 공주가 누구인지 밝히려고
③ 그동안 거짓말을 한 것을 사과하려고
④ 아이들에게 자신의 부모님을 자랑하려고
⑤ 흑설 공주의 글이 사실이 아니라는 증거를 제시하려고

18 서영이는 어떤 자료를 증거로 보여 주었습니까?

( )

① 친구 사진
② 부모님 사진
③ 부모님 동영상
④ 선생님의 말씀
⑤ 집에 놀러 온 친구들의 말

19 서영이가 글을 올리고 나서 어떤 일이 일어났습니까?

( )

① 흑설 공주가 사과문을 올렸다.
② 아이들이 흑설 공주 편을 들었다.
③ 아이들이 흑설 공주를 비난하였다.
④ 아이들이 흑설 공주의 정체를 밝혔다.
⑤ 서영이와 흑설 공주가 화해를 하였다.

20 ㉠에 해당하지 <u>않는</u> 것은 무엇입니까? ( )

① 허수아비: 거짓 정보를 올린 흑설 공주는 당장 사과해라!
② 어린 왕자: 흑설 공주가 대체 누구인가? 이런 사람은 카페에 들어올 자격이 없다.
③ 매운 고추: 민서영, 잠시라도 널 의심해서 미안하다. 네 용기에 박수를 보낸다.
④ 하이디: 글은 자기의 얼굴과 마찬가지이다. 거짓 글로 민서영에게 상처를 준 흑설 공주는 카페에 글을 쓸 자격이 없다.
⑤ 삐삐: 핑공 카페지기는 당장 흑설 공주의 신상 털기를 해라!

· 답안 입력하기 · 평가 분석표 받기

6단원

개념 강의

토론의 <u>절차와 방법</u>

1 주장 펼치기
- 근거를 들어 주장 펼치기
- 근거에 대한 자료 제시

2 반론하기
- 상대편 주장 요약
- 상대편 주장에 대한 반론

3 주장 다지기
- 자기편 주장 요약
- 상대편 반론이 타당하지 않음을 지적

찬성편　　　반대편

＊ 강의를 들으며 중요한 내용을 메모하세요!

● 토론이 필요한 경우

● 근거 자료의 타당성을 평가하는 방법

● 토론의 절차와 방법

개념 확인하기　정답에 ✔표를 하시오.

정답 29쪽

1 학교 안에서 스마트폰을 사용하는 문제에 대해 이야기하고 싶을 때 무엇이 필요합니까?

- ㉠ 토의 ☐
- ㉡ 토론 ☐

2 토론에 참여하는 자세로 알맞은 것은 무엇입니까?

- ㉠ 무조건 자신이 옳다고 우긴다. ☐
- ㉡ 타당한 근거를 들어 의견을 말한다. ☐

3 토론에 활용할 근거 자료로 알맞지 <u>않은</u> 것은 어느 것입니까?

- ㉠ 설문 조사 자료 ☐
- ㉡ 나만의 생각을 모은 자료 ☐

4 설문 조사 자료의 타당성을 판단하는 기준이 <u>아닌</u> 것은 무엇입니까?

- ㉠ 자료의 출처가 정확한가? ☐
- ㉡ 주장을 뒷받침하는 자료인가? ☐
- ㉢ 믿을 만한 전문가의 의견인가? ☐

5 토론의 절차 중 상대편의 주장이 타당하지 않음을 밝히기 위해 질문을 하는 단계는 무엇입니까?

- ㉠ 주장 펼치기 ☐
- ㉡ 반론하기 ☐
- ㉢ 주장 다지기 ☐

6 단원

연습 😺 도움말을 참고하여 내 생각을 차근차근 써 보세요.

1 다음 그림을 보고 물음에 답하시오. [8점]

(1) 남자아이가 그림 ②와 같이 대답했을 때 두 사람의 대화는 앞으로 어떻게 이어질지 쓰시오. [4점]

> 😺 토론이 잘 이루어질지 생각해 보세요.

_____

_____

(2) 자신의 의견을 상대가 받아들이도록 하기 위해서는 어떻게 해야 할지 쓰시오. [4점]

> 😺 그림 ①, ②를 비교해 보고 여자아이가 어떤 상황에서 남자아이의 의견을 받아들일지 생각해 보세요.

_____

_____

2 다음 글을 읽고 물음에 답하시오. [12점]

> 사회자: 찬성편이 반론을 펴고, 반대편에서 찬성편의 반론을 반박해 주시기 바랍니다.
>
> 찬성편: 반대편은 학급 임원을 뽑는 기준이 올바르지 않은 까닭을 근거로 들었습니다. 하지만 반대편에서 첫 번째 자료로 제시한 설문 조사 결과는 다른 학교를 조사한 것입니다. 따라서 우리 학교의 상황과 반드시 같다고는 볼 수 없습니다. ㉠우리 학교 사정을 고려해서 근거를 말씀해 주셔야 하지 않을까요?
>
> 반대편: 네, 저희가 다른 학교에서 조사한 결과를 활용한 것은 맞습니다. 그러나 그 자료는 학급 임원을 뽑는 기준에 문제가 있다고 생각하는 학생이 많다는 점을 보여 드리려는 자료입니다. 여기 우리 학교 선생님을 면담한 결과를 보여 드리겠습니다. 그 선생님께서는 "봉사 정신이 뛰어나거나 모범적인 행동을 보이는 학생보다는 인기가 많은 학생이 학급 임원이 되는 경우가 종종 있다."라고 말씀하셨습니다. 이런 점을 모두 고려해 학생 대표로서 학급 임원이 필요한지 의문입니다.

(1) 이와 같은 반론하기 절차에서 반론을 하는 방법을 정리하여 쓰시오. [6점]

• 상대편 토론자의 주장을 요약한다.

• 상대편 토론자의 주장이 타당하지 않다는 것을 밝히기 위

한 _____

• 상대편 주장에 대한 근거나 그에 대한 자료가 _____

_____

(2) ㉠에 대해 반대편은 어떤 답변을 하였는지 쓰시오. [6점]

_____

_____

[1~6] 다음 글을 읽고 물음에 답하시오.

> 가 직업은 생활 수단이자 자신의 능력을 발휘하고 꿈을 실현할 수 있는 기회이기도 하다. 그런데 자신이 희망하는 직업을 유행에 따라 결정하는 일이 과연 옳은 것일까?
>
>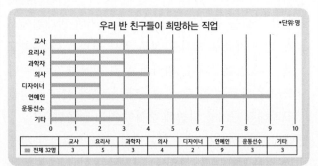
>
> 나 실제로 자신의 꿈이 '연예인'으로 바뀌었다고 하는 한 학생을 면담한 결과, "요즘에는 연예인이 대세이다."라면서도 "사실은 한 해에도 여러 번 바뀌는 희망 직업 때문에 고민이 많다. 무엇을 준비해야 할지 모르겠다."라고 털어놓았다. 직업의 선택은 유행이 아니라 자신의 적성이나 흥미, 특기를 고려해 이루어져야 한다.
>
> 다 이와 같은 현실과 관련해 직업 평론가 ○○○ 씨와 면담한 결과, 그는 "자신이 원하는 일이 무엇인지 모르며 사회에 어떤 다양한 직업이 있는지 알아보려고 하지 않는 사실이 문제"라며 우려를 나타냈다. 직업은 미래에 자기 삶을 유지해 줄 수 있는 수단 가운데 하나이다. 직업으로 사람들은 소득을 얻기도 하고, 행복과 보람을 느끼기도 한다. 그러므로 유행보다는 자신의 흥미와 적성, 특기를 알고, 이것을 바탕으로 하여 직업을 고르려고 노력해야 한다.

1 가에 제시된 도표에 대한 설명으로 알맞지 <u>않은</u> 것은 무엇입니까? (   )

① 조사 범위는 32명이다.
② '디자이너'는 2명이 희망했다.
③ 응답이 가장 많은 항목은 '기타'이다.
④ 자료의 출처는 글쓴이가 속한 학급이다.
⑤ '연예인'이 희망 직업인 사람은 9명이다.

2 가에서 사용한 자료의 조사 대상은 누구입니까?
(   )

① 학부모들
② 학교 선생님
③ 우리 반 친구들
④ 우리 지역 초등학생들
⑤ 우리 학교 5학년 학생들

3 나와 다의 종류로 알맞은 것은 무엇입니까? (   )
① 통계 자료   ② 면담 자료
③ 영상 자료   ④ 실험 자료
⑤ 설문 조사 자료

4 글 나에 대한 설명으로 알맞지 <u>않은</u> 것은 무엇입니까?
(   )
① 면담한 내용은 글쓴이의 주장과 관련이 없다.
② 면담한 사람은 연예인이 요즘 대세라고 하였다.
③ 면담한 사람의 고민은 희망 직업이 여러 번 바뀌는 것이다.
④ 면담한 사람은 직업을 어떻게 준비하여야 할지 모르겠다고 하였다.
⑤ 자신의 꿈이 '연예인'으로 바뀌었다고 하는 한 학생의 면담 자료가 나타나 있다.

5 글쓴이가 말하고자 하는 내용은 무엇입니까? (   )
① 꿈은 빨리 찾아야 한다.
② 전문가의 말이 가장 믿을 만하다.
③ 유행에 따라 희망 직업이 바뀐다.
④ 요즘 유행하는 희망 직업에 대해 자세히 알아보아야 한다.
⑤ 자신의 흥미와 적성, 특기를 알고, 이것을 바탕으로 하여 직업을 고르려고 노력해야 한다.

6 글 ㄷ에 나타난 근거 자료가 ㄴ에 나타난 근거 자료보다 믿을 만하다면 그 까닭은 무엇이겠습니까? (   )

① 출처가 분명하기 때문에

② 더 최신의 자료이기 때문에

③ 조사 범위가 더 넓기 때문에

④ 해당 분야 전문가의 말이기 때문에

⑤ 어려운 말을 더 많이 사용했기 때문에

7 이 토론 주제가 무엇인지 쓸 때 빈칸에 들어갈 알맞은 말은 무엇입니까? (   )

| _____ |은/는 반드시 필요하다. |

① 학급회의   ② 만장일치

③ 학급 임원   ④ 학생 선거

⑤ 학급 도서관

[7~10] 다음 글을 읽고 물음에 답하시오.

㉮ 사회자: 지금부터 "학급 임원은 반드시 필요하다."라는 주제로 토론을 시작하겠습니다. 저는 토론의 사회를 맡은 구민재입니다. 먼저 찬성편이 주장을 펼치겠습니다.

㉯ 찬성편: 저희 찬성편은 두 가지 까닭에서 "학급 임원은 반드시 필요하다."라는 주제에 찬성합니다.

첫째, 실제로 학생 대표가 학교생활에 많은 역할을 합니다. 많은 학생들이 함께 생활하다보니 학교에는 여러 가지 문제나 불편한 점이 생길 수 있습니다. 이러한 것에 대한 해결은 전교 학생회 회의에서 이루어지는데 학급 임원은 여기에 참여해 우리 반 학생들의 의견을 전달하는 역할을 합니다. 저희가 설문 조사를 한 결과에 따르면 우리 지역의 초등학교 가운데에서 95퍼센트가 넘는 학교가 학급 임원을 뽑고 있다고 합니다.

㉰ 반대편: 학급 임원 제도는 반드시 필요하다고 할 수 없습니다. 저희는 다음과 같은 까닭으로 "학급 임원은 반드시 필요하다."라는 주제에 반대합니다.

첫째, 학급 임원을 뽑는 기준이 올바르다고 보기 어렵습니다. 한 매체에서 설문 조사를 한 결과에 따르면 70퍼센트 정도의 학생들이 "후보들의 능력보다 친분을 우선으로 투표한 적이 있다."라고 응답했습니다. 이 조사는 정말 우리가 우리를 대표할 수 있는 사람을 학급 임원으로 뽑았는지에 대한 의문을 가지게 합니다. 특히 1학기에는 서로 잘 알지도 못한 채로 학급 임원 선거가 이루어지는 경우도 있습니다. 이와 같은 학급 임원 선출은 인기투표와 다르지 않습니다.

8 이 토론에 대한 설명으로 알맞은 것은 무엇입니까?

(   )

① 토론 주제를 선정하는 단계이다.

② 반론하기 단계가 시작되고 있다.

③ 주장 다지기 단계가 이어지고 있다.

④ 주장 펼치기 단계가 시작되고 있다.

⑤ 토론이 모두 끝나 결과가 나타나 있다.

9 ㉯에서 제시한 설문의 조사 대상은 누구입니까?

(   )

① 같은 반 친구

② 같은 학교 학부모

③ 같은 지역 선생님

④ 같은 지역 초등학교

⑤ 같은 학교 5학년 학생

10 반대편은 학급 임원을 뽑을 때 어떤 문제가 있다고 하였습니까? (   )

① 모든 학생이 투표를 하지 못한다.

② 능력이 뛰어난 학생이 별로 없다.

③ 선거 공약을 알릴 시간이 부족하다.

④ 학급 임원을 뽑는 기준이 올바르지 않다.

⑤ 공부를 잘하는 학생을 뽑는 사람이 많다.

11 주장 펼치기 절차에서 하는 일은 무엇입니까?

( )

① 근거를 들어 주장을 펼치기
② 상대편 토론자의 주장을 요약하기
③ 상대편의 근거가 적절하지 않음을 밝히기
④ 상대편이 제기한 반론이 타당하지 않음을 지적하기
⑤ 상대편의 주장이 타당하지 않다는 것을 밝히기 위한 질문하기

[12~15] 다음 글을 읽고 물음에 답하시오.

가 사회자: 이번에는 상대편이 펼친 주장에서 잘못된 점이나 궁금한 점을 지적하고 이에 답하는 반론하기 시간입니다. 먼저 반대편이 반론과 질문을 하고 이에 대해 찬성편이 답변하도록 하겠습니다. 시간은 2분입니다. 시작해 주십시오.

나 반대편: 찬성편에서는 학급을 위해 봉사하고, 학생 대표가 되어 우리의 뜻을 전하는 역할을 할 학급 임원이 필요하다고 했습니다. 하지만 학급을 위해 봉사하는 것은 몇 명의 학생이 아니라 전체 학생이 다 할 수 있는 일입니다. 또 요즘은 기술이 발달해서 여러 사람이 동시에 회의에 참여할 수 있습니다. 굳이 학생 대표 한두 명만 회의에 참여하도록 할 필요가 없습니다. 따라서 찬성편의 근거는 학급 임원이 반드시 필요하다는 주장을 뒷받침하는 근거라고 보기 어렵습니다. 오히려 모든 학생이 학급 임원을 경험할 수 있도록 돌아가면서 하는 게 좋지 않을까요?

다 찬성편: 네, 반대편의 반론 잘 들었습니다. 모두가 돌아가면서 학급 임원을 한 번씩 경험해 볼 수도 있습니다. 그러나 말씀드렸다시피 학급 임원은 학급 학생 전체를 대표하는 자리입니다. 학생 대표는 모범적이면서 봉사 정신이 뛰어난 학생이 스스로 참여해야 한다고 생각합니다. 반대편의 반론처럼 모든 학생이 돌아가면서 학급 임원을 맡는다면 그 가운데에는 하고 싶은 마음도 없는 학생이 대표가 될 수 있습니다. 그러면 그 학생에게도 부담이 되는 일입니다.

12 이 토론에 참여한 사람들의 역할이 <u>아닌</u> 것은 무엇입니까? (,)

① 심판　　　　　　② 선생님
③ 사회자　　　　　④ 찬성편 토론자
⑤ 반대편 토론자

13 이와 같은 반론하기 절차에서 하는 일이 <u>아닌</u> 것을 두 가지 고르시오. (,)

① 자신의 주장 바꾸기
② 자신이 말한 근거 비판하기
③ 상대편의 지적이나 질문 답변하기
④ 상대편이 펼친 주장에서 잘못된 점 지적하기
⑤ 상대편이 펼친 주장에서 궁금한 점 물어보기

14 반대편이 찬성편에게 한 반론은 무엇입니까? ( )

① 모범적인 학생이 부족하다.
② 누구나 학급을 위해 봉사할 수 있다.
③ 학급 임원은 봉사 정신이 뛰어나야 한다.
④ 학급 임원은 학교 성적이 우수해야 한다.
⑤ 학급 임원은 부유한 집 아이가 맡아야 한다.

15 반대편의 반론에 대해 찬성편은 어떻게 반박하였습니까? ( )

① 학생 대표는 필요하지 않다.
② 학생 대표는 투표로 뽑아야 한다.
③ 학생 대표는 학생 스스로 정해야 한다.
④ 학생 대표는 전체 학생이 돌아가면서 해야 한다.
⑤ 학생 대표는 모범적이면서 봉사 정신이 뛰어난 학생이 스스로 참여해야 한다.

16 근거를 뒷받침할 수 있는 자료로 가장 적절한 것은 무엇입니까? (   )

① 오래전 자료

② 출처를 밝히지 않은 자료

③ 한 사람에게만 해당하는 자료

④ 근거에 맞게 거짓으로 꾸민 자료

⑤ 출처를 분명하게 밝힌 최근의 자료

17 주장 다지기 단계에 대한 설명으로 알맞지 <u>않은</u> 것을 두 가지 고르시오. (,   )

① 자기편의 주장을 요약합니다.

② 근거를 들어 주장을 펼칩니다.

③ 자기편 주장의 장점을 정리합니다.

④ 상대편 토론자의 주장을 요약합니다.

⑤ 상대편의 반론이 타당하지 않음을 지적합니다.

18 전문가의 면담 자료를 평가하는 기준으로 알맞은 것을 두 가지 고르시오. (,   )

① 설문 내용이 타당한가?

② 설문 조사 범위가 적절한가?

③ 설문 조사 대상이 적절한가?

④ 주장을 충분히 뒷받침하는가?

⑤ 신뢰성이 높은 전문가와 면담한 자료인가?

[19~20] 다음 시를 읽고 물음에 답하시오.

시장에 간 우리 고모

물건 사고 아주머니가 돌려주는

거스름돈,

꼭 세어 보아요

은행에 간 고모

현금 지급기가

'달깍' 내미는 돈

세어 보지도 않고

지갑에 얼른 넣는 거 있죠?

고모도 참

19 이 시의 주제는 무엇입니까? (   )

① 과학 기술의 장점

② 인공 지능을 없애자.

③ 전통 시장을 많이 가자.

④ 사람보다 기계를 더 믿는 세상

⑤ 인공 지능을 개발하여야 하는 까닭

20 이 시의 주제와 관련 있는 독서 토론 주제는 무엇입니까? (   )

① 우리의 지갑은 언제 사라질까?

② 전통 시장을 살릴 수 있는 방안은?

③ 은행 현금 지급기의 위생 관리 방안은?

④ 인공 지능을 활용할 수 있는 분야는 무엇일까?

⑤ 기술이 발달할수록 사람에 대한 신뢰는 떨어질 것인가?

6 단원

진도 완료 체크

· 답안 입력하기   · 평가 분석표 받기

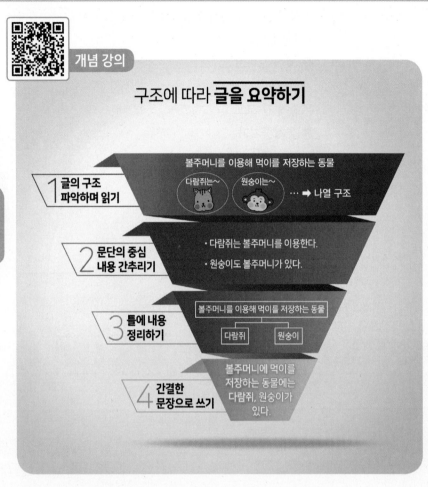

개념 강의

구조에 따라 **글을 요약하기**

1 글의 구조 파악하며 읽기

볼주머니를 이용해 먹이를 저장하는 동물
다람쥐는~   원숭이는~   … ➡ 나열 구조

2 문단의 중심 내용 간추리기
• 다람쥐는 볼주머니를 이용한다.
• 원숭이도 볼주머니가 있다.

3 틀에 내용 정리하기
볼주머니를 이용해 먹이를 저장하는 동물
다람쥐   원숭이

4 간결한 문장으로 쓰기
볼주머니에 먹이를 저장하는 동물에는 다람쥐, 원숭이가 있다.

✳ 강의를 들으며 중요한 내용을 메모하세요!

● 글을 요약하는 방법은?

● 글을 요약할 때 중심 낱말을 찾으려면?

● 글의 구조에 따라 요약하는 방법은?

개념 확인하기 정답에 ✔표를 하시오.

정답 31쪽

1 다음 뜻을 가진 말은 무엇입니까?

> 말이나 글의 중요한 점을 찾아서 간추림.

㉠ 중심 ☐   ㉡ 요약 ☐   ㉢ 대강 ☐

2 다음 중 글을 요약하는 방법으로 알맞은 것은 어느 것입니까?

㉠ 글의 처음 문장과 끝 문장을 모아서 간추린다. ☐

㉡ 사소한 내용은 삭제하고 중요한 내용만 간추린다. ☐

㉢ 문단의 중심 낱말만 차례대로 나열하여 간추린다. ☐

3 다음 틀이 나타내는 글의 짜임은 어느 것입니까?

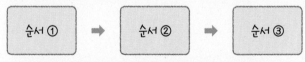

순서 ① ➡ 순서 ② ➡ 순서 ③

㉠ 시간이나 공간의 순서에 따라 설명하는 짜임 ☐

㉡ 주제에 대해 몇 가지 특징을 늘어놓는 짜임 ☐

4 순서 짜임을 가진 글은 어떤 방법으로 간추립니까?

㉠ 일의 과정을 차례대로 간추린다. ☐

㉡ 대상의 여러 가지 특징을 모아 간추린다. ☐

연습 🦉 도움말을 참고하여 내 생각을 차근차근 써 보세요.

1 낱말의 뜻을 짐작하며 다음 글을 읽고 물음에 답하시오. [6점]

켈러 선생님은 허리를 꼿꼿이 펴고 똑바로 서 있어서 실제 키보다 더 커 보였다. 특히 교탁에 기대설 때면, 마치 죽은 나뭇가지에 앉아 금방이라도 사냥감을 홱 낚아챌 듯 노려보는 매처럼 매서워 보였다.
"첫 번째 과제는 수필이다. 내가 놀라 까무러칠 정도로 재미있는 글을 써 오도록. 내가 너희의 반짝이는 생각에 홀딱 빠질 만큼 대단한 작품을 써 보란 말이다. 너희가 이 수업을 들을 만한 자격이 있는지를 알아보려는 거니까! 주제는? 가족이나, 집에서 일어나는 일상생활에 대한 이야기라면 뭐든지 괜찮아."
우리는 허둥지둥 종이를 꺼내 끼적이기 시작했다.
"아니, 아니! 여기서 말고!"
켈러 선생님의 호통에 우리는 바로 연필을 놓았다.
"숙제란 말이다, 숙제! 세 쪽 가득 채워 오도록. 기한은 내일까지!"
나는 ㉠마른침을 꿀꺽 삼켰다.

(1) 이 글에 나타난 상황은 어떠한지 쓰시오. [2점]

🦉 켈러 선생님의 말과 행동을 보고 교실의 분위기를 짐작해요.

• 켈러 선생님께서 (   )을/를 치시면서 내일까지 숙제로 글을 써 오라고 하시는 긴장된 상황이다.

(2) ㉠의 뜻을 짐작하여 쓰시오. [4점]

🦉 낱말의 앞뒤 내용을 살펴보고 낱말의 뜻을 짐작해 보세요.

_____
_____

2 ㉠의 뜻을 짐작할 수 있는 부분에 밑줄을 긋고, ㉠의 뜻을 짐작하여 쓰시오. [6점]

귀가 어두워 무슨 말을 해도 제대로 알아듣지 못하는 만화 주인공 '사오정'을 아시나요? 만화 주인공 사오정과 비슷한 사람이 우리 주변에 많이 생겨나고 있습니다. 사오정이 ㉠뜬금없는 말로 우리에게 재미와 웃음을 주지만 요즘에 사오정들은 귀 건강을 위협받는 아주 위험한 상황에 놓여 있습니다.

답안 작성 시 유의사항	'뜬금없는'과 바꾸어 쓸 수 있는 낱말을 떠올려 쓴다.

_____
_____

3 밑줄 그은 낱말의 뜻을 짐작하여 쓰고, 낱말을 넣어 짧은 문장을 쓰시오. [8점]

고려청자

고려청자는 대한민국의 얼굴이라고 할 만한 대표 문화재입니다.

① 짐작한 뜻	
② 짧은 문장	

[1~4] 다음 글을 읽고 물음에 답하시오.

> 켈러 선생님은 특유의 진한 미국 남부 지방 억양으로 말을 이어 나갔다.
>
> "이 수업을 ㉠만만하게 생각했다면 지금 당장 저 문으로 나가도록. 보잘것없이 짧은 너희의 인생 경험으로는 상상도 못 할 정도로 힘들 테니까. 아마 이 수업을 끝까지 따라오지 못하는 학생들도 나오겠지."
>
> 어쩐지 켈러 선생님이 유독 나만 노려보는 것 같았다.
>
> 켈러 선생님은 허리를 꼿꼿이 펴고 똑바로 서 있어서 실제 키보다 더 커 보였다. 특히 교탁에 기대설 때면, 마치 죽은 나뭇가지에 앉아 금방이라도 사냥감을 홱 낚아챌 듯 노려보는 매처럼 매서워 보였다.
>
> "첫 번째 과제는 수필이다. 내가 놀라 까무러칠 정도로 재미있는 글을 써 오도록. 내가 너희의 반짝이는 생각에 홀딱 빠질 만큼 대단한 작품을 써 보란 말이다. 너희가 이 수업을 들을 만한 자격이 있는지를 알아보려는 거니까! 주제는? 가족이나, 집에서 일어나는 일상생활에 대한 이야기라면 뭐든지 괜찮아."
>
> 우리는 허둥지둥 종이를 꺼내 끼적이기 시작했다.
>
> "아니, 아니! 여기서 말고!"
>
> 켈러 선생님의 호통에 우리는 바로 연필을 놓았다.
>
> "숙제란 말이다, 숙제! 세 쪽 가득 채워 오도록. 기한은 내일까지!"
>
> 나는 ㉡마른침을 꿀꺽 삼켰다.

1 '나'가 느낀 켈러 선생님에 대한 인상으로 알맞은 것은 무엇입니까? ( )

① 다정한 느낌
② 답답한 느낌
③ 인자한 느낌
④ 날카로운 느낌
⑤ 사랑스러운 느낌

2 켈러 선생님이 첫 번째로 내 주신 과제는 무엇입니까? ( )

① 시 쓰기
② 수필 쓰기
③ 논설문 쓰기
④ 전기문 쓰기
⑤ 이야기 쓰기

3 ㉠과 뜻이 비슷한 낱말은 무엇입니까? ( )

① 짧게
② 쉽게
③ 힘들게
④ 재미있게
⑤ 자랑스럽게

4 ㉡의 뜻을 짐작한 것으로 가장 알맞은 것은 어느 것입니까? ( )

① '마른'과 '침'이 더해진 말이므로 '갈증이 나다'와 비슷한 뜻일 것이다.
② 앞에 숙제를 해 오라는 내용이 나오므로 '숙제에 필요한 준비물'이란 뜻일 것이다.
③ 긴장된 상황에서 꿀꺽 삼킨 침이므로 '긴장이 날 때 삼키게 되는 침'이란 뜻일 것이다.
④ 내일까지 숙제를 해 오라는 말에 삼킨 침이므로 '미래에 삼키게 될 침'이란 뜻일 것이다.
⑤ 선생님이 호통을 친 상황에서 나온 침이므로 '큰 소리를 지를 때 나오는 침'이란 뜻일 것이다.

5 다음 글에서 ㉠에 대한 켈러 선생님의 충고를 바르게 이해한 것은 어느 것입니까? (   )

> 나는 우리 가족과 내 일상에 대해 쓴 ㉠'걸작'을 읽어 내려갔다. 내가 우리 가족 모두를 얼마나 사랑하는지 알면 켈러 선생님도 무척 감동하겠지?
> 하지만 내 예상과는 달리, 켈러 선생님의 숨소리가 점점 거칠어졌다.
> "퍼트리샤, 넌 지금 '사랑'이라는 낱말을 고양이에게도, 치마에게도, 이웃에게도, 팬케이크에도……, 심지어 엄마에게도 사용하고 있어. 엄마에게 느끼는 감정과 팬케이크에 느끼는 감정이 똑같다는 말이니?

① '사랑'이라는 낱말을 아껴 쓸 필요는 없다.
② '사랑'이라는 낱말은 아예 쓰지 않는 것이 좋다.
③ 사랑은 모든 대상에 차별 없이 가져야 하는 감정이다.
④ 사람뿐만 아니라 동물과 사물에게도 사랑의 감정을 가질 수 있다.
⑤ '사랑'이라는 낱말을 마구 쓰면 오히려 그 감정이 잘 느껴지지 않는다.

[6~9] 다음 글을 읽고 물음에 답하시오.

> 켈러 선생님의 수업은 [㉠] 흘러갔다. 그러나 한순간도 쉽지는 않았다.
> 어느 날, 켈러 선생님이 중요한 발표를 했다.
> "오늘, 너희에게 무시무시한 기말 과제를 내 줄 거다. 그동안 너희는 수많은 글쓰기 형식을 배웠어. 대화 글 쓰기나 상황을 묘사하는 글 쓰기, ㉡주장을 펼치는 글 쓰기, 자신이 겪은 일 쓰기 등등. 이 중에서 가장 자신 있는 형식 한 가지를 골라 글을 쓰는 것이 마지막 과제다. 아주 잘 골라야 할 거야. 이 기말 과제 점수로 합격이 결정되니까!"
> 역시! 이런 날이 올 줄 알았다. 나는 벌써부터 진땀이 났다. ㉢엎친 데 덮친 격으로, 켈러 선생님이 할 말이 있다며 따로 남으라고 했다.
> "퍼트리샤, 너는 자신이 겪은 일을 써 왔으면 좋겠다. 솔직히 말해서, 네 글은 여전히 감정이 잘 드러나지 않고 있으니까."
> 하지만 아무리 머리를 쥐어짜도, 켈러 선생님을 감동시킬 만한 주제가 하나도 떠오르지 않았다.

6 이 글의 내용과 사실이 <u>다른</u> 것은 무엇입니까? (   )
① 켈러 선생님은 기말 과제를 내 주셨다.
② 기말 과제 점수로 합격 여부가 달렸다.
③ 켈러 선생님은 학생들의 수업 태도에 만족하셨다.
④ 켈러 선생님은 '나'의 글에 만족하지 않고 있었다.
⑤ 켈러 선생님은 '나'에게 따로 글의 형식을 지정해 주셨다.

7 ㉠에 다음과 같은 뜻의 낱말이 들어간다고 할 때, 알맞은 말은 무엇입니까? (   )

> 매우 빠르게

① 산처럼
② 바다같이
③ 쏜살같이
④ 허겁지겁
⑤ 거북이걸음처럼

8 ㉡에 해당하는 글의 종류로 알맞은 것은 무엇입니까?
(   )
① 설명문   ② 전기문
③ 기행문   ④ 논설문
⑤ 이야기 글

9 ㉢과 바꾸어 쓰기에 알맞은 표현은 어느 것입니까?
(   )
① 눈 뜨고 도둑맞는 격
② 눈 위에 서리 치는 격
③ 우물에 가 숭늉을 찾는 격
④ 업은 아이를 삼 년 찾는 격
⑤ 달리는 말에 채찍을 가하는 격

[10~13] 다음 글을 읽고 물음에 답하시오.

식물이 특별한 기술을 바탕으로 잎을 피우는 이유는 햇빛과 그림자 문제 때문입니다. 위의 잎이 바로 아래 잎과 겹치면 위에 있는 잎의 그림자 때문에 아래 잎은 햇빛을 받지 못합니다. 식물은 햇빛을 보지 못하면 살 수가 없지요. 그래서 어떻게 잎을 펼쳐야 햇빛을 잘 끌어모을까 고민합니다.

그럼, 식물이 줄기에 어떤 모양으로 잎을 붙여 나가는지 그 기술을 알아보기로 할까요? 줄기에 차례로 잎을 붙여 나가는 모양을 '잎차례'라고 합니다.

먼저, 줄기 마디마다 잎을 한 장씩 피우되 서로 어긋나게 피우는 방법이 있습니다. 이것을 '어긋나기'라 합니다. 국수나무처럼 평행하게 어긋나기만 하는 식물이 있는가 하면, 해바라기처럼 소용돌이 모양으로 돌려나면서 어긋나는 식물도 있습니다.

이와는 달리 줄기 한 마디에 잎 두 장이 마주 보는 '마주나기'도 있습니다. 단풍나무나 화살나무는 잎 두 장이 사이좋게 마주 보고 있습니다. 그리고 마주난 잎들이 마디마다 서로 어긋나지 않고 평행합니다.

그런가 하면 한 마디에 잎이 석 장 이상 돌려나는 잎차례가 있습니다. 이런 잎차례를 '돌려나기'라고 합니다. 갈퀴꼭두서니는 마디마다 잎이 여섯 장에서 여덟 장씩 돌려나기로 핍니다.

끝으로 소나무처럼 잎이 한곳에서 모여나는 '모여나기'가 있습니다.

10 식물이 특별한 기술을 바탕으로 잎을 피우는 까닭은 무엇입니까? (,   )
① 물
② 흙
③ 바람
④ 햇빛
⑤ 그림자

11 식물이 잎을 피우는 기술에 대해 알맞게 말한 것은 어느 것입니까? (   )
① 모든 식물은 같은 방법으로 잎을 피운다.
② 모든 식물은 소용돌이 모양으로 잎을 피운다.
③ 식물은 위의 잎과 아래 잎이 겹치도록 잎을 피운다.
④ 식물이 잎을 붙여 나가는 모양과 뿌리가 자라는 모양은 같다.
⑤ 식물은 햇빛을 잘 끌어모으기 위해 다양한 모양으로 잎을 피운다.

12 갈퀴꼭두서니는 어떤 모양으로 잎을 피웁니까? (   )
① 잎이 한곳에서 모여난다.
② 소용돌이 모양으로 돌려나면서 어긋난다.
③ 줄기 마디마다 잎을 한 장씩 어긋나게 피운다.
④ 마디마다 잎이 여섯 장에서 여덟 장씩 돌려난다.
⑤ 마주난 잎들이 마디마다 서로 어긋나지 않고 평행하다.

13 이 글의 내용을 다음과 같이 정리할 때 ㉠과 ㉡에 들어갈 말이 알맞게 짝 지어진 것은 어느 것입니까? (   )

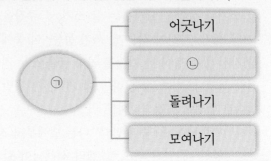

	㉠	㉡
①	식물	잎차례
②	줄기	마주나기
③	잎차례	마주나기
④	잎차례	국수나무
⑤	마주나기	해바라기

① 옛날 아주 먼 옛날에 사람들은, 오래 기억하고 싶은 일이나 함께 나누고 싶은 생각을 바위와 동굴 벽에 새기고 그렸대. 하지만 그렇게 새기고 그리는 건 쉽지 않았어. 게다가 바위나 동굴은 다른 곳으로 옮길 수도 없잖아. 땅바닥이나 나무토막에 그리기도 했지만 땅바닥에 그린 것은 금방 지워져 버렸고, 나무토막은 잃어버리기 일쑤였지.

그래서 사람들은 좀 더 쓰기 쉽고 그리기 편한 것, 옮기기 쉽고 간직하기 좋은 것을 찾았어. 흙을 빚어 점토판을 만들기도 하고, 나무를 쪼개 엮거나 풀 줄기 안쪽을 얇게 벗겨 겹쳐서 쓰기도 했어. 옷감이나 얇게 편 가죽을 사용하기도 했지. 그러다가 종이를 발명한 거야. 쓰고 그리기 쉽고, 가볍고 간직하기 좋은 종이를 말이야.

② 나는 종이 가운데 으뜸인 한국 종이, 한지야! 옛날 중국에서 최고로 친 고려지도, 일본에서 최고로 친 조선종이도 모두 나야. 그런데 내가 어떻게 만들어지는지 아니?

제일 먼저 닥나무를 베어다 푹푹 찐 뒤, 나무껍질을 훌러덩훌러덩 벗겨서 물에 불려. 그러고는 다시 거칠거칠한 겉껍질을 닥칼로 긁어내고 보들보들 하얀 속껍질만 모아.

14 **①**에서 설명한 내용은 무엇입니까? (　　　　)

① 한지의 우수성
② 책을 만드는 과정
③ 벽화를 그리는 방법
④ 시대별 역사책의 종류
⑤ 종이가 만들어진 까닭

15 옛날 사람들이 바위와 동굴 벽에 생각을 새기고 그릴 때 어떤 어려움이 있었습니까? (　　　　)

① 값이 매우 비쌌다.
② 금방 지워져 버렸다.
③ 잃어버리기 일쑤였다.
④ 비가 내리면 녹아 버렸다.
⑤ 다른 곳으로 옮길 수 없었다.

16 이 글에서 말한 종이의 장점이 <u>아닌</u> 것은 어느 것입니까? (　　　　)

① 쓰기 쉽다.
② 옮기기 쉽다.
③ 불에 잘 탄다.
④ 간직하기 좋다.
⑤ 그리기 편하다.

17 **②**가 다음과 같은 짜임을 가질 때 이어질 내용으로 가장 알맞은 것은 어느 것입니까? (　　　　)

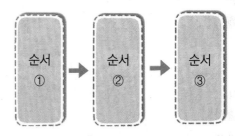

① 우리나라에서 한지가 만들어지게 된 여러 가지 까닭
② 한지로 만들 수 있는 여러 가지 생활용품이나 놀이용품
③ 한지를 만들기 위해 닥나무의 하얀 속껍질만 모은 뒤 할 일
④ 한지의 특징 중 얇고 가벼운 점 외에 더 소개할 수 있는 장점
⑤ 한지를 부르는 여러 가지 이름 중 고려지, 조선종이 외의 다른 이름

[18~20] 다음 글을 읽고 물음에 답하시오.

제일 ㉠먼저 닥나무를 베어다 푹푹 찐 뒤, 나무껍질을 훌러덩훌러덩 벗겨서 물에 불려. ㉡그러고는 다시 거칠거칠한 겉껍질을 닥칼로 긁어내고 보들보들 하얀 속껍질만 모아.

이렇게 모은 속껍질은 삶아서 더 보드랍게, 더 하얗게 만들어야 해. 먼저 닥솥에 물을 붓고 속껍질을 담가. 그리고 콩대를 태워 만든 잿물을 붓고 보글보글 부글부글 삶아. 푹 삶은 다음에는 건져 내서 찰찰찰 흐르는 맑은 물에 깨끗이 씻어.

이제 보드랍고 하얗게 바랜 속껍질을 나무판 위에 올려놓고 닥 방망이로 찧어 가닥가닥 곱게 풀어야 해. 쿵쿵 쾅쾅! 솜처럼 풀어진 속껍질은 다시 물에 넣고 잘 풀어지라고 휘휘 저어. ㉢그런 다음 닥풀을 넣고 다시 잘 엉겨 붙으라고 휘휘 저어 주지.

아, 한지를 물들이려면 지금 준비해야 해. 잇꽃으로 물들이면 붉은 한지 되고 치자로 물들이면 노랑, 쪽물은 파랑, 먹으로 물들이면 검은 한지 되지.

㉣이번에는 엉겨 붙은 속껍질을 물에서 떠내야 해. 촘촘한 대나무 발을 외줄에 걸어서 앞뒤로 찰방, 좌우로 찰방찰방 건져 올리면 물은 주룩주룩 빠지고 발 위에는 하얀 막만 남아. 젖은 종이처럼 말이야. 이렇게 한 장 한 장 떠서 ㉤차곡차곡 쌓은 다음 무거운 돌로 하루 정도 눌러서 남은 물기를 빼.

마지막으로 차곡차곡 눌러둔 걸 한 장 한 장 떼어서 판판하게 말려야 해. 따뜻한 온돌 방바닥이나 판판한 벽에 쫙쫙 펴서 말리면 드디어 숨 쉬는 종이, 한지 완성!

18 이 글에서 설명하는 내용은 무엇입니까? (   )

① 한지의 역사

② 한지를 개발한 사람

③ 한지를 많이 만든 지역

④ 한지가 만들어지는 과정

⑤ 시대에 따라 다른 한지의 이름

19 속껍질을 삶아서 보드랍고 하얗게 만들 때 넣는 것은 무엇입니까? (   )

① 닥풀

② 잇꽃

③ 잿물

④ 닥 방망이

⑤ 대나무 발

20 ㉠~㉤ 중에서 이 글의 구조를 파악할 수 있는 낱말이 아닌 것은 무엇입니까? (   )

① ㉠   ② ㉡   ③ ㉢

④ ㉣   ⑤ ㉤

·답안 입력하기   ·평가 분석표 받기

개념 강의

우리말이 <u>훼손된 사례</u>

외국어 사용
문라이트 카페 ✗
달빛 찻집 ⭕

신조어
우리 댕댕이 귀엽지? ✗
우리 강아지 귀엽지? ⭕

줄임 말 사용
너도 삼김 먹을래? ✗
너도 삼각김밥 먹을래? ⭕

사물을 높이는 표현
사과주스 나오셨습니다. ✗
사과주스 나왔습니다. ⭕

✳ 강의를 들으며 중요한 내용을 메모하세요!

● 우리말이 훼손된 사례는?

● 여러 가지 조사 방법의 장단점은?

● 발표 주제를 생각하며 자료를 조사하고 구성하는 방법은?

● 발표할 때와 발표를 들을 때 주의할 점은?

8 단원

개념 확인하기 　정답에 ✔표를 하시오.

정답 33쪽

1 다음 중 우리말이 훼손된 사례가 <u>아닌</u> 것은 어느 것입니까?

　㉠ 유니크펫숍 ☐　　㉡ 한마음 꽃집 ☐

　㉢ 한마음플라워 ☐　　㉣ sweet 카페 ☐

2 다음 장점과 단점을 가진 조사 방법은 무엇입니까?

장점	여러 사람을 한꺼번에 조사할 수 있습니다.
단점	답한 내용 외에는 자세한 내용을 알기 어렵습니다.

　㉠ 관찰 ☐　　㉡ 면담 ☐

　㉢ 설문지 ☐　　㉣ 책이나 글 읽기 ☐

3 자료를 조사하는 순서에서 빈칸에 들어갈 알맞은 말은 무엇입니까?

　조사 방법 정하기 → ☐☐☐☐ → 조사하기 → 조사 결과 정리하기

　㉠ 조사 계획 세우기 ☐

　㉡ 조사 결과 요약하기 ☐

4 발표하는 방법으로 알맞은 것은 어느 것입니까?

　㉠ 발표 내용만 보며 읽듯이 발표한다. ☐

　㉡ 알맞은 크기의 목소리로 발표한다. ☐

6 다음 대화 상황에서 밑줄 그은 '심쿵하다'를 바른 우리말 표현으로 고친 것은 어느 것입니까? (   )

> 서희: 어제 텔레비전에서 「강아지 좋이」 보았니?
> 영우: 응. 정말 심쿵했어.
> 서희: 나도. 좋이가 주인공에게 돌아와 다시 안길 때 정말 심쿵해서 눈물이 날 뻔했지 뭐야.

① 심심하고 지루하다.
② 당황스러워 어쩔 줄 모르다.
③ 놀랄 만큼 설레고 감동적이다.
④ 뜻밖의 일이 터져 슬픔에 빠지다.
⑤ 심각한 상황에서 몹시 긴장을 하다.

7 다음과 같은 표현이 적절하지 <u>않은</u> 까닭으로 알맞은 것은 어느 것입니까? (   )

> • "여기 거스름돈이 있으세요."
> • "반려견이 정말 귀여우시네요."

① 듣는 사람을 높이지 않았기 때문에
② 고유어를 두고 한자어를 사용했기 때문에
③ 사물이나 동식물을 높인 표현이기 때문에
④ 영어와 우리말을 합친 말을 사용했기 때문에
⑤ 고운 우리말을 두고 외래어를 사용했기 때문에

8 다음과 같은 표현이 문제가 되는 까닭과 관련이 <u>없는</u> 것은 무엇입니까? (   )

> • 시가 핵꿀잼이네.
> • 시가 정말 판타스틱한데?

① 대화의 재미가 늘어난다.
② 아름다운 우리말이 사라질 수 있다.
③ 상대가 말뜻을 이해하지 못할 수 있다.
④ 세대 간의 의사소통이 어려워질 수 있다.
⑤ 말에 담긴 우리의 마음도 훼손될 수 있다.

9 다음 대화 상황으로 보아 밑줄 그은 부분을 바른 우리말 표현으로 바꾼 것은 어느 것입니까? (   )

이거 레알?

응. 모두 사실이래.

① 이 책 재미있니?
② 이 책 읽어 봤니?
③ 이 책 어디서 났어?
④ 이 내용 본 적 있니?
⑤ 이 내용 정말 사실이야?

10 자료를 활용하여 발표할 때 주의할 점입니다. ㉠~㉢에 들어갈 말이 알맞게 짝 지어진 것은 어느 것입니까?

(   )

> • 발표 ㉠ 에 알맞은 자료를 고른다.
> • 글이나 사진 자료를 활용할 때에는 ㉡ 를 밝힌다.
> • ㉢ 이 아닌 내용이나 과장된 내용을 쓰지 않는다.

	㉠	㉡	㉢
①	근거	발표자	추측
②	근거	장소	사실
③	주제	가격	추론
④	주제	출처	사실
⑤	시간	출처	추측

8 단원

[11~14] 잘못된 우리말 사용 실태와 관련해서 조사 주제를 정하려고 합니다. 다음 대화를 읽고 물음에 답하시오.

> 여진: 잘못 사용하는 우리말을 조사해 보면 어떨까?
> 동진: 우리나라 사람들이 하루 동안 잘못 사용하는 우리말을 찾아보면 어떨까?
> 소미: 그것보다는 우리 지역의 모든 간판을 조사해 잘못된 표현을 찾아보면 어떨까?

11 여진이가 말한 조사 주제의 문제점을 알맞게 말한 것은 어느 것입니까? (   )
① '잘못 사용하는 우리말'은 학생이 조사할 수 없다.
② 우리나라 사람이 우리말을 잘못 사용하는 경우는 없다.
③ '잘못 사용하는 우리말'은 조사 대상이나 범위가 너무 넓다.
④ '잘못 사용하는 우리말'뿐만 아니라 외래어나 외국어도 조사해야 한다.
⑤ '잘못 사용하는 우리말'을 조사한다고 해서 우리말 사용 실태를 알 수 있는 것은 아니다.

12 동진이가 말한 조사 주제는 어떤 문제가 있습니까?

(   )
① 조사 대상이 너무 적다.
② 우리나라 사람들을 모두 조사할 수는 없다.
③ 우리나라 사람들은 우리말을 잘못 사용하지 않는다.
④ 우리나라 사람들뿐만 아니라 외국인도 조사해야 한다.
⑤ 하루 동안 잘못 사용하는 말보다 1년 동안 잘못 사용하는 말을 조사해야 객관적이다.

13 조사하려는 지역이 도시라면, 소미가 말한 조사 주제는 어떤 점을 고려하지 않았습니까? (   )
① 간판이 없는 가게나 상점이 더 많다는 점
② 간판에는 잘못 사용한 우리말이 적다는 점
③ 어느 지역을 조사해야 할지 알 수 없다는 점
④ 지역의 모든 간판을 조사하기는 힘들다는 점
⑤ 지도에는 간판의 이름이 나오지 않는다는 점

14 '잘못 사용하는 우리말'을 조사할 때 조사할 수 있는 예로 알맞지 <u>않은</u> 것은 어느 것입니까? (   )
① 높임 표현을 잘못 사용하는 예
② 지나치게 줄인 말을 사용하는 예
③ 국적 불명의 신조어를 사용하는 예
④ 우리말이 있는데도 영어를 사용하는 예
⑤ 해외여행을 가서 외국어를 사용하는 예

15 다음 그림에서 여진이가 발표할 때 주의할 점은 무엇입니까? (   )

① 자료는 보여 주지 않고 발표한다.
② 발표 내용을 모두 자료에 써 둔다.
③ 발표하기 전에 자신을 먼저 소개한다.
④ 그래프나 통계 자료는 작게 제시한다.
⑤ 한 화면에 너무 많은 내용을 제시하지 않는다.

8
단원

[16~18] 다음 대화를 읽고 물음에 답하시오.

> 여진: 우리 모둠은 '우리말이 있는데도 영어를 사용하는 예'를 조사하기로 했어. 영어를 무분별하게 사용하는 예로 무엇이 있을까?
>
> 제니: 영어를 새긴 옷이 너무 많아.
>
> 윤석: 방송에서 영어를 많이 사용하는 것 같아.
>
> 제니: 이 가운데서 어떤 것을 조사해 볼까?
>
> 민후: 옷에 새긴 영어는 조사 대상으로 알맞지 않은 것 같아. 만약 옷이 수입된 것이라면 옷에 영어가 있는 것은 당연할지도 몰라.
>
> 제니: 그럼 방송을 조사해 보면 어떨까? 방송은 아이들에게 영향을 많이 주잖아.
>
> 윤석: 조사한 결과를 방송사에 알려 주고 영어 사용을 자제해 달라고 요청할 수도 있어.
>
> 여진: 그럼 방송에서 영어를 얼마나 사용하는지 조사해 보자.

8단원

진도 완료 체크

16 이 모둠의 조사 주제는 무엇입니까? (   )
① 영어를 고유어로 바꾼 예
② 자주 사용하는 줄임 말의 예
③ 우리말이 있는데도 영어를 사용하는 예
④ 초등학생이 많이 사용하는 비속어의 예
⑤ 우리말과 영어를 섞어 만든 신조어의 예

17 '옷에 새긴 영어'가 조사 대상으로 알맞지 않다고 생각한 까닭은 무엇입니까? (   )
① 조사 기간이 짧아서
② 자료를 구하기 어려워서
③ 친구들이 관심 없는 내용이어서
④ 영어를 새기지 않은 옷이 훨씬 많아서
⑤ 수입된 옷에 영어가 있는 것은 당연할지도 몰라서

18 이 모둠이 방송을 조사하기로 한 까닭은 무엇입니까?
(   )
① 방송국이 학교에서 가깝기 때문에
② 방송에서는 영어만 사용하기 때문에
③ 모둠 친구들이 영어를 잘하기 때문에
④ 방송사에서 자료를 받을 수 있기 때문에
⑤ 방송이 아이들에게 영향을 많이 주기 때문에

19 다음은 어떤 조사 방법의 장단점을 설명한 것입니까?
(   )

> • 인물에 대한 자세한 정보를 수집할 수 있다.
> • 시간이 오래 걸린다.
> • 대상의 기분, 감정까지 느낄 수 있다.

① 책   ② 글   ③ 관찰
④ 면담   ⑤ 설문지

20 발표 원고를 구성할 때 시작하는 말에 들어갈 내용이 <u>아닌</u> 것은 무엇입니까? (,   )
① 모둠 이름
② 발표 제목
③ 조사 주제
④ 발표한 내용
⑤ 모둠의 의견이나 전망

• 답안 입력하기   • 평가 분석표 받기

온라인
학습북

수학 전문 교재

● 연산 학습

빅터연산   예비초~6학년, 총 20권

창의융합 빅터연산   예비초~4학년, 총 16권

● 개념 학습

개념클릭 해법수학   1~6학년, 학기용

● 수준별 수학 전문서

해결의법칙(개념/유형/응용)   1~6학년, 학기용

● 단원평가 대비

수학 단원평가   1~6학년, 학기용

● 단기완성 학습

초등 수학전략   1~6학년, 학기용

● 상위권 학습

최고수준 S 수학   1~6학년, 학기용

최고수준 수학   1~6학년, 학기용

최강 TOT 수학   1~6학년, 학년용

● 경시대회 대비

해법 수학경시대회 기출문제   1~6학년, 학기용

예비 중등 교재

● 해법 반편성 배치고사 예상문제   6학년

● 해법 신입생 시리즈(수학/영어)   6학년

맞춤형 학교 시험대비 교재

● 열공 전과목 단원평가   1~6학년, 학기용(1학기 2~6년)

한자 교재

● 해법 NEW 한자능력검정시험 자격증 한번에 따기   6~3급, 총 8권

● 씽씽 한자 자격시험   8~7급, 총 2권

● 한자전략   1~6학년, 총 6단계

배움으로 행복한 내일을 꿈꾸는
천재교육 커뮤니티 안내

. . .

교재 안내부터 구매까지 한 번에!
천재교육 홈페이지

자사가 발행하는 참고서, 교과서에 대한 소개는 물론
도서 구매도 할 수 있습니다. 회원에게 지급되는 별을 모아
다양한 상품 응모에도 도전해 보세요!

다양한 교육 꿀팁에 깜짝 이벤트는 덤!
천재교육 인스타그램

천재교육의 새롭고 중요한 소식을 가장 먼저 접하고 싶다면?
천재교육 인스타그램 팔로우가 필수!
깜짝 이벤트도 수시로 진행되니 놓치지 마세요!

수업이 편리해지는
천재교육 ACA 사이트

오직 선생님만을 위한, 천재교육 모든 교재에 대한 정보가 담긴
아카 사이트에서는 다양한 수업자료 및 부가 자료는 물론
시험 출제에 필요한 문제도 다운로드하실 수 있습니다.

https://aca.chunjae.co.kr

천재교육을 사랑하는 샘들의 모임
천사샘

학원 강사, 공부방 선생님이시라면 누구나 가입할 수 있는 천사샘!
교재 개발 및 평가를 통해 교재 검토진으로 참여할 수 있는 기회는 물론
다양한 교사용 교재 증정 이벤트가 선생님을 기다립니다.

아이와 함께 성장하는 학부모들의 모임공간
튠맘 학습연구소

튠맘 학습연구소는 초·중등 학부모를 대상으로 다양한 이벤트와 함께
교재 리뷰 및 학습 정보를 제공하는 네이버 카페입니다.
초등학생, 중학생 자녀를 둔 학부모님이라면 튠맘 학습연구소로 오세요!

단계별 수학 전문서

[개념·유형·응용]

수학의 해법이 풀리다!

해결의 법칙
시리즈

단계별 맞춤 학습

개념, 유형, 응용의 단계별 교재로
교과서 차시에 맞춘 쉬운 개념부터
응용·심화까지 수학 완전 정복

혼자서도 OK!

이미지로 구성된 핵심 개념과 셀프 체크,
모바일 코칭 시스템과 동영상 강의로
자기주도 학습 및 홈 스쿨링에 최적화

300여 명의 검증

수학의 메카 천재교육 집필진과
300여 명의 교사·학부모의
검증을 거쳐 탄생한 친절한 교재

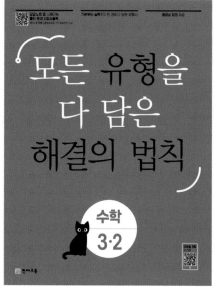

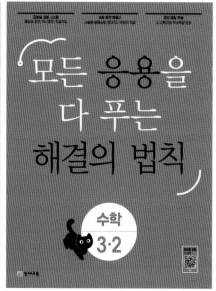

흔들리지 않는 탄탄한 수학의 완성! (초등 1~6학년 / 학기별)

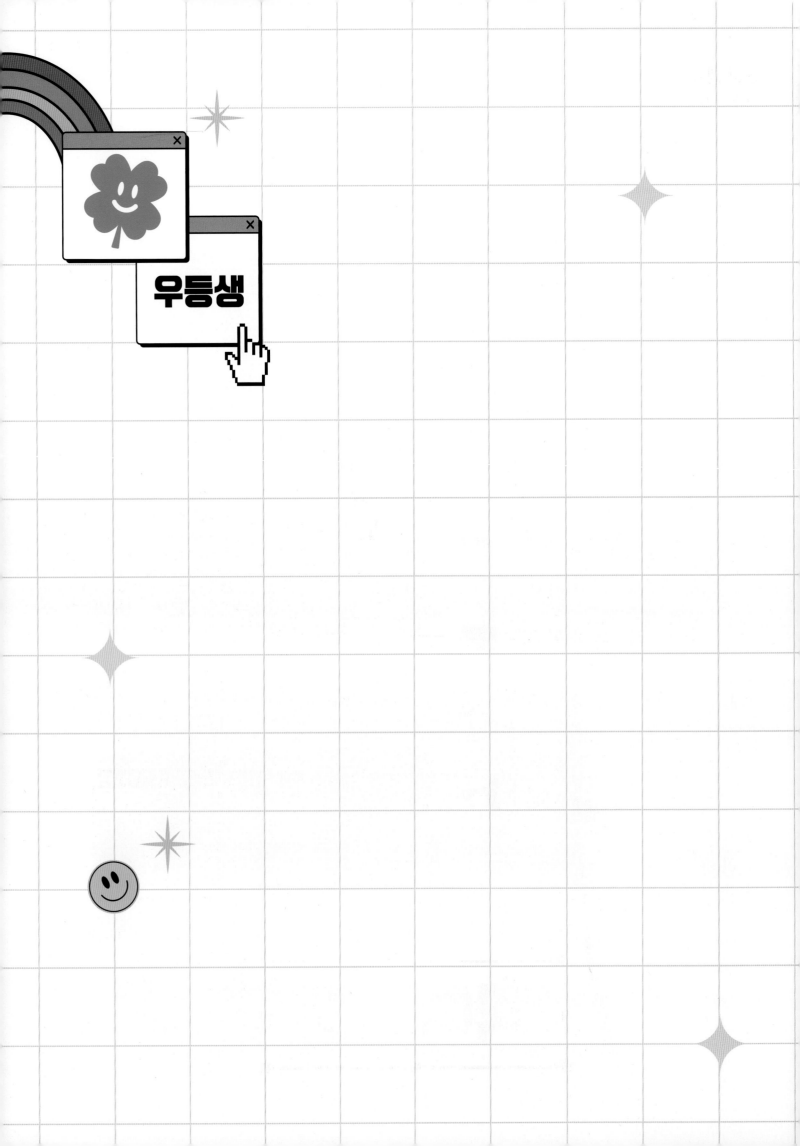

천재교육

#홈스쿨링 ×

우등생

정답은 정확하게
풀이는 자세하게

꼼꼼 풀이집

국어 5·2

정답과 풀이

5-2

1. 마음을 나누며 대화해요

1 ①	**2** (1) ② (2) ④	**3** 슬비
4 (1) 즐겁게 (2) 마음 (3) 공감		**5** ④
6 (1) ② (2) ①	**7** (2) ○	**8** ① 주의 ② 처지 ③ 공감
9 ④	**10** (1) ③ (2) ②	**11** ②, ③
12 (1) ② (2) ①	**13** ⑤	**14** ⑤
15 (1) ② (2) ① (3) ③	**16** 예 상대에게 마음의 상처를 주지	

않도록 더 조심해야 해. **17** ①, ⑤ **18** (1) ② (2) ③ (3) ①
19 예 선생님과 친구들 **20** ④ **21** 예 나도 보고 싶어.
어서 건강하게 돌아오렴. **22** ⑤ **23** ⑤ **24** 스미스
25 괴물(쇳덩이 괴물) **26** ④ **27** ② **28** ①
29 (1) ⓒ (2) ⓐ **30** ⑤ **31** ② **32** 권기옥
33 예 나도 내가 하고 싶은 걸 찾아서 그것을 이루고 싶어.

1 (3) ○ **2** 비행 **3** ⓒ

1 지윤이는 명준이의 이야기에 관심을 가지지 않았고, 명준이의 기분에 대한 배려 없이 자신의 생각만 말하고 있습니다.

2 명준이의 말에 관심을 보이는 말, 명준이의 입장에서 명준이의 기분을 생각해 보는 말을 고릅니다.

3 솔직한 생각이라고 해서 상대의 마음이나 처지를 이해하지 않고 말하는 것은 바른 대화 태도라고 볼 수 없습니다.

4 공감하며 대화하면 상대의 처지를 이해하고 배려하며 기분 좋은 대화를 이어 갈 수 있습니다.

5 철 수세미로 프라이팬을 닦아 프라이팬을 못 쓰게 만들었습니다.

6 현욱이가 설거지를 한 마음을 헤아려 주지 않고 잘못만 지적하면 서운하고 마음이 상할 것입니다.

7 엄마는 현욱이가 어떤 마음으로 설거지를 했는지 현욱이의 처지에서 생각하여 말하였습니다.

8 공감하며 듣고 말하려면 상대의 입장에서 상대의 기분과 처지를 생각한 뒤 말해야 합니다.

9 선미는 정우의 의견이 무엇이었는지 다시 말해 주며 정우의 말에 관심을 갖고 잘 들어 주었습니다.

10 ⓐ에는 선미가 정우의 처지가 되어 생각해 보는 말이, ⓑ에는 정우를 배려하며 하는 말이 어울립니다.

11 ⓒ에는 상대의 처지와 입장을 이해해 주는 말의 예가 들어가야 합니다.

12 상대의 말을 끝까지 주의를 기울여 잘 듣고 상대가 기분 나빠 하지 않게 부드럽게 말해야 합니다.

13 단체 대화방에서 선생님이 동아리 친구들에게 소식을 알리고 있는 대화입니다.

> **왜 틀렸을까?**
> ① 얼굴을 직접 보면서 대화하는 것은 직접 대화의 특성입니다.
> ② 누리 소통망 대화에서도 상대방의 대답을 받을 수 있습니다.
> ③ 누리 소통망에서는 주로 문자로 정보를 전달합니다.
> ④ 실시간으로 누리 소통망으로 말을 주고받을 수도 있습니다.

14 직접 말하기 어렵거나 말할 기회가 없을 때 누리 소통망을 이용하여 대화를 할 수 있습니다.

15 ①은 장난처럼 그림말을 어지럽게 사용했고, ②는 당사자가 없는 대화방에서 친구를 험담하였습니다. ③은 마음대로 대화방에 초대하여 상대를 곤란하게 하였습니다.

16

채점 기준	
평가	**답안 내용**
상	예 친구의 마음이 상하지 않도록 말을 더 조심해서 해야 해.
	→ 상대의 마음을 배려하고 말을 더 조심해야 한다는 내용으로 누리 소통망에서 주의할 점을 씀.
하	예 더 조심해야 한다.
	→ 무엇을 어떻게 조심하고 주의해야 하는지 구체적으로 드러내어 쓰지 않음.

17 누리 소통망에서 공감을 표현하려면 추천하기를 하거나 공감을 표현하는 댓글을 적극적으로 답니다.

18 말하는 내용에 어울리는 표정을 생각하여 선을 이을 수 있습니다.

19 입원한 정훈이는 누리 소통망으로 선생님, 친구들과 대화하고 있습니다.

20 선생님과 친구들은 공감하는 말, 격려하는 말, 응원하는 말을 하였습니다.

21 입원해 있는 정훈이의 처지를 생각하여 응원하는 말, 격려하는 말, 보고 싶다는 말 등을 다양하게 써 봅니다.

22 가정 형편이 어려웠던 '나'는 동생들을 돌보며 학교에 다녔습니다.

23 산업이 발달하지 않은 조선은 가난했고, 자동차를 아는 사람도 드물었습니다.

25 '괴물 타고 하늘을 난대!', '쇳덩이 괴물이 혼자만 날아올라.'에서 알 수 있습니다.

27 일본이 강제로 나라를 빼앗은 '일제 강점기'를 배경으로 하고 있습니다.

28 '나'는 나라를 되찾기 위해 무기를 나르고 돈을 모았습니다.

29 공감하며 대화하는 순서에 맞게 당계요 장군이 '나'에게 하였을 말을 상상해 봅니다.

30 여자의 몸으로 남학생들과 똑같이 힘들고 위험한 훈련을 견뎌 냈습니다.

31 '나'는 꿈을 따라서 산다는 게 꿈만 같아서 하루하루가 행복했다고 하였습니다.

32 우리나라 최초의 여자 비행사이자 상하이 임시 정부에서 항일 운동을 한 권기옥에 대한 이야기입니다.

33 채점 기준

평가	답안 내용
상	예 꿈을 이루기 위해 산다는 것이 얼마나 멋진 일인지 다시 한 번 생각해 보게 됐어.
	→ 글의 내용이나 주제와 관련하여 생각하거나 느낀 점을 예시 답안과 같이 구체적으로 씀.
중	예 그래, 나도 정말 대단하다고 생각해.
	→ 누리 소통망에서 나누고 있는 대화와 관련이 있지만 자신의 생각이나 느낀 점을 구체적으로 드러내지는 못함.
하	예 마침내 권기옥은 최초의 여자 비행사가 되어 꿈을 이루었다.
	→ 생각이나 느낀 점이 아닌, 글의 내용을 쓴 경우

단원 평가 교과서 진도북 **20~22** 쪽

1 ②   **2** ③   **3** ④   **4** ①, ②   **5** ⑤
6 (1) ㉠ (2) ㉢ (3) ㉡   **7** 예 기분 좋은 대화를 즐겁게 이어갈 수 있다.   **8** 철 수세미   **9** ④
10 (1) ③ (2) ②   **11** ⑤   **12** ⑤
13 예 한 번에 여러 사람들에게 소식을 편하게 전할 수 있다.
14 예 (^^)   **15** ②   **16** 일본   **17** ⑤   **18** ④
19 (1) ③ (2) ④ (3) ② (4) ①   **20** 예 나도 그렇게 생각해. 꿈을 이루기 위해 산다는 것은 정말 멋진 일인 것 같아.

1 상대의 감정, 의견, 주장 따위에 대하여 자신도 그렇게 생각하고 느끼는 것을 '공감'이라고 합니다.

4 상대의 말에 주의를 기울이며 맞장구를 치거나 고개를 끄덕이며 듣습니다.

6 ㉠은 상대의 말을 주의 깊게 들을 때 하는 말이고 ㉡은 상대의 입장에서 생각해 보는 말입니다.

---

7 채점 기준

평가	답안 내용
상	예 서로를 배려하며 기분 좋은 대화를 할 수 있다. / 서로를 잘 이해하게 되고 즐거운 대화를 나눌 수 있다.
	→ 예시 답안과 같이 상대에게 공감하며 대화를 했을 때 좋은 점을 구체적으로 씀.
중	예 기분이 좋아진다.
	→ 공감하는 대화를 할 때의 좋은 점으로 볼 수 있지만 어떤 대화를 할 수 있는지는 쓰지 않음.
하	예 서로 이해해야 한다.
	→ 공감하는 대화를 할 때의 좋은 점을 구체적으로 쓰지 않고 공감하는 대화를 하는 방법에 대해 씀.

10 현욱이는 속상해할 엄마의 마음을 생각하여 죄송하다는 말을, 엄마는 현욱이의 실수를 이해하고 공감해 주는 말을 할 수 있습니다.

11 상대의 이야기를 잘 듣고 있다는 표시를 표정이나 몸짓으로 보여 주는 것이 좋습니다.

12 말할 기회가 없거나 직접 말하기 어려울 때 누리 소통망을 통해 대화를 할 수 있습니다.

13 채점 기준

평가	답안 내용
상	예 여러 사람에게 정보를 전할 때 편리하다.
	→ 예시 답안과 같이 여러 사람과 정보나 소식을 쉽게 주고받을 수 있다는 내용으로 씀.
중	예 문자 대화를 할 수 있다.
	→ 누리 소통망 대화의 편리한 점이지만 정보나 소식을 주고받는 점에 대해 쓰지 않음.
하	예 핸드폰으로 연락할 수 있다.
	→ 여러 사람에게 정보를 전하는 상황과 관련이 없는 특성을 씀.

14 웃는 표정과 같은 그림말을 넣어 자신의 마음을 효과적으로 전할 수 있습니다.

17 중국에서도 여자를 차별하는 점에서 여자의 사회적 활동이 남자에 비해 자유롭지 못했음을 알 수 있습니다.

18 여자라서 비행 학교에 들어갈 수 없다고 하자 '나'는 당계요 장군에게 여자도 비행 학교에 들어갈 수 있게 해 달라고 부탁하였을 것입니다.

19 뒤에 오는 말과 어울리는 꾸며 주는 말을 찾습니다.

20 채점 기준

답안 내용
상대방의 생각을 존중해 주면서 공감을 표현한 답안이면 모두 정답으로 합니다.

6 2. 지식이나 경험을 활용해요

1 ③	**2** 농한기	**3** ⓛ	**4** ②, ③, ①, ④
5 ④	**6** ⑤	**7** ⑤	**8** (1) ② (2) ①
9 ①, ③	**10** (1) ① (2) ②	**11** 장빙	
12 (2) ○	**13** (1) 진흙 (2) 화강암	**14** ①, ②, ③	
15 (1) ○	**16** (2) ○ (3) ○	**17** (1) ⓛ (2) ⓔ (3) ⓒ	
18 (1) ③ (2) ② (3) ①		**19** (1) ⓐ (2) ⓒ (3) ⓑ	
20 특별 전시실		**21** (1) ② (2) ①	
22 예 체험한 내용을 자세하게 풀어 쓴다. / 체험에 대한 감상을 생생하게 쓴다. / 그때의 생각이나 느낌을 떠올려 쓴다.			
23 국립한글박물관	**24** ③, ④	**25** 감상	**26** ⑤
27 ④	**28** (1) ② (2) ① (3) ③	**29** ④	
30 예 준비물, 추천 전시물		**31** ①	

1 ③은 여럿이 뛰어넘는 줄넘기에 대해 떠올린 내용입니다.

2 음력 정월은 농한기였기 때문에 사람들이 모여 줄을 만드는 일에만 매달릴 수 있었습니다.

3 영산 줄다리기에 쓰이는 줄의 굵기에 대한 생각을 말하였습니다.

4 아이들의 줄다리기가 끝난 뒤 줄을 만들고, 줄다리기할 곳으로 옮긴 다음 암줄에 수줄을 끼우고 줄을 당깁니다.

5 조상들은 용이 물을 다스리는 신이라고 생각해서 용을 기쁘고 즐겁게 하면 풍년이 들 것이라고 믿었기 때문에 용을 닮은 줄을 만들어 줄다리기를 하였습니다.

6 '모두 하나 되는 대동 놀이'에서 '하나 되다'로 보아 '대동'은 여러 사람이 힘을 합친다는 뜻임을 짐작할 수 있습니다.

8 윤지는 이미 알고 있는 풍물놀이를 떠올려 글의 내용과 비교하며 읽었고, 또 다른 국가 무형 문화재는 무엇이 있는지 궁금한 점을 떠올리며 읽었습니다.

9 빙고는 겨울에 보관해 두었던 얼음을 이듬해까지 녹지 않게 보관하는 냉동 창고입니다.

10 동빙고는 왕실 제사에 쓰일 얼음을 보관하였고, 서빙고는 왕실이나 고급 관리들이 사용하는 음식 저장용, 식용, 의료용 얼음을 보관하여 공급하였습니다.

11 장빙에 대한 설명입니다.

12 옛날에 얼음을 보관하던 석빙고에 관한 글이므로 석빙고가 얼음을 오랫동안 보관할 수 있었던 원리를 이해하는 데 도움이 될 것입니다.

13 석빙고의 지붕은 이중 구조로 되어 있는데 '(1) 바깥쪽'은 진흙을 사용하여 열을 막고, '(2) 안쪽'은 열전달이 잘되는 화강암으로 만들었습니다.

14 석빙고가 얼음을 오랫동안 보관할 수 있게 만들어진 과학적인 원리 세 가지를 고릅니다.

15 내부의 더운 공기가 바깥으로 나가고 차가운 공기가 남아 있는 구조의 그림이어야 합니다.

> **왜 틀렸을까?**
> (2) 그림에서 빨간색 화살표로 표시된 '더운 공기'는 석빙고 지붕의 구멍을 통해 밖으로 나가야 하고, 파란색 화살표로 표시된 '차가운 공기'는 빙실 아래에 남게 됩니다.

16 석빙고는 자연 순환 원리를 활용한 것으로, 이러한 시설은 세계적으로도 드물다고 하였습니다.

17 ⓔ은 체험한 내용을, ⓒ은 생각이나 느낌을 간단히 정리한 것입니다.

18 각 체험 장소에서 느꼈을 법한 내용을 선으로 이어 봅니다.

19 글의 처음 부분에는 여행에 대한 간략한 소개가, 가운데에는 체험 내용과 감상이, 끝에는 여행을 마친 소감이 들어가는 것이 어울립니다.

20 글 ㉮에서 글쓴이가 체험한 내용을 알 수 있습니다.

21 글 ㉮는 체험 내용을 중심으로 자세히 풀어 썼고, 글 ㉯는 체험에 대한 감상을 중심으로 썼습니다.

22 **채점 기준**

평가	답안 내용
상	예 체험한 내용을 자세히 풀어 쓴다. / 그때의 생각이나 느낌을 떠올려 감상을 쓴다.
	→ 체험을 쓰는 방법과 감상을 쓰는 방법에 대해 예시 답안과 같이 두 가지로 씀.
중	예 체험한 내용을 자세하게 쓴다. / 언제 무엇을 했는지 자세히 쓴다.
	→ 위와 같이 체험한 내용을 쓰는 방법이나 감상을 쓰는 방법 중 한 가지에 대해서만 씀.
하	예 바르고 정확한 표현으로 쓴다. / 알기 쉬운 말을 사용하여 쓴다.
	→ 체험이나 감상에 대해 쓰는 방법이 아닌, 일반적인 글을 쓰는 방법에 대해서 씀.

23 국립한글박물관을 다녀와서 쓴 글입니다.

24 지하철에서 박물관까지 걸어가는 길 주변에 대한 모습도 쓰면 좋겠다며 자신의 경험을 활용하여 글을 더 생생하게 쓸 수 있는 의견을 말하였습니다.

25 동호는 문장 중간중간에 감상을 넣어 주면 좋겠다고 하였습니다.

26 정욱이와 성민이는 정확하고 알기 쉬운 표현에 대해 의견을 말하였습니다.

27 같은 체험을 하더라도 생각이나 느낌은 다 다를 수 있기 때문에 글쓴이의 감상을 존중해야 합니다.

28 각 체험학습 장소에 대해 알고 있는 점이나 경험을 떠올려 추천하는 까닭을 생각할 수 있습니다.

29 현장 체험학습을 계획할 때 정할 내용이 아닌 것을 고릅니다.

30 체험학습 장소까지 가는 안내도나 준비물, 추천 전시물이나 관람 자료 등에 대한 자료를 보여 주면 좋습니다.

31 제시한 자료만 그대로 읽기보다 친구들의 반응을 살펴보며 더 보충할 점, 자세히 소개할 점을 발표하는 것이 좋습니다.

단원 평가
교과서 진도북 **32~34**쪽

1 ④　　**2** ⑤　　**3** 예 운동회 때 줄다리기를 해 본 경험
4 ③, ④　**5** 예 줄다리기를 한 까닭　**6** ① 물 ② 용 ③ 풍년
7 (1) ○ (3) ○　　**8** ⑤　　**9** ①
10 (1) 석빙고 (2) 얼음, 방법　　**11** 온도 변화
12 ②　　**13** 진흙　　**14** 예 찬 공기는 아래로 내려가고 더운 공기는 위로 올라가면서 열이 이동한다.　　**15** ③
16 ①　　**17** 끝　　**18** ①　　**19** (1) ② (2) ③ (3) ①
20 예 각 장소에서 체험할 내용

1 영산 줄다리기에 대해 설명하는 글입니다.

2 마을 사람들이 줄을 만드는 일에만 매달릴 수 있을 정도로 시간이 많아야 하므로 '농사일이 한가한 때'라고 짐작할 수 있습니다.

3 여러 사람이 줄다리기를 한 장면을 보았거나 직접 줄다리기를 해 본 경험을 떠올려 보면 글을 이해할 때 도움이 됩니다.

5 조상들이 왜 줄다리기를 하였는지 설명하고 있습니다.

6 조상들은 물을 다스리는 신인 용을 기쁘게 해야 풍년이 든다고 믿어서 줄다리기를 하였습니다.

7 줄다리기가 풍년을 기원하며 행해졌다는 것, 줄다리기의 줄이 용을 닮았다는 것은 우리 문화가 농사를 중심으로 발달하였고, 조상들이 용을 신령스럽게 여겼다는 배경 지식과 관련이 있습니다.

8 서빙고는 왕실과 고급 관리들이 쓸 얼음을 공급했습니다.

9 '빙고', '장빙'의 뜻으로 보아 '빙' 자는 '얼음'을 뜻함을 짐작할 수 있습니다.

10 현수는 석빙고에서 얼음을 보관할 수 있다는 사실을 알고 있었고, 석빙고에서 얼음을 녹지 않게 하는 방법은 무엇인지 궁금해하였습니다.

11 석빙고는 온도 변화가 적은 반지하 구조로 만들어졌다는 문장에서 그 까닭을 알 수 있습니다.

12 석빙고의 공기구멍은 내부의 더운 공기를 밖으로 내보내는 역할을 하였습니다.

13 석빙고 지붕은 진흙과 화강암으로 만들었는데, 이 중 진흙은 바깥의 더운 열기를 막아 주는 역할을 하였습니다.

14 | 채점 기준 |

평가	답안 내용
상	정답 키워드 찬 공기, 더운 공기 예 더운 공기는 위로 올라가고 찬 공기는 아래로 내려가면서 열이 이동한다. → 예시 답안과 같이 기체에서 열이 이동하는 모습이나 원리에 대해 자세히 씀.
중	예 더운 공기와 차가운 공기가 서로 섞이면서 열이 이동한다. → ㉠과 관련된 열의 이동에 관한 지식으로 볼 수 있지만 더운 공기는 위로 올라가고, 찬 공기는 아래로 내려간다는 구체적인 내용을 밝히지 않음.
하	예 공기에서 열이 이동한다. → 기체에서 열이 어떻게 이동하는지 풀어서 쓰지 않고 그 내용을 짧게 나타낸 경우.

15 체험과 감상이 잘 드러나게 써야 하므로 인물의 성격이나 사건은 중요한 요소가 아닙니다.

16 체험 내용을 중심으로 쓴 부분입니다.

17 체험을 하고 난 뒤의 감상을 중심으로 썼으므로 글의 끝부분에 들어갈 내용으로 어울립니다.

18 글의 단점만 간단히 말해 주는 것보다 어떻게 고치면 좋을지 함께 말해 주는 것이 좋습니다.

20 | 채점 기준 |

평가	답안 내용
상	예 독립기념관 관람 순서, 관람할 때 주의할 점 → 예시 답안과 같이 독립기념관 체험 계획에 꼭 필요한 내용을 씀.
하	예 모이는 시간, 준비물 → 체험학습을 계획할 때 필요한 내용이지만 보기 에 이미 제시되어 있거나 보기 의 내용과 비슷한 답안을 쓴 경우

3. 의견을 조정하며 토의해요

진도 학습　교과서 진도북 **37~43**쪽

1 ②　　　**2** 미세 먼지　　　**3** ②, ⑤
4 (1) 비판 (2) 예의 (3) 근거　　**5** ⑤　　**6** ③, ④
7 (1) ③ (2) ① (3) ②　　**8** 예 근거를 말하지 않고 주장만 말했다. / 상대가 듣기 싫어하는 말을 했다. / 토의에 적극적으로 참여하지 않았다.　　**9** ④　　**10** (1) ㉠ (2) ㉡
11 현서　　**12** (3) ✕　　**13** (1) 나, 라 (2) 가, 다
14 (1) 신문 기사 (2) 책　　**15** 라　　**16** ①, ②
17 예 틈새 시간을 어떻게 활용하는 것이 좋을까?
18 (1) ① 건강 달리기 ② 식물 (2) ① 건강 ② 공기 (3) ① 신문 기사 ② 책 (4) 많아서
19 (1) 🙂 (2) 🙂 (3) 😀 (4) 😀
20 글　　**21** (1) ○　　**22** 건강 달리기　　**23** (2) ○
24 (1) 가 (2) 나　　**25** ㉠, ㉢　　**26** (2) ○　　**27** ③

1 미세 먼지가 심해서 외부 활동을 자제하기 위해 교실에서 하기로 하였습니다.

2 미세 먼지에 어떻게 대처해야 할지 의견을 나누고 있습니다.

> **더 알아보기**
>
> 세계보건기구[WHO]는 미세 먼지를 1급 발암 물질로 정했습니다. 그만큼 미세 먼지는 위험하고 몸에 해롭다는 뜻입니다. 미세 먼지가 심해서 체육 수업을 교실에서 하게 된 친구들이 미세 먼지 대처 방안이 필요하다고 생각했기 때문에 토의 주제로 정한 것입니다.

3 마스크를 쓰고 생활하자는 의견과 학교 곳곳에 공기 청정기를 설치하자는 의견이 제시되었습니다.

4 상대의 의견을 잘 듣지 않고 비판하거나 무시하는 말을 하여 의견이 잘 모아지지 않았습니다.

5 토의에 적극적으로 참여하지 않고 문제를 해결하는 데 무관심한 태도를 보였습니다.

6 토의를 원활하게 진행할 수 없습니다.

> **왜 틀렸을까?**
>
> ①, ② 토의에서 의견을 조정하지 않아서 생기는 일과 관련이 없습니다.
> ⑤ 의견을 조정하지 않는다고 해서 한 사람이 정한 의견을 따르는 것은 아닙니다.

7 의견을 조정할 때 의견 및 근거와 관련한 문제, 토의 태도와 관련한 문제, 토의 진행과 관련한 문제가 일어날 수 있습니다.

8

> **채점 기준**
>
> | 답안 내용 |
> | --- |
> | 토의 주제와 관련이 없는 의견과 근거를 말하거나, 토의에 참여하는 태도가 바르지 못하거나, 토의 진행을 하다가 실수를 하는 등 여러 가지 문제가 발생할 수 있습니다. 토의를 했던 경험을 떠올려 어떤 어려운 점이 있었는지 쓰면 정답으로 합니다. |

9 의견을 조정하기 위해 토의로 해결할 문제를 정확히 파악하려고 합니다.

10 **7**~**9**의 과정에서 의견대로 실천했을 때의 결과를 예측해 보았습니다.

11 다른 사람의 의견을 존중하며 상대를 배려하며 말해야 합니다.

> **더 알아보기**
>
> **상대를 배려하는 의견 표현 방법 생각하기**
> 의견을 조정하는 것은 상대 기분을 배려하면서 자기 의견의 장점을 주장하는 말하기이기도 합니다. "그 의견도 좋은 생각입니다만…….", "네, 맞습니다. 하지만 이 문제에 대해서도 생각해 보아야 합니다."처럼 상대를 배려하며 말할 수 있도록 합니다.

12 의견을 조정하는 과정을 통해 결정한 의견은 따르도록 합니다.

13 나와 라에서는 자료를 제시해 의견을 말하고 있습니다.

14 각각 신문 기사와 책 자료를 제시해 의견을 말하고 있습니다.

15 책 자료를 제시하며 의견을 말한 장면은 라입니다.

16 정보를 눈으로 직접 확인할 수 있어 의견과 근거를 이해하기 쉽습니다.

17 초등학생의 건강 문제를 해결할 방법이 필요하다는 뉴스를 보고 주제를 정했습니다.

18 여자아이는 관련 기사가 너무 많아서, 남자아이는 책이 많아서 한꺼번에 읽기가 힘들기 때문에 곤란해했습니다.

19 (1), (2)는 책을 읽는 방법으로 적절하고, (3), (4)는 신문 기사를 읽는 방법으로 적절합니다.

20 많은 내용을 글로 설명하고 있는 자료입니다.

21 중요한 내용을 중심으로 요약한 것을 알 수 있습니다.

22 비만 학생 수를 도표로, 건강 달리기의 효과를 도형과 선, 화살표를 이용해 나타냈습니다.

23 그림이나 도표를 이용해 자료를 나타내면 이해하기 쉽고 기억에 오래 남습니다.

24 가에서 운동장 사용과 관련된 문제, 나에서는 음식물 쓰레기와 관련된 문제가 발생했습니다.

25 해결 방법을 찾을 수 있는 문제인지 생각합니다.

26 자율 배식을 하면 문제점이 있어 의견을 조정한 것이므로 ⑴은 알맞지 않습니다.

27 ③은 교실을 깨끗이 하자는 토의 주제와 관련 있는 의견으로 볼 수 없습니다.

---

1 토의 **2** 미세 먼지 **3** ⑴ 마스크 ⑵ 공기 청정기
4 ① **5** 결과 예측하기 **6** ⑵ ○ **7** 비용
8 공기 청정기 **9** 신문 기사 **10** 나
11 책 **12** ⑤ **13** 예 짧은 시간이라도 날마다 달리기를 하면 건강에 효과가 있다. **14** ⑤ **15** ⑵ ×
16 ③ **17** 건강 달리기 **18** 17 **19** ①
20 예 운동장을 효율적으로 사용할 수 있는 방법

1 미세 먼지에 대처하는 방안을 토의하고 있습니다.

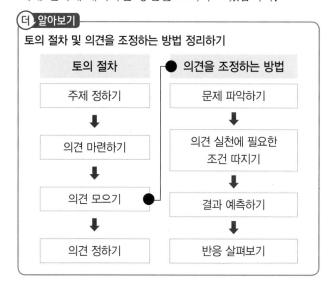

> **더 알아보기**
>
> 토의 절차 및 의견을 조정하는 방법 정리하기
>
> | 토의 절차 | 의견을 조정하는 방법 |
> | --- | --- |
> | 주제 정하기 | 문제 파악하기 |
> | ↓ | ↓ |
> | 의견 마련하기 | 의견 실천에 필요한 조건 따지기 |
> | ↓ | ↓ |
> | 의견 모으기 ● | 결과 예측하기 |
> | ↓ | ↓ |
> | 의견 정하기 | 반응 살펴보기 |

2 미세 먼지가 심해서 외부 활동을 자제해야 했습니다.

3 ❷~❸ 장면을 살펴봅니다. 마스크를 쓰고 생활하자는 의견과 학교 곳곳에 공기 청정기를 설치하자는 의견이 제시되었습니다.

4 상대 의견의 장점을 받아들이지 않고 상대의 의견을 비판하기만 했습니다.

5 의견을 실천했을 때 일어날 수 있는 문제점을 예측해 보고 있습니다.

6 ⑴은 문제 파악하기 단계에서 해야 할 일입니다.

7 공기 청정기를 설치하는 데 비용이 많이 들 수 있습니다.

8 공기 청정기를 설치하면 공기를 깨끗하게 해 준다는 근거를 제시하고 있습니다.

---

9 가에서는 아무런 자료 없이 말하고 있지만 나에서는 자료를 제시해 의견을 말하고 있습니다.

10 정보를 눈으로 직접 확인할 수 있어 의견과 근거를 이해하기 쉽습니다.

11 책을 자료로 제시하고 있습니다.

12 규리는 '건강 달리기를 하면 어떨까?' 하는 생각을 했으므로 '건강 달리기를 하자.'는 의견을 제시했을 것입니다.

13 규리는 짧은 시간이라도 날마다 달리기를 하면 건강에 효과가 있다는 자료를 찾으려고 합니다.

채점 기준

평가	답안 내용
상	예 짧은 시간이라도 날마다 달리기를 하면 건강에 효과가 있다.
	→ 규리의 생각을 바탕으로 의견에 대한 근거의 내용을 씀.
중	예 달리기, 건강에 큰 효과
	→ 규리가 찾은 자료의 내용을 씀.
하	예 건강 달리기를 하자.
	→ 의견을 씀.

14 신문 기사를 읽는 방법으로 알맞은 것을 찾습니다. ②, ③, ④는 문학 작품을 읽는 방법으로 알맞습니다.

15 글보다 표나 도표, 사진이나 그림 등을 활용하면 자료를 알기 쉽게 표현할 수 있습니다.

16 나, 다는 가 자료를 알기 쉽게 정리한 자료입니다.

17 건강 달리기의 효과에 대해 정리했습니다.

18 비만 학생은 100명당 약 17.3명이라고 했습니다. 다른 쪽에 83명이라고 쓰여 있으므로 비만 학생 수는 17명으로 쓸 수 있습니다.

19 건강 달리기의 여러 가지 효과에 대해 설명하고 있으므로 건강을 위해 건강 달리기를 하자는 의견의 근거 자료로 활용할 수 있습니다.

20 **채점 기준**

평가	답안 내용
상	예 운동장을 효율적으로 사용할 수 있는 방법
	→ 문제 상황을 바르게 파악하고 관련 있는 토의 주제를 정함.
중	예 운동장 사용 방법
	→ 문제 상황과 관련된 토의 주제이나 구체적인 토의 주제가 잘 드러나지 않음.
하	예 운동장을 시간을 나누어 학년별로 사용하자.
	→ 토의 주제가 아닌 문제 상황과 관련한 의견을 제시함.

6 4. 겪은 일을 써요

1 ②   **2** ③   **3** 서술어   **4** (1) ○   **5** 예 좋아 보이지 않았다.   **6** 그때 안방에서 아버지가 불렀다.
7 그때 안방에서 아버지께서 부르셨다.   **8** ②   **9** 뜻
10 ①   **11** (1) ① (2) ③ (3) ②   **12** (1) ① (2) ② (3) ①
13 못하다, 안   **14** ⑤   **15** 예 선생님 말씀은 전혀 들어 보지 못한 내용이었다. / 선생님 말씀은 전혀 들어 본 적이 없는 내용이었다.   **16** ④   **17** ⑤   **18** ①, ③
19 속담   **20** 예 "주찬아, 그만하고 나와." / 금방 게임을 시작했는데 엄마께서는 또 화가 난 목소리로 부르신다.
21 ④   **22** ©   **23** ②   **24** ④, ⑤   **25** ④

1 용준이가 잘못한 일인데 아버지께서 '나'한테만 화를 내셨기 때문에 화가 났습니다.

2 '나'는 용준이를 아프게 한 적도 없는데 사정을 모르고 '내'게 큰소리를 내신 아버지께 억울한 마음이 들었을 것입니다.

3 시간을 나타내는 말과 서술어가 호응하지 않아서 어색합니다.

4 '어제저녁'은 과거를 나타내는 말이므로 서술어도 그에 맞게 고쳐 씁니다.

5 '별로'와 호응하도록 부정의 뜻을 나타내는 서술어로 고쳐 씁니다.

6 '아버지께서 부르셨다'와 같이 써야 높임이 드러납니다.

7 '께, 께서'를 붙여 높임을 표현하고, '-시-'를 넣어 서술어를 고칩니다.

8 '웃어 버렸다'에 대한 주어가 잘못된 문장입니다. '웃음이'를 주어로 한다면 '웃음이 피식 나와 버렸다.'로 고칠 수도 있습니다.

9 문장 성분의 호응이 이루어져야 문장의 뜻을 바르게 이해할 수 있습니다.

10 글을 읽을 사람을 떠올리는 것으로 보아 글을 쓸 준비를 하는 단계로, '계획하기'에 해당합니다.

11 각 문장을 살펴보고 문장 성분의 호응이 제대로 이루어졌는지 생각해 봅니다.

12 호응이 잘 이루어지도록 고친 것을 알맞게 찾습니다.

13 '결코, 전혀, 별로'는 부정하는 뜻을 나타내는 말과 호응합니다.

14 호응하는 서술어가 따로 있는 낱말을 바르게 쓸 수 있는지 확인하는 문제입니다. '결코'는 '어떤 경우에도 절대로.'라는 뜻의 낱말로 '아니다', '없다', '못하다' 따위의 부정어와 함께 쓰이는 낱말입니다. 부정하는 뜻을 나타내는 문장으로 고쳐 써야 합니다.

15 '말'을 알맞은 높임 표현으로 고치고, '전혀'와 호응하도록 서술어를 고쳐야 합니다.

채점 기준

평가	답안 내용
상	알맞은 높임 표현으로 '전혀'와 호응하도록 서술어를 부정 형태로 고쳐 씀.
중	알맞은 높임 표현으로 '전혀'와 호응하도록 서술어를 부정 형태로 고쳐 썼으나 문장에 틀린 글자가 있음.
하	알맞은 높임 표현으로만 고쳐 썼거나, '전혀'에 호응하는 부정 표현으로만 문장을 고쳐 씀.

16 '나는 지호의 생각을 도저히 이해할 수 없다.'로 써야 문장 성분이 호응합니다.

17 글쓰기 계획하기 단계에서 글을 읽을 장소는 정하지 않아도 됩니다.

18 글을 읽는 사람이 흥미를 느낄 만한 것을 글감으로 정해 글을 쓰는 것이 좋습니다. 누구나 경험할 만한 이야기는 흥미를 끌기 어렵고 장소나 등장인물의 변화가 너무 많으면 글을 읽는 사람이 글의 내용을 이해하기 어렵거나, 글을 쓰는 사람도 짜임새 있는 글을 쓰기 어렵습니다. ②는 글감을 정할 때 지우지 말아야 할 내용입니다.

19 "가는 날이 장날"이라는 속담을 넣어 글머리를 시작했습니다.

20 대화로 시작하는 글머리를 알맞게 써야 합니다.

채점 기준

평가	답안 내용
상	대화로 시작하는 글을 알맞은 문장으로 틀린 곳 없이 쓴 경우.
중	대화로 시작하는 글을 썼으나 틀린 글자가 있거나 띄어쓰기가 어색한 경우.
하	큰따옴표를 빠뜨려 대화인지 알기 어려운 경우.

21 간결하고 이해하기 쉬우며 문장 성분이 호응하도록 써야 합니다.

22 겪은 일이 드러나는 글을 쓸 때 활용할 매체는 서로 공유할 수 있는 것이어야 합니다.

23 스마트폰이 없는 친구들은 단체 대화방에 참여하기 힘듭니다.

24 저작권을 침해하지 않도록 하고 읽기 쉽게 글을 쓰도록 합니다.

25 매체를 활용해 글을 쓰면 글을 고치기가 편리하고 의견을 쉽게 주고받을 수 있습니다. 한 사람이 쓴 글을 여러 사람이 동시에 읽을 수도 있습니다. ④는 매체를 활용하여 대화를 했을 때 일어날 수 있는 좋지 않은 점에 대해 쓴 것입니다.

더 알아보기

매체를 활용하니 의견을 쉽게 주고받을 수 있구나.

글을 고치기 편리해.

여러 사람이 동시에 읽고 의견을 쓸 수 있어.

단원 평가 교과서 진도북 **54~56**쪽

1 ⑤ **2** ⑤ **3** 예 서럽다, 속상하다 **4** (1) ○
5 ④, ⑤ **6** ⑤ **7** ⑤ **8** ④ **9** (3) ×
10 ㉠ **11** 예 나는 책 읽기를 별로 좋아하지 않는 편이다.
12 예 나는 카레를 별로 좋아하지 않는다. **13** ⑤
14 ③ **15** ④ **16** (1) ○ **17** ① **18** ①
19 ② **20** ⑤

1 고쳐쓰기 단계에서는 글에서 어색한 부분이나 잘못된 부분을 고쳐 쓰는 일을 합니다.

2 윤서는 자기가 동생을 울린 것도 아닌데 동생을 울렸다고 아버지께 큰소리를 들었습니다.

3 동생 때문에 아버지께 야단맞아서 억울하고 속상한 마음이 들었을 것입니다.

4 시간을 나타내는 말 '어제저녁'과 어울리는 서술어는 '밀려왔다'입니다.

5 '별로'와 어울리는 부정하는 서술어를 고릅니다.

6 문장 성분의 호응이 이루어지면 문장의 뜻을 바르게 이해할 수 있습니다.

7 서술어가 '나갔다'이므로 과거의 시간을 나타내는 말이 들어가야 합니다.

8 '내일'이라는 시간을 나타내는 말과 어울리는 서술어를 고릅니다.

9 ㉢은 '잡수시고,' 또는 '드시고'로 고쳐 써야 합니다.

10 '별로'는 '-지 않다', '-지 못하다'와 같은 부정을 나타내는 표현과 호응합니다.

11 '-지 않다', '-지 못하다'와 같은 표현을 써서 호응하도록 고쳐 씁니다.

채점 기준

평가	답안 내용
상	**정답 키워드** '-지 않다' / '안'
	예 나는 책 읽기를 별로 안 좋아하는 편이다.
	→ '-지 않다', '안 -하다'와 같은 표현을 써서 부정하는 문장으로 고쳐 씀.
중	예 좋아하지 않는
	→ 밑줄 친 부분만 고쳐서 문장으로 완성하지 못함.
하	예 선생님 말씀은 전혀 못 들어 본 내용이었다.
	→ ㉠이 아닌 다른 문장을 호응하도록 고쳐 쓴 경우.

12 '결코, 전혀, 별로' 중 하나를 넣어 호응하는 문장으로 정확하게 씁니다.

채점 기준

평가	답안 내용
상	**정답 키워드** '아니다' / '없다' / '못하다' 등의 부정어
	예 나는 결코 거짓말을 하지 않는다.
	→ '결코, 전혀, 별로'가 들어간 문장을 부정어로 호응되게 씀.
중	'결코, 전혀, 별로'가 들어간 문장을 호응되게 썼으나 틀린 글자가 있음.
하	'결코, 전혀, 별로'가 들어간 문장을 호응하도록 썼으나 틀린 글자나 띄어쓰기가 잘못된 부분이 두 군데 이상임.

13 '도저히'는 '이해할 수 없다'와 같이 부정의 뜻을 가진 말과 호응합니다.

14 글을 쓰는 목적, 읽는 사람, 글의 주제, 글의 종류 등을 정합니다.

15 글 내용을 생성하는 과정에서 글을 읽는 사람이 흥미를 느끼기 힘든 것은 지우고 흥미를 느낄 만한 것을 중심으로 정리합니다.

16 날씨 표현이 쓰인 글은 (1)입니다.

17 "가는 날이 장날"은 일을 보러 가니 공교롭게 장이 서는 날이라는 뜻으로, 어떤 일을 하려고 하는데 뜻하지 않은 일을 공교롭게 당함을 비유적으로 이르는 말입니다.

18 여러 사람이 함께 대화가 가능한 매체여야 합니다.

19 다른 책의 내용과 너무 비슷하다는 것으로 보아 출처를 밝히지 않고 자료를 활용했을 수 있습니다. 이러한 경우 저작권을 침해하게 됩니다.

20 친구 의견에서 반영할 부분을 생각하고 반영하기 힘든 부분은 그 까닭을 생각해서 친구에게 의견을 다시 전달할 수 있습니다.

6
5. 여러 가지 매체 자료

진도 학습
교과서 진도북 59~66쪽

1 ①, ②	**2** ㉢	**3** 인터넷 매체	**4** 나영
5 ④	**6** ④	**7** ②	**8** ③	**9** (3) ○

10 돌쇠의 집 등　**11** ②　**12** ⑤　**13** 뇌물 등
14 예 뇌물을 주고받는 일이 옳지 못하다는 것을 나타내기 위해서이다. **15** 열　**16** ⑤　**17** 과거　**18** ⑤
19 기록　**20** 예 꾸준히 노력해서 자신의 한계를 극복한 점을 본받고 싶다.　**21** ③　**22** 인터넷 매체
23 ③　**24** 부럽다고 생각하였다. 등　**25** ④
26 은하수　**27** ⑤　**28** 서영이　**29** ②, ⑤　**30** ㉢
31 ③　**32** (3) ○　**33** ①　**34** 인터넷 등
35 지영　**36** 예 미라에게 서영이를 괴롭히는 것을 그만두라는 손 편지를 쓸 것이다.

자습서 확인 문제 67쪽

1 ④　　**2** 마녀사냥　　**3** (2) ○

---

1 신문과 같은 인쇄 매체 자료는 사진, 그림, 글을 잘 살펴보아야 합니다.

2 영상 매체 자료는 시각과 청각을 모두 이용하고 비슷한 매체 자료로는 영화, 연속극 등이 있습니다. ㉠과 ㉡은 인쇄 매체 자료에 대한 설명입니다.

3 민준이는 친구와 문자 메시지로 오늘 미세 먼지에 대한 대화를 주고받고 있습니다. 문자 메시지, 누리 소통망[SNS]은 인터넷 매체 자료입니다.

4 사진과 동영상을 사용하면 내용을 실감 나고 정확하게 전달할 수 있습니다

6 허준은 시험일이 촉박하지만 병을 치료해 주기를 바라는 사람이 많아서 떠나지 못하였습니다.

7 마을 사람들은 허준이 중요한 시험을 앞두고도 자신의 시간을 쪼개어 아픈 사람들을 돌보아 주어서 미안하고 고마울 것입니다.

8 허준이 밤새도록 환자를 치료하는 상황을 잘 나타내는 장면입니다.

9 피곤해도 절대 무너지면 안 된다고 다짐하는 허준의 생각을 표현하려고 허준의 속마음을 혼잣말로 그대로 들려주었습니다.

10 과거 시험장으로 가는 지름길이 아니라 돌쇠의 집으로 가는 길이었습니다.

---

11 힘들지만 시험을 잘 치르겠다는 의지가 잘 느껴지는 음악이 어울리는 장면입니다.

12 돌쇠가 허준을 속였다는 것을 나타내기 위한 표현 방법입니다.

13 유도지는 과거 시험에서 아버지를 생각하지 말고 자신의 실력만을 보아 달라고 부탁하며 벼슬아치에게 뇌물을 주었습니다.

14 뇌물을 주고받는 일이 옳지 못하다는 것을 보여 주기 위해 긴장감이 느껴지는 음악을 사용하였습니다.

채점 기준

평가	답안 내용
상	뇌물을 주고받는 일이 옳지 못하다는 것을 나타내기 위해서라는 내용을 쓴 경우
중	예 나쁜 일이 일어나고 있어서
	→ 일어난 일이 잘 드러나지 않게 쓴 경우
하	예 분위기와 어울려서
	→ 핵심에서 벗어난 답을 쓴 경우

15 장면 ❶에서 열 살 때 처음 글을 배우기 시작했다고 하였습니다.

16 김득신의 아버지는 공부를 포기하지 않는 김득신을 대견스럽게 여겼습니다.

17 김득신의 아버지는 공부란 꼭 과거를 보기 위한 것만이 아니니 더욱 노력하라고 김득신을 격려했습니다.

18 경쾌한 느낌을 주는 음악으로 읽은 내용을 자꾸 잊어버리는 우스꽝스러우면서도 안타까운 김득신의 모습이 강조됩니다.

19 김득신은 자신의 한계를 극복하기 위해 만 번 이상 읽은 책에 대한 기록을 남겼습니다.

20 김득신의 행동을 바탕으로 본받을 점을 썼으면 정답으로 합니다.

채점 기준

평가	답안 내용
상	예 꾸준히 노력해서 자신의 한계를 극복한 점을 본받고 싶다. / 포기하지 않고 최선을 다해 노력하는 점이 본받을 만하다.
	→ 김득신이 한 일을 바탕으로 본받을 점을 씀.
중	'공부를 열심히 한 것' 등과 같이 내용을 구체적으로 쓰지 않은 경우
하	본받을 점이 아닌 김득신의 성격이나 행동을 쓴 경우

21 미라는 전학 온 서영이가 성격이 좋아 금세 친구들과 잘 어울리는 점이 부러워서 핑공 카페에 '흑설 공주'라는 계정으로 서영이와 관련한 글을 올렸습니다.

22 인터넷 매체 자료인 인터넷 카페에 거짓 글을 올렸습니다. '글을 올리다', '선플', '악플' 등을 통해 핑공 카페가 인터넷 카페라는 것을 알 수 있습니다.

23 흑설 공주의 글이 모두 사실이 아니라는 내용의 글을 올렸습니다. ③은 들어 있지 않습니다.

24 민주는 자기 생각을 당당하게 밝힐 줄 아는 서영이의 용기가 몹시 부러웠습니다.

25 빨간 풍선은 서영이를 응원하는 댓글을 달았습니다.

26 은하수는 서영이가 쓴 글의 내용을 믿었고, 하이디와 허수아비는 흑설 공주가 쓴 글의 내용을 사실이라고 생각하였습니다.

27 흑설 공주는 "내가 쓴 글이 사실이 아니라면 그걸 반박할 증거를 내놓아라."라며 서영이를 공격하는 글을 또 올렸습니다.

28 민주는 흑설 공주가 올린 글을 읽고 서영이가 딱하고 가엾다고 생각하였습니다.

29 서영이는 자신이 거짓말을 하지 않았다는 것을 증명하기 위해서 핑공 카페에 부모님의 모습이 담긴 사진 두 장을 올렸습니다.

30 인터넷 매체 자료이므로 인쇄 매체 자료, 영상 매체 자료의 표현 방법을 모두 사용할 수 있습니다.

31 서영이가 흑설 공주의 글에 대한 반박 글을 올리자 카페 가입자들이 서영이를 응원하는 댓글과 흑설 공주를 비난하는 댓글을 수없이 올렸습니다.

32 흑설 공주는 거짓 정보로 서영이를 비방하였습니다.

33 '꼬리를 내리다'는 '상대편에게 기세가 꺾여 물러서거나 움츠러들다.'를 뜻합니다.

34 서영이가 내놓은 사진들은 인터넷 여기저기에서 얼마든지 퍼 올 수 있는 사진들이라고 하였습니다.

35 지영이가 인터넷을 통한 가짜 정보, 다른 사람을 비난하는 것과 관련 있는 경험을 말하였습니다.

36 채점 기준

평가	답안 내용
상	예 미라에게 서영이를 괴롭히는 것을 그만두라는 손 편지를 쓸 것이다.
	→ 미라가 한 일, 민주의 마음 등을 바탕으로 민주의 행동을 씀.
중	예 서영이 편을 들 것이다.
	→ 어떤 행동을 할지 구체적으로 쓰지 못함.
하	예 미라를 도와 서영이를 비난하는 글을 올릴 것이다. / 미라에게 친해지고 싶다고 말할 것이다.
	→ 이야기에서 제시된 민주의 마음과 다른 내용을 씀.

1 (1) ① (2) ③　　　　**2** 우포늪　　**3** ①, ②　　**4** ③

5 ⓒ　　　**6** 예 엄마와 텔레비전에서 나오는 연속극을 보았다. / 동생과 텔레비전으로 만화 영화를 보았다.　　**7** ⑤

8 ②　　　**9** ⓒ　　　**10** ③　　　**11** 환자를 치료하였다. 등

12 ②　　　**13** ④　　　**14** 어머니　　**15** ①　　　**16** ⓒ

17 ②　　　**18** 수군댔다. 등　　　**19** ③　　　**20** 예 인터넷 대화방에서 확실하지 않은 근거로 연예인을 비방하는 사람들을 보았다.

3 사진이 있으면 보는 사람들의 관심을 더 잘 이끌어낼 수 있습니다.

4 오늘 미세 먼지에 대하여 이야기를 나누고 있습니다.

5 여자아이는 남자아이에게 문자, 그림(지도), 동영상으로 정보를 전달하였습니다.

6 채점 기준

평가	답안 내용
상	자신이 본 매체 자료를 구체적으로 씀.
중	예 텔레비전을 보았다.
	→ 자신이 본 매체 자료를 간단히 씀.
하	예 뉴스를 보았다.
	→ 매체 자료가 무엇인지 드러나지 않음.

9 연속극은 화면 연출, 음향, 소리 등에 주의하며 보아야 합니다.

10 아픈 사람들이 허준에게 치료를 받기 위해 길게 줄을 섰습니다.

12 일어난 일과 장면의 특징에 어울리는 음악을 찾아봅니다.

13 허준이 속으로 생각한 다짐을 그대로 들려주면 허준이 처한 상황을 잘 표현할 수 있습니다.

14 '가족'처럼 간단하게 쓰지 말고 누구를 가리키는지 구체적으로 써 봅니다.

15 김득신의 아버지는 공부를 포기하지 않는 면을 대견스럽게 여겼습니다.

16 김득신은 자신의 한계를 극복하기 위해 만 번 이상 읽은 책에 대한 기록을 남겼습니다.

17 고요하고 희망찬 느낌의 음악이 어울립니다.

20 채점 기준

평가	답안 내용
상	인터넷에서 남을 비방하는 글을 본 것 등 글의 내용과 비슷한 경험을 씀.
하	거짓 글에 대한 내용이나 인터넷과 관련 없는 내용을 씀.

6. 타당성을 생각하며 토론해요

1 ④, ⑤   **2** (2) ○   **3** 나   **4** 가   **5** 예 쓰레기통 주변이 오히려 더 지저분해서 쓰레기통을 없애자고 토론해 보고 싶다.   **6** ⑤   **7** 글쓴이가 속한 학급 친구들 등
8 ③   **9** ㉡   **10** ①, ⑤   **11** ⑤   **12** ①
13 ㉮   **14** 반드시 필요하다고 할 수 없다. 등   **15** ⑤
16 (1) ① (2) ③   **17** (3) ○   **18** (3) ×   **19** 예 기술의 발달로 여러 사람이 동시에 회의할 수 있으므로 찬성편의 근거는 적절하지 않다.   **20** 봉사 정신   **21** ⑤
22 ②   **23** 우리 학교 선생님 등   **24** ④   **25** ⑤
26 ①, ③, ⑤   **27** 기준   **28** 돌아가면서
29 예 봉사 정신이 뛰어난 학생이 대표가 되어야 한다는 찬성편의 주장이 더 타당하다. 단, 학급 임원을 뽑는 기준은 해결해야한다고 생각한다.   **30** (1) 세어 보았고 (2) 세어 보지 않았다   **31** ④   **32** 기계 등 **33** 예은   **34** 예 시의 주제를 잘못 이해하여 토론 주제에 맞는 의견을 말할 수 없을 것이다.

1 ④   **2** 역할, 선거   **3** (1) ×

1 여자아이는 인사말을 하면 지금은 착한 사람이 아닌 것 같은 느낌이 들고 전통적인 인사말도 지켜야 하는 것이라고 생각합니다.

2 형식적으로 하는 인사말보다 새롭고 좋은 뜻이 있는 인사말이 더 뜻깊다고 말하였습니다.

3 그림 나에서 친구 기분을 상하게 하는 말을 하였습니다.

4 그림 나는 서로 기분을 상하게 하면서 자신이 옳다고 우기기만 할 것입니다.

5

채점 기준	
평가	답안 내용
상	예 수업 시간에 휴대 전화를 사용하면 모르는 것을 금방 찾을 수 있으니 이에 대해 토론하고 싶다.
	→ 토론하고 싶은 경우가 무엇인지 구체적으로 씀.
하	예 불편한 일을 토론하고 싶다.
	→ 토론하고 싶은 경우에 대해 구체적으로 쓰지 못함.

6 초등학생들이 희망 직업을 유행에 따라 결정하는 것이 문제인 상황입니다.

7 우리 반 친구들의 희망 직업을 조사한 자료를 근거로 제시하였습니다.

8 조사의 범위가 좁아서 모든 학생의 희망 직업을 대표한다고 보기가 어렵습니다. 주장의 근거로 사용한 자료가 믿을 만한지, 출처가 정확한지 그리고 조사 범위가 적절한지 생각해 봐야 합니다.

9 둘 다 주장을 뒷받침하는 자료이지만 ㉡이 전문가의 의견이므로 더 믿을 만합니다.

10 학생 대표가 학교생활에 많은 역할을 한다는 근거와 선거를 경험할 수 있다는 근거를 제시하였습니다.

11 설문한 조사 결과에 따르면 우리 지역의 초등학교 가운데에서 95퍼센트가 넘는 학교가 학급 임원을 뽑고 있다고 하였습니다.

12 학교 안에서 선거를 경험할 수 있다는 근거를 뒷받침하기 위해서 어린이 사회 교육 잡지에 실린 전문가의 면담 자료를 제시하였습니다.

13 찬성편은 학급 임원이 필요하다는 주장을 적절한 근거를 들어 제시하였습니다.

14 반대편은 학급 임원 제도는 반드시 필요하다고 할 수 없다고 하였습니다.

15 후보들의 능력보다 친분을 우선으로 투표하는 경우가 많기 때문에 학급 임원을 뽑는 기준이 올바르지 않다고 하였습니다.

16 ㉠의 자료는 설문 조사 결과이고, ㉡의 자료는 학급 임원을 한 경험이 있는 학생의 면담 자료입니다.

17 근거가 믿을 만하다고 생각하도록 근거에 대한 자료를 제시하였습니다.

18 반론하기 단계에서는 상대편의 주장에서 잘못된 점을 지적하거나 궁금한 점을 질문하며, 그에 대해 답변을 합니다.

19

채점 기준	
평가	답안 내용
상	예 기술의 발달로 여러 사람이 동시에 회의를 할 수 있으므로 찬성편의 근거는 적절하지 않다.
	→ 반대편의 반론을 정확하게 찾아 반론하는 문장으로 완성하여 씀.
중	예 기술이 발달해서 여러 사람이 동시에 회의에 참여할 수 있습니다.
	→ 글에서 나머지 부분을 그대로 옮겨 씀.
하	예 기술이 발달하였다.
	→ 반론을 제대로 완성하지 못함.

20 찬성편은 학생 대표는 학급 학생 전체를 대표하는 자리이므로 모범적이면서 봉사 정신이 뛰어난 학생이 스스로 참여해야 한다고 답변하였습니다.

21 찬성편은 돌아가면서 학급 임원을 맡는다면 하고 싶은 마음도 없는 학생이 대표가 될 수 있고 그것은 그 학생에게 부담이 되는 일이라고 하였습니다.

22 다른 학교를 조사한 것이므로 우리 학교의 상황과는 반드시 같다고 보기 어렵다고 하였습니다.

23 '우리 학교 선생님'을 대상으로 한 면담 결과를 보여 주었습니다.

24 단순히 인기에 의해 학급 임원을 뽑게 되는 한계가 나타날 수 있다는 점을 들었습니다.

25 토론 참여자는 자신의 반론을 효과적으로 보이게 하기 위해 먼저 상대편의 주장을 요약합니다.

26 자기편의 주장을 요약하였고 상대편에서 제기한 반론이 타당하지 않음을 지적하였습니다. 그다음 자기편 주장의 장점을 정리하였습니다.

27 찬성편은 반대편에서 제기한 반론을 반박하기 위해서 학급 임원을 뽑는 기준에 문제가 있다면 그 문제를 해결하면 된다고 하였습니다.

28 학급 임원을 뽑는 대신 여러 학생이 돌아가면서 학급 임원을 맡자고 하였습니다.

29 채점 기준

평가	답안 내용
상	정답 키워드 찬성편 / 반대편 어느 편 주장이 타당한지 분명히 썼고 그렇게 생각한 까닭을 알맞게 씀.
하	예 찬성편이 더 타당하다고 생각한다. / 반대편이 더 타당하다. → 그렇게 생각한 까닭을 쓰지 못한 경우

30 고모는 시장에서 아주머니가 돌려주는 거스름돈은 세어 보았고, 은행에서 현금 지급기가 내미는 돈은 세어 보지 않았습니다.

31 사람보다 기계를 더 믿는 것이 문제 상황입니다.

32 사람보다 기계를 더 믿는 세상에 대한 안타까운 마음이 잘 나타나 있습니다.

34 채점 기준

평가	답안 내용
상	예 시의 내용을 잘못 이해하여 독서 토론이 원활하게 이루어지지 않을 것이다. → 작품 이해에 대한 내용과 관련이 없음을 밝혀 구체적인 답을 씀.
하	예 토론이 제대로 되지 않는다. → 토론이 왜 제대로 이루어지지 않는지 그 까닭을 쓰지 않음.

단원 평가 교과서 진도북 **82~84**쪽

1 ③ **2** ⑤ **3** (3) ○ **4** 착한 사람이 되겠습니다.
5 서진 **6** ① **7** 예 문제를 해결하기보다 서로 다투게 될 것 같다. **8** 유행 **9** 희망 직업 **10** ④, ⑤
11 ①, ②, ③ **12** (2) ○ **13** 예 해당 분야 전문가의 말이기 때문이다. **14** 나 **15** 학급 임원은 반드시 필요하다. **16** ③ **17** ㉢ **18** 반론하기
19 ② **20** ⑤

3 외부인에게 학교 운동장을 개방해야 하는지에 대한 토론을 해야 합니다.

4 아이들이 선생님께 "착한 사람이 되겠습니다."라고 인사드렸습니다.

5 학교 인사말에 대하여 수진이는 부정적이고 서진이는 긍정적입니다.

6 그림 가 에서 서진이는 서로 다른 생각을 이해시키려고 타당한 근거를 들어 자신의 생각을 말하였습니다.

7 채점 기준

상대방의 기분을 상하게 한다는 내용이나 문제를 해결할 수 없다는 내용 등 남자아이의 행동을 바탕으로 문제점을 썼으면 정답으로 합니다.

9 면담한 학생은 "사실은 한 해에도 여러 번 바뀌는 희망 직업 때문에 고민이 많다. 무엇을 준비해야 할지 모르겠다."라고 하였습니다.

10 직업 평론가 ○○○씨는 "자신이 원하는 것이 무엇인지 모르며 사회에 어떤 다양한 직업이 있는지 알아보려 하지 않는 사실이 문제"라고 하였습니다.

12 해당 분야 전문가의 의견이 더 적절한 근거 자료입니다.

13 채점 기준

평가	답안 내용
상	정답 키워드 전문가 예 해당 분야 전문가의 말이기 때문이다. → 정답 키워드를 넣어 구체적으로 씀.
하	예 주장과 관련 있는 내용을 말하였기 때문이다. / 주장을 뒷받침하기 때문이다. → 글 나 에서 면담한 사람에게도 해당하는 내용을 씀.

15 사회자가 "학급 임원은 반드시 필요하다."라는 주제로 토론을 시작하겠다고 하였습니다.

16 주장 펼치기 절차에서는 근거를 들어 주장을 펼칩니다.

18 상대편이 펼친 주장을 듣고 잘못된 점이나 궁금한 점을 지적하고 이에 답하는 절차는 '반론하기'입니다.

7. 중요한 내용을 요약해요

1 ④   **2** (1) ⓒ (2) ⓛ (3) ㄱ   **3** (1) 2 (2) 60
4 예 어떤 것을 대표하는 상징   **5** 작가   **6** ②, ⑤
7 (1) ○   **8** ⑤   **9** ②, ③   **10** 예 무서운
11 ⑤   **12** 수빈   **13** ⑤   **14** 낱말   **15** 유의어
사전   **16** (3) ○   **17** 예 뜻   **18** 예 대신할 수 있는 낱
말   **19** ③   **20** 슐로스 할아버지   **21** ①, ③
22 예 슐로스 할아버지의 아내   **23** ④   **24** 예 진실
한 감정   **25** 예 '삼은'이라는 말 대신에 '정한, 고른'과 같은
낱말로 바꾸어 써도 뜻이 자연스럽기 때문이다.   **26** ④
27 (2) ○   **28** ⓒ   **29** 우주   **30** 아들   **31** ①
32 ⑤   **33** (1) ② (2) ① (3) ③   **34** (1) ×   **35** ⑤
36 예 '꼴 보기 싫다'라는 표현에서 하늘을 싫어하는 마음이 느
껴지기 때문에 어떤 사물이나 사람의 모양을 안 좋게 쓰는 말일
것이다.   **37** ②   **38** ③   **39** ④   **40** (2) ○
41 ④   **42** ②   **43** 잎차례   **44** ④   **45** 단이
46 다   **47** ①, ⑤   **48** ㄱ   **49** (2) ○   **50** ②
51 ④   **52** ②, ⑤   **53** 예 새기고 그리기가 어렵다. 바위
나 동굴을 옮길 수도 없다.   **54** ①   **55** ②
56 ① 속껍질 ② 잿물 ③ 닥풀 ④ 하루   **57** ④
58 ②   **59** (1) 예 바느질 도구를 넣는 상자 (2) 예 '바늘,
실, 골무 같은 바느질 도구 넣는'이라는 표현을 보고 짐작했다.
60 (1) 예 온도 (2) 예 놀이용품

자습서 확인 문제 97쪽

1 ④   **2** 슐로스 할아버지   **3** ③   **4** (1) ○

자습서 확인 문제 103쪽

1 ㄹ   **2** ③   **3** (3) ○

1 뒤에 재미와 웃음을 준다는 내용이 이어지므로 '엉뚱한',
'황당한' 등의 말과 바꾸어 쓸 수 있습니다.

2 낱말의 앞뒤 내용을 살펴본 다음, 낱말의 뜻을 짐작합니다.
짐작한 뜻을 대신 넣었을 때 자연스러운 것을 찾습니다.

3 마지막 문단에 귀를 건강하게 하기 위한 이어폰 사용 방
법이 설명되어 있습니다.

4 앞뒤 내용을 자세히 살펴보거나 이미 아는 친숙한 낱말로
바꾸어 봅니다.

5 켈러 선생님은 "너희 한 사람 한 사람을 완전히 훈련시켜서
진짜 멋진 작가로 만들어 줄 생각이다."라고 말했습니다.

6 '나'는 켈러 선생님이 유독 자신만 노려보는 것 같았습니
다. 켈러 선생님은 허리를 펴고 똑바로 서 있어서 실제보
다 더 커 보였고, 교탁에 기대설 때면 사냥감을 낚아챌 듯
노려보는 매처럼 매서워 보였다고 했습니다.

7 '기척'은 '누가 있는 줄을 알 만한 소리나 기색.'을 뜻합니
다. (2)는 '엄포'와 바꾸어 쓸 수 있는 낱말입니다.

8 수업이 상상도 못 할 정도로 힘들 것이라고 했으므로 '만
만하게'는 이와 반대되는 뜻일 것입니다.

9 집으로 돌아오는 내내 숙제 생각만 하고, '잘 써야 할 텐데'
라고 걱정하는 것으로 보아 과제를 잘하고 싶은 마음이
크면서도 매우 걱정스러워합니다.

10 '마녀'의 뜻과 어울리는 내용을 쓰면 정답으로 인정합니다.

11 ㉠의 앞에는 허둥지둥 종이를 꺼냈다는 내용이 나오고, 뒤
에 연필을 놓았다는 내용이 나옵니다. 이 상황을 통해 '끄적
이기'를 글씨를 대충 쓴다는 뜻으로 짐작할 수 있습니다.

12 '세세히'는 '매우 자세히.'라는 뜻입니다. 이 뜻에 알맞게
짐작한 사람은 수빈입니다.

13 선생님께서 감동할 것이라는 '나'의 예상과는 달리, 켈러
선생님의 숨소리는 점점 거칠어졌습니다.

14 켈러 선생님은 낱말은 감정을 전해 주기 때문에 낱말 하
나하나가 가진 차이를 이해해야 한다고 하셨습니다.

15 슐로스 할아버지는 책 더미에서 아들들이 쓰던 유의어 사
전을 찾아주셨습니다.

16 켈러 선생님께서 '사랑'을 나타내는 낱말을 쭉 써 보라고
하셨으므로 그런 낱말이 무엇인지 떠올렸다는 뜻으로 짐
작할 수 있습니다. '짜내다'는 '온 힘을 다하여 어떤 생각
이 나오게 하다.'라는 뜻입니다.

17 유의어는 '뜻이 서로 비슷한 말.'이라는 뜻입니다. 켈러 선
생님께서 '사랑'이라는 말을 쓰지 않고 사랑을 나타내는
낱말을 써 보라고 하신 것은 '사랑'의 유의어를 떠올려 보
라는 것이었습니다.

18 켈러 선생님은 칠판에 '만족스러운', '시원한', '충성스러
운' 같은 낱말을 쓰고 각 낱말을 대신할 수 있는 낱말을
찾게 했습니다.

19 켈러 선생님이 많은 사람과 대화를 나누게 했다는 내용은
나타나 있지 않습니다.

20 '나'는 슐로스 할아버지를 인터뷰하기로 미리 정해 놓고
있었습니다.

21 '빈정댔다' 앞에 쓰인 '심술궂게'라는 낱말과 다음에 남자
아이들이 퍼트리샤가 켈러 선생님의 새 인형이라며 비꼬

는 내용을 보고 뜻을 짐작할 수 있습니다. '남을 은근히 비웃는 태도로 자꾸 놀리다.'라는 뜻과 비슷한 말을 찾아봅니다.

22 슐로스 할아버지는 '내'가 가장 소중한 물건이 무엇인지 묻자 잠시 고민한 다음, 아내의 사진이 담긴 액자를 보이며 한참 동안 아내에 대한 이야기를 했습니다.

23 '나'는 자신이 쓴 글이 선생님의 마음에 쏙 들 것이라고 생각했다가 점수를 보고 실망했습니다.

24 켈러 선생님은 진실한 감정을 드러내는 낱말이 어디에 있냐고 물으며 글을 읽는 사람이 글쓴이의 '진짜' 감정을 느낄 수 있어야 한다고 했습니다.

25 뜻이 비슷한, 익숙한 낱말을 넣거나 낱말이 사용된 예를 떠올려 뜻을 짐작할 수 있습니다.

채점 기준

평가	답안 내용
상	**예** '삼은'이라는 말을 대신하여 '정한', '고른'과 같은 낱말을 사용해도 자연스럽게 읽히기 때문이다. → 낱말의 뜻을 짐작한 까닭을 구체적으로 씀.
중	낱말의 뜻을 짐작한 방법을 썼지만 제시된 뜻과 어울리지 않는 내용으로 씀.
하	낱말의 뜻을 짐작한 까닭과 관련 없는 내용을 씀.

26 켈러 선생님께서는 '나'의 글에 여전히 감정이 잘 드러나지 않고 있다며 자신이 겪은 일을 써 왔으면 좋겠다고 하셨습니다.

27 켈러 선생님은 글재주가 뛰어난 학생이 쓴 글의 문제점을 모조리 지적해서 완벽한 글이 될 때까지 다시 쓰게 했습니다.

28 '엎친 데 덮치다'는 '어렵거나 나쁜 일이 겹치어 일어나다.'라는 뜻입니다. ㉠은 '쏜 화살과 같이 매우 빠르게.', ㉡은 '몹시 무섭다.', ㉣은 '이리저리 궁리하여 골똘히 생각하다.'라는 뜻입니다.

29 '행동이나 성격 따위가 까다로울 만큼 빈틈이 없다.'라는 뜻과 비슷한 낱말을 찾습니다. '깐깐하게 따지다.', '살림을 깐깐하게 하다.'와 같은 문장을 떠올렸을 때 '깐깐하다'와 바꾸어 쓸 수 있는 낱말을 찾아야 합니다.

30 슐로스 할아버지는 켈러 선생님의 도움으로 대학에 간 학생이 바로 자신의 아들이라고 했습니다.

31 슐로스 할아버지는 아들에게 글쓰기를 가르쳐 주고, 아들이 대학교에 다닐 수 있도록 주선해 준 켈러 선생님에게 감사하다고 했습니다.

32 엄마는 슐로스 할아버지가 갑자기 돌아가셨다는 것을 알리려고 행정실에 오셨습니다.

34 '나'는 기말 과제 제출 날을 훌쩍 넘겨서 슐로스 할아버지께서 돌아가신 날에 쓴 글을 과제로 냈습니다.

35 학기말에 따로 불러낸다는 것은 좋지 않은 소식을 전하려는 경우가 많았기 때문에 '나'는 자신의 글이 켈러 선생님의 마음에 들지 않았을 것이라고 생각했습니다.

36 **채점 기준**

어떤 내용을 보고 낱말의 뜻을 짐작했는지 드러나게 쓰면 정답으로 인정합니다.

37 ①은 '상심하다', ③은 '낙관하다', ④는 '안심하다', ⑤는 '위로하다'의 뜻입니다.

38 무섭기만 한 '마녀 켈러' 선생님이 자신을 꽉 끌어안자 '나'는 깜짝 놀랐습니다.

39 맞춤법을 손보아야 할 곳이 많지만 낱말에 날개가 달려 있어 글쓰기반 최초로 에이(A) 점수를 준다고 하셨습니다.

40 켈러 선생님께서 '내' 글이 정말 놀라웠다고 하신 내용을 보고 짐작할 수 있습니다. '들뜨다'는 '마음이나 분위기가 가라앉지 아니하고 조금 흥분되다.'라는 뜻입니다.

41 국어사전에서 낱말의 뜻을 찾을 때에는 기본형으로 찾아야 합니다. 낱말에서 형태가 바뀌지 않는 부분인 '아릿하'에 '-다'를 붙여 기본형을 만듭니다.

42 식물은 햇빛을 보지 못하면 살 수 없기 때문에 아래에 있는 잎까지 햇빛을 잘 받게 하려고 특별한 기술을 바탕으로 잎을 피웁니다.

43 줄기에 차례대로 잎을 붙여 나가는 모양을 '잎차례'라고 합니다.

44 화살나무는 잎 두 장이 사이좋게 마주 보고 있습니다. ①은 소나무, ②는 해바라기, ③은 갈퀴꼭두서니, ⑤는 국수나무가 잎을 피우는 방법입니다.

45 '어긋나기', '마주나기', '돌려나기', '모여나기' 등을 대표하는 낱말은 '잎차례'입니다.

46 중요한 내용이 드러나게 간추린 글은 글 **다** 입니다.

47 글을 요약할 때는 글을 짧게 간추리고, 글의 중요한 내용을 이해할 수 있게 간추려야 합니다. 또한 사소한 내용은 삭제하고 중요한 내용만 요약해야 합니다.

48 글 **나** 는 세 가지 기준 중에서 ㉠에만 알맞습니다. 글 **나** 는 사소한 내용뿐만 아니라 중요한 내용까지 줄여서 중요한 내용을 이해할 수 없습니다.

49 글의 내용을 잘 이해하고 중심 내용을 파악하기 위해 글을 요약합니다.

50 옛날 사람들이 왜 종이를 발명하였는지, 그 까닭에 대해 설명하고 있습니다.

51 ㉠은 '글씨나 형상을 파다.'의 뜻입니다.

52 좀 더 쓰기 쉽고 그리기 편한 것을 찾기 위해 점토판을 만들었다고 하였으므로 이를 통해 짐작할 수 있습니다.

53 채점 기준
> 바위와 동굴에 글이나 그림을 새기는 것은 쉽지 않고 다른 곳으로 옮길 수도 없다는 내용을 쓰면 정답으로 합니다.

54 한지를 어떠한 방법과 순서로 만드는지 설명하고 있습니다.

55 '제일 먼저', '그러고는', '이번에는'과 같은 말은 어떤 일의 순서나 차례를 잘 알게 해 줍니다.

57 한지는 가볍고 부드러우면서도 질겨서 천년이 가도 변하지 않는다고 하였습니다.

59 채점 기준
> 받짇고리의 뜻을 알맞게 쓰고 앞의 내용을 보고 짐작했다는 내용을 쓰면 정답으로 인정합니다.

60 찬 공기와 더운 공기를 대표하는 낱말과 연, 제기, 고깔 장식 등을 대표하는 낱말을 씁니다.

단원 평가
교과서 진도북 104~106쪽

1 ②, ④　**2** ②, ③　**3** 예 방해물　**4** ②
5 ⑤　**6** ㉢　**7** 예 긴장했을 때 삼키는 침
8 겪은 일　**9** 영미　**10** ⑤　**11** (1) 예 앞뒤 (2) 예 비슷한　**12** ⑤　**13** 갈퀴꼭두서니　**14** ④, ⑤
15 예 견과 / 열매　**16** ④　**17** ⑤　**18** ⑤
19 (1) 예 속껍질을 삶아서 더 보드랍고 하얗게 만든다. (2) 예 눌러둔 한지를 한 장씩 떼어서 말린다. **20** 순서 구조

1 양쪽 귀 바로 위쪽 부위에 있는 측두엽은 기억력과 청각을 담당하는 기관입니다.

2 귀는 건조하게 유지해야 하고, 공부할 때 이어폰을 사용하는 것은 도움이 되지 않습니다.

3 걸림돌은 일을 해 나가는 데에 걸리거나 막히는 것을 비유적으로 이르는 말이므로 '방해물, 장애물' 등과 바꾸어 쓸 수 있습니다.

4 이 글에 쓰인 '힘'은 '도움'과 바꾸어 쓸 수 있으므로 ②가 알맞습니다.

5 학생들이 허둥지둥 종이를 꺼내 글을 쓰기 시작하자 숙제로 해 오라고 호통을 쳤습니다.

6 선생님께서 호통을 쳤다는 부분으로 '마른침'의 뜻을 짐작할 수 있습니다.

7 채점 기준
> '애가 타거나 긴장했을 때 입안이 말라 무의식중에 힘들게 삼키는 아주 적은 양의 침.'이라는 내용과 비슷하게 쓰면 정답으로 합니다.

8 켈러 선생님은 '나'에게만 자신이 겪은 일을 글로 써 오라고 하셨습니다.

9 '엎친 데 덮친 격'은 '어렵거나 나쁜 일이 겹치어 일어나다.'라는 뜻입니다.

10 '쥐어짜다'는 '이리저리 궁리하여 골똘히 생각하다.'라는 뜻입니다.

11 이미 아는 친숙한 낱말로 바꾸었을 때 문장의 의미가 자연스러운지 살펴 낱말의 뜻을 짐작할 수 있습니다.

12 '마주나기', '돌려나기'와 같이 식물이 잎을 피우는 방법인 잎차례에 대해 설명한 글입니다.

13 갈퀴꼭두서니는 마디마다 잎이 여섯 장에서 여덟 장씩 돌려납니다.

14 생각그물을 활용해 글의 내용을 요약하면 글의 중요한 내용을 한눈에 파악할 수 있어 글의 핵심 내용을 잘 이해할 수 있습니다.

16 한지를 만드는 과정을 차례대로 설명한 글입니다.

17 닥풀을 넣으면 풀어진 속껍질이 엉겨 붙습니다.

18 '먼저, 그러고는, 이제, 그런 다음, 마지막으로'와 같은 순서를 나타내는 말을 통해 글의 구조를 파악할 수 있습니다.

19 순서를 나타내는 말에 주의하며 한지를 만드는 차례대로 정리하여 씁니다.

채점 기준

평가	답안 내용
상	(1) 예 잿물을 넣고 삶아서 속껍질을 부드럽고 하얗게 만든다. (2) 예 눌러 놓은 한지를 한 장씩 떼서 말린다. → (1)과 (2)에 모두 알맞은 내용을 씀.
중	(1)과 (2)를 모두 썼으나 중요하지 않은 내용도 넣어서 간추림.
하	(1)과 (2) 중에서 한 가지만 알맞게 씀.

20 시간이나 공간의 순서에 따라 설명하는 글의 구조는 순서 구조입니다.

8. 우리말 지킴이

진도 학습

1 (1) 예 영어 (2) 소리   **2** ③   **3** (1) 예 재미가 없었어
(2) 예 나왔습니다   **4** (1) ⑥ (2) ① (3) ③ (4) ② (5) ④
(6) ⑤   **5** 잘못 사용하는 우리말   **6** (1) 예 어렵다 (2) 모두
7 (3) ○   **8** ③   **9** ①, ⑤   **10** (1) ⓛ. ⓒ (2) ⓛ
(3) ⓔ   **11** 예 자료를 제시할 때 저작자나 출처를 밝혀야
한다.   **12** ①   **13** (1) ○   **14** (1) ⓛ (2) ⓛ
15 ④   **16** ③   **17** ②   **18** (1) ○   **19** ④
20 예 눈썹을 처지게 그린다.

1 'Book적Book적', '유니크펫숍', '한마음플라워', '4U음식
점', 'sweet카페'는 같은 의미를 지닌 우리말이 있는데도
영어를 그대로 간판에 사용한 것이 문제입니다. '머찌나
옷'은 '멋지나'를 소리 나는 대로 써서 표기법에 맞지 않
습니다.

2 ❶에서 두 아이는 대화할 때 '열공', '삼김'과 같이 말을
줄여서 사용했습니다.

> **더 알아보기**
> 줄임 말을 사용하면 간단하게 표현할 수 있지만 그렇다고 해서
> 줄임 말을 지나치게 많이 사용하는 것은 좋지 않습니다. 줄임 말
> 을 자주 사용하면 원래의 뜻을 알지 못하는 사람에게 뜻이 통하
> 지 않는 문제가 생길 수 있기 때문입니다.

3 '노잼이었어'는 영어 '노(no)'와 한글 줄임 말 '잼(재미)'을
섞어 만든 국적을 알 수 없는 신조어입니다. '나오셨습니
다'는 사물인 사과주스를 높인 잘못된 높임 표현입니다.

4 외국어는 우리말로, 잘못된 표기는 바르게 고친 것을 찾
습니다.

5 여진이는 잘못 사용하는 우리말을 조사하려고 합니다.

6 현경이가 말한 주제는 지역의 모든 간판을 조사할 수 없
고 몇 사람만으로 조사하기 어렵습니다. 남준이가 말한
주제는 우리나라 사람들을 모두 조사할 수 없고 조사 기
간도 적절하지 않습니다.

7 여진이네 모둠은 '방송에서 사용하는 영어'를 조사 대상으
로 정했습니다.

8 방송이 아이들에게 영향을 많이 주기 때문에 방송을 조사
하기로 했습니다.

9 ②와 ④는 설문지의 장점과 단점이고, ③은 관찰의 장점
입니다.

10 발표 원고를 구성할 때 시작하는 말에는 모둠 이름, 조사
제목, 발표 제목이, 전달하려는 내용에는 자료와 설명하
는 말이, 끝맺는 말에는 발표한 내용, 모둠의 의견이나 전
망이 들어가야 합니다.

11 인터넷에서 찾은 글이나 사진 자료를 사용할 때에는 저작
권을 침해하지 않도록 주의해야 합니다.

채점 기준

평가	답안 내용
상	예 자료를 사용할 때 저작권을 침해하지 않도록 주의하고 출처를 밝힌다.
	→ 저작자나 출처를 밝힌다는 내용을 정확하게 씀.
중	예 주제와 관련 있는 자료를 활용한다.
	→ 자료를 활용할 때 주의할 점이지만 저작권이나 출처와 관련 없는 내용을 씀.
하	예 재미있는 자료를 제시한다.
	→ 자료를 활용할 때 주의할 점을 쓰지 못함.

12 ①은 기행문을 쓴 다음 확인할 내용입니다.

13 그림 ❶에서 여진이는 발표 내용만 보면서 읽듯이 발표
하고 있으므로 듣는 사람을 바라보며 발표하라고 말해 줄
수 있습니다.

14 발표할 때는 또박또박 천천히 말하고, 듣는 사람이 모두
들을 수 있도록 목소리 크기를 알맞게 합니다.

15 여진이가 제시한 자료에는 너무 많은 내용이 들어가 있습
니다. 이렇게 한 화면에 너무 많은 내용을 제시하면 어떤
내용이 중요한지 알 수 없고 글씨가 작아 모든 친구들이
자료의 내용을 볼 수 없습니다.

16 발표를 들을 때 발표자의 말과 관련 없는 생각을 하는 것
은 바른 태도가 아닙니다.

17 지나친 줄임 말을 사용해서 서로 대화가 안 되는 상황을
나타낸 만화입니다.

18 장면 ❷에서 편의점을 발견했을 때 여자아이의 몸짓을
손가락으로 편의점을 가리키는 동작으로 표현했습니다.

19 남자아이는 줄임 말을 사용해서 편의점 주인아저씨께서
자신의 말을 알아듣지 못하자 줄임 말을 사용한 것이 후
회됐을 것입니다.

20 인물의 마음을 드러낼 수 있는 표정이나 동작을 떠올려
씁니다.

단원 평가

교과서 진도북 114~116쪽

1 예 영어   **2** (1) 예 열심히 공부했더니 (2) 예 삼각김밥
3 ④   **4** 예 '멋지나'를 소리 나는 대로 써서 표기법에 맞지 않기 때문이다.   **5** ⑤   **6** ⑤   **7** 예 모두 조사할 수는 없다.   **8** 우리말이 있는데도 영어를 사용하는 예   **9** ⑤   **10** (2) ○   **11** ⑤   **12** 관찰
13 ④, ⑤   **14** 전달하려는 내용   **15** ③   **16** (3) ×
17 ③   **18** 열공했더니, 삼김   **19** 예 딱딱한 표정으로 눈썹 사이를 찡그리는 모습을 그렸다.   **20** ④

1 같은 의미를 지닌 우리말이 있는데도 영어를 그대로 간판에 사용해서 어느 가게에서 무엇을 파는지 알기 어려웠습니다.

2 어떤 말을 줄여서 사용한 것인지 원래의 뜻이 드러나게 풀어 씁니다.

3 간판에 쓰인 영어를 같은 의미를 지닌 우리말로 바꾸어 봅니다.

더 알아보기

그림 속 간판을 자연스러운 우리말로 고치기 예

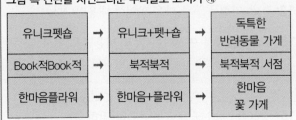

유니크펫숍 →	유니크+펫+숍 →	독특한 반려동물 가게
Book적Book적 →	북적북적 →	북적북적 서점
한마음플라워 →	한마음+플라워 →	한마음 꽃 가게

4 소리 나는 대로 써서 표기법에 어긋난다는 내용으로 쓰면 정답으로 인정합니다.

채점 기준

평가	답안 내용
상	예 '멋지나'를 소리 나는 대로 써서 우리말 표기를 잘못했기 때문이다.
	→ 소리 나는 대로 써서 표기법에 어긋난다는 내용을 정확하게 씀.
중	예 소리 나는 대로 썼다.
	→ 간판이 잘못된 점을 찾았지만 내용을 구체적으로 쓰지 못한 경우
하	예 뜻을 알 수 없기 때문이다.
	→ 우리말 표기를 잘못했다는 것과 관련 없는 내용을 씀.

5 '노잼'이라는 영어와 우리말을 섞어 만든 국적 불문의 신조어를 썼습니다.

6 사과주스는 사물이므로 높이지 않습니다.

7 우리나라 사람들 모두를 조사할 수는 없습니다.

8 여진이네 모둠은 '우리말이 있는데도 영어를 사용하는 예'를 주제로 하여 방송에서 쓰는 영어를 조사하기로 했습니다.

9 ❸에서 수입된 옷이라면 영어가 있는 것은 당연할지도 모르기 때문에 조사 대상으로 알맞지 않다고 했습니다.

10 여진이네 모둠은 주제에 맞는 조사 대상을 생각하고 아이들에게 영향을 많이 주는 것으로 범위를 좁혔습니다.

11 설문지를 활용한 조사 방법에 대한 설명입니다.

12 관찰을 하면 현장에서 조사 대상을 직접 파악할 수 있지만 시간이 많이 걸립니다.

13 끝맺는 말에는 발표한 내용, 모둠의 의견이나 전망이 들어가는 것이 자연스럽습니다.

14 자료를 제시하고 자료의 내용을 설명한 부분이므로 '전달하려는 내용'에 들어가는 것이 알맞습니다.

15 여자아이는 듣는 사람이 알아듣지 못하게 작은 목소리로 발표했습니다.

16 발표를 들을 때는 새롭게 알려 주는 내용이 무엇인지 집중하며 들어야 합니다.

17 만화에서 아이들은 줄임 말을 사용했습니다.

18 '열공했더니'는 '열심히 공부했더니'를, '삼김'은 '삼각김밥'을 줄인 것입니다.

19 줄임 말을 듣고 당황한 마음을 딱딱한 표정이나 눈썹 사이를 찡그리는 모습으로 나타냈다는 내용으로 쓰면 정답으로 인정합니다.

채점 기준

평가	답안 내용
상	예 눈썹을 찡그리고 입을 크게 벌려 당황한 모습으로 표현했다.
	→ 만화에 나타난 표현 방법을 정확하게 파악하여 씀.
중	예 굳은 표정으로 그렸다.
	→ 아저씨의 모습을 지나치게 간단한 내용으로 씀.
하	그림에 나타난 아저씨의 표정과 관련 없는 내용을 씀.

20 '생일잔치'를 '생파'와 같이 줄이지 않도록 주의합니다.

왜 틀렸을까?

①: '심장이 쿵 했어'를 줄인 말입니다.
②: '꿀'과 '잼(재미)'을 합해서 만든 신조어입니다.
③: 답답한 사람을 가리키는 신조어입니다.
⑤: 동물인 강아지를 높인 표현입니다.

1. 마음을 나누며 대화해요

개념 확인하기
온라인 학습북 4쪽

1 ㉢
2 ㉠
3 ㉡
4 ㉢

서술형·논술형
온라인 학습북 5쪽

|연습|

1 (1) 예 지윤이가 자신을 무시하는 것 같아 화가 나고 서운할 것이다.

(2) 예 그랬구나. 내가 너처럼 그림 그리기를 좋아한다면 나도 서운했을 거야.

(3) 예 상대의 처지를 먼저 생각해 보고 상대의 기분과 마음을 배려하는 자세

|실전|

2 (1) 예 철 수세미로 프라이팬을 닦았다.

(2) 예 엄마를 도와주려고 설거지를 열심히 했구나.

(3) 예 괜찮아. 집안일을 도와주려고 한 현욱이 마음이 엄마는 더 고마워.

|연습|

1 (1) 명준이의 마음을 배려하지 않는 말에 화가 나고 서운했을 것입니다.

채점 기준

평가	답안 내용
3점	예 자신을 무시하는 것 같아 화가 났을 것이다. → 명준이의 기분이 어떠할지 알맞은 까닭을 들어 씀.
2점	예 화가 났을 것이다. / 속상했을 것이다. → 명준이의 기분이 어떠할지 썼지만 왜 그러한 기분을 느꼈을지 까닭을 쓰지 않음.

더 알아보기

공감하며 대화해야 하는 까닭
① 상대의 처지를 이해할 수 있기 때문입니다.
② 처지를 바꾸어 생각하면 상대의 마음을 알 수 있기 때문입니다.
③ 상대에게 공감하며 말하면 기분 좋은 대화를 할 수 있기 때문입니다.
④ 대화를 즐겁게 이어 갈 수 있기 때문입니다.

(2) 명준이의 처지에서 명준이의 마음을 이해해 주는 대답을 합니다.

채점 기준

평가	답안 내용
5점	예 그랬구나. 내가 네 입장이었다면 많이 속상했을 것 같아. → 명준이의 처지에서 명준이의 기분이 어떠할지 짐작해 보는 말을 씀.
3점	예 그래? 그런 일이 있었구나. → 명준이의 이야기를 잘 들어 주는 말이지만 명준이의 처지에서 명준이의 기분을 생각해 보는 내용이 들어 있지 않음.

부족한 답안

그랬구나. ~~많아~~ 서운했겠다.
내가 너의 입장이었다면 나도 많이
→ '처지를 바꾸어 생각하기'에 어울리는 대답을 써야 하므로 명준이의 입장에서 명준이의 마음을 생각해 보는 내용을 분명히 밝히는 것이 좋아요.

(3) 상대의 처지를 배려하는 자세, 상대의 처지를 생각하고 이해하며 말하는 자세와 같이 썼으면 모두 정답으로 합니다.

|실전|

2 (1) 현욱이는 프라이팬이 잘 닦이지 않아서 철 수세미를 써서 프라이팬을 닦았는데 엄마께서는 금속으로 프라이팬 바닥을 긁으면 바닥이 벗겨져서 못 쓰게 된다고 하셨습니다.

(2) 현욱이의 마음을 이해하고 배려해 주는 엄마의 말을 다양하게 써 봅니다.

채점 기준

		배점
(1)	철 수세미로 프라이팬을 문질러 닦았다는 내용을 썼는가?	5점
	그렇다.	아니다.
	5점	0점
(2)	현욱이의 마음을 생각한 내용이 들어 있는가?	5점
	엄마를 도와주려고 했다는 마음이 드러남.	설거지를 했다는 내용만 나타내어 씀.
	5점	2점
(3)	현욱이를 배려하고 따뜻하게 대하는 말이 들어 있는가?	8점
	배려하는 마음이 잘 드러남.	괜찮다는 내용만 단답형으로 씀.
	8점	4점

온라인 학습북 4~5쪽

정답을 확인하기 **전**에 자기가 푼 단원 평가의 정답을 **큐알을** 찍어 올려 보세요.

문항 번호	정답	평가 내용	난이도
	단원 평가		온라인 학습북 **6~9**쪽
1	⑤	공감하며 대화해야 하는 까닭 알기	보통
2	②	대화를 나누는 인물의 태도 파악하기	보통
3	⑤	인물의 마음 짐작하기	보통
4	⑤	글의 내용 파악하기	쉬움
5	①	공감하며 대화하는 방법 알기	어려움
6	②	경청하는 방법 알기	보통
7	⑤	공감하며 말하는 방법 알기	보통
8	②	공감하며 말하는 방법 알기	보통
9	②	누리 소통망 대화의 특징 알기	보통
10	④	누리 소통망 대화에서 그림말을 사용하면 좋은 점 알기	어려움
11	③	누리 소통망 대화를 할 때 지켜야 할 점 알기	보통
12	④	누리 소통망에서 댓글을 달 때 주의할 점 알기	보통
13	⑤	대화의 내용 파악하기	쉬움
14	①	대화의 내용 파악하기	보통
15	②	누리 소통망 대화에 나타난 인물의 기분 파악하기	보통
16	③	예절을 지키며 누리 소통망에서 대화하는 방법 알기	어려움
17	①	글의 내용 파악하기	보통
18	⑤	공감하며 대화하는 방법 알기	보통
19	④	인물이 전하고 싶은 말 파악하기	보통
20	⑤	낱말의 뜻 파악하기	어려움

1 상대의 말에서 잘못된 것을 찾는 것은 공감하며 대화하는 방법이 아닙니다.

2 지윤이는 명준이가 그림을 못 그렸을 것이라며 무시하고 있습니다.

3 지윤이가 명준이의 기분은 생각하지 않고 함부로 말해서 화가 났을 것입니다.

4 엄마는 현욱이가 실수를 해서 번거로운 일이 생겼지만 집안일을 도와주려는 착한 마음씨에 고마움을 느꼈을 것입니다.

5 엄마가 현욱이의 처지를 생각하여 하신 말씀입니다.

6 말하는 사람에게 주의를 기울여 집중해서 들으며 알맞은 표정이나 몸짓을 지어야 합니다.

7 이 대화는 공감하며 말하기의 예를 보여 주는 것입니다.

8 상대의 처지를 생각하면서 말해야 합니다.

9 누리 소통망 대화에서는 대화 분위기를 금방 알 수 없다는 단점이 있습니다.

10 그림말을 넣어 자신의 표정을 묘사하면 자신의 기분이나 마음을 보다 실감 나게 전할 수 있습니다.

11 누리 소통망 대화에서 그림말을 너무 많이 쓰면 보기에 불편해 대화가 잘 이루어지지 않을 수도 있습니다.

12 자신의 의견만 너무 강요하면 안 됩니다.

13 누리 소통망에서 이루어지고 있는 대화입니다.

14 창진이는 병원에 입원해 있을 때 누리 소통망으로 연락한 것입니다.

15 '(ㅠ.ㅠ)'는 보통 슬픈 마음을 나타내는 그림말이고, '(\^^/)'은 고마운 마음을 전할 때 쓰는 그림말입니다.

16 대화에 참여하고 싶은 사람하고만 대화를 해야 합니다.

17 글의 주인공인 권기옥은 삼일 운동에 참여하여 감옥에 갇혔습니다.

18 권기옥의 처지와 마음을 생각하고 권기옥을 위해 비행 학교에 들어갈 수 있게 해 주겠다는 내용을 말할 수 있습니다.

19 '네 꿈을 좇으며 자유롭게 살게 될 거야.'에서 꿈을 이루기 위해 노력하라는 글의 주제를 찾을 수 있습니다.

20 '좇다'는 이상이나 꿈, 행복 따위를 추구한다는 뜻입니다. 반면에 '쫓다'는 뒤를 따르다, 떠나도록 내몬다는 뜻입니다.

2. 지식이나 경험을 활용해요

온라인 학습북 **10**쪽

개념 확인하기

1 ㉠　　**2** ㉡　　**3** ㉡

4 ㉡

서술형·논술형

온라인 학습북 **11**쪽

|연습|

1 (1) 예 우리 조상들이 줄다리기를 한 까닭

(2) 예 물을 다스리는 신이다.

(3) 예 물의 신인 용을 즐겁고 기쁘게 해서 풍년이 들게 하기 위해서이다.

|실전|

2 (1) ㉠ 예 얼음을 보관하는 창고

㉡ 예 한겨울의 얼음을 보관했다가 쓰는 기술

(2) 예 조선 시대에는 임금도 얼음을 함부로 쓰지 못할 만큼 얼음이 귀했을 것 같다.

|연습|

1 (1) 글의 처음에 '우리 조상들은 왜 줄을 만들어 서로 당기는 놀이를 했을까요?'라고 나타나 있습니다. 이를 통해 이 글은 우리 조상들이 줄다리기를 한 까닭에 대하여 설명하는 글임을 알 수 있습니다.

(2) 우리 조상들은 용을 물을 다스리는 신이라고 생각했습니다.

(3) 글의 마지막 문장에서 조상들이 줄다리기를 한 까닭을 잘 알 수 있습니다. '풍물놀이도 풍년을 기원하며 많이 해 왔다고 배웠어.'와 같이 지식이나 경험을 떠올리며 글을 읽을 수도 있고, '줄다리기도 풍물놀이처럼 풍년을 바라는 마음이 담겨 있대.'와 같이 아는 내용과 비교하며 읽을 수도 있습니다.

더 알아보기

지식이나 경험을 활용해 글을 읽으면 좋은 점

① 글 내용을 더 쉽게 이해할 수 있습니다.

② 글 내용에 흥미를 가지고 읽을 수 있습니다.

③ 글 내용을 깊이 이해할 수 있습니다.

④ 이미 아는 내용과 비교하며 글을 읽을 수 있습니다.

채점 기준

(1)	우리 조상들이 줄다리기를 한 까닭이라는 내용을 썼는가?		배점 2점
	그렇다.		아니다.
	2점		0점

(2)	우리 조상들은 용이 물을 다스리는 신이라고 생각했다는 내용을 썼는가?		배점 3점
	그렇다.		아니다.
	3점		0점

(3)	용을 즐겁고 기쁘게 한다는 내용과 풍년이 들게 한다는 내용을 모두 나타내어 썼는가?		배점 5점
	두 가지 내용 모두 나타나게 썼다.	한 가지 내용만 나타나게 썼다.	두 가지 내용 모두 쓰지 못했다.
	5점	3점	0점

|실전|

2 (1) 낱말의 앞뒤 내용을 통하여 낱말의 뜻을 짐작할 수 있습니다.

(2) 왕실 제사에 쓸 얼음을 따로 보관하고, 얼음을 왕실과 고급 관리들에게만 공급했다는 점에서 짐작할 수 있는 내용을 씁니다.

더 알아보기

지식이나 경험을 활용해 글을 읽는 방법

① 관련 있는 지식이나 경험이 많은 글을 골라 읽습니다.

② 책을 읽을 때 궁금한 점은 다른 책이나 자료를 찾아 가며 읽습니다.

③ 자신이 아는 내용과 책 내용을 비교하며 읽습니다.

④ 글을 읽기 전에 여러 가지 질문을 떠올려 본 뒤 떠올렸던 질문을 생각하며 글을 읽습니다.

채점 기준

(1)	빙고와 장빙의 낱말 뜻을 모두 바르게 찾아 썼는가?		배점 4점
	두 가지 모두 바르게 썼다.	한 가지만 바르게 썼다.	두 가지 모두 쓰지 못했다.
	4점	2점	0점

(2)	'얼음이 무척 귀했다.', '얼음은 신분이 높은 사람만 사용했다.'와 같이 글의 내용을 통하여 짐작할 수 있는 내용을 썼는가?		배점 4점
	그렇다.		아니다.
	4점		0점

온라인 학습북 6~11쪽

정답을 확인하기 전에 자기가 푼 단원 평가의 정답을 큐알을 찍어 올려 보세요.

단원 평가			온라인 학습북 **12~15**쪽
문항 번호	정답	평가 내용	난이도
1	③	글의 내용 파악하기	보통
2	①	지식이나 경험을 활용해 글 읽기	보통
3	①	글의 내용 파악하기	쉬움
4	③	글의 중심 내용 파악하기	보통
5	④	지식이나 경험을 활용해 글 읽기	어려움
6	③	글의 내용 파악하기	쉬움
7	④	글의 내용 파악하기	보통
8	⑤	글의 내용 파악하기	보통
9	⑤	글의 내용 파악하기	보통
10	④	지식이나 경험을 활용해 글을 읽으면 좋은 점 알기	어려움
11	②	글의 중심 내용 파악하기	보통
12	③	글의 내용 파악하기	쉬움
13	⑤	글의 내용 파악하기	보통
14	⑤	지식이나 경험을 활용해 글 읽기	어려움
15	⑤	글에 생략된 낱말 추측하기	보통
16	③	글의 내용 파악하기	쉬움
17	③	체험과 감상을 구별하기	보통
18	③	체험한 일을 떠올리며 글을 쓰는 방법 알기	보통
19	③	체험한 일을 떠올리며 글을 쓰는 방법 알기	보통
20	⑤	지식이나 경험을 활용해 함께 글 고치기	어려움

1 줄을 당겨 승부를 가릴 때에는 모두 신이 나서 자기편을 응원합니다.

2 줄다리기 줄을 만드는 과정에 대해 설명하고 있으므로 줄 넘기에 대한 경험이나 지식은 관련이 없습니다.

3 글 **다**는 줄을 당기는 과정에 대해 설명하고 있습니다.

4 우리 조상들이 줄다리기를 한 까닭에 대해 설명하고 있습니다.

5 ①, ②, ⑤는 글의 내용을 이해할 때 도움이 되는 지식이고, ③은 글의 내용과 비교해 볼 수 있는 지식입니다.

6 고려 시대에 법으로 해마다 6월부터 입추까지 신하들에게 얼음을 나누어 준 기록이 있다고 하였습니다.

7 신라 시대에 얼음 창고에 관한 일을 맡아보던 기관은 빙고전입니다.

8 동빙고는 왕실의 제사에 쓰일 얼음을, 서빙고는 왕실과 고급 관리들이 사용할 얼음을 보관했습니다.

9 서빙고는 왕실이나 고급 관리들이 사용하는 얼음을 보관하여 공급하였습니다.

10 글을 읽기 전에 떠올렸던 질문을 생각하면 글에 흥미가 생기고 글을 읽을 때 더욱 집중할 수 있습니다.

11 얼음을 오랫동안 저장할 수 있는 석빙고의 과학적인 구조에 대해 설명하고 있습니다.

12 이중 구조의 석빙고 지붕 안쪽은 열전달이 잘되는 화강암으로 만들었습니다.

13 입구가 여러 개 있으면 바깥의 더운 열기가 안으로 들어가 얼음이 더 쉽게 녹을 것입니다.

14 더운 공기는 위로 이동한다는 기체에서 열의 이동에 대한 지식을 떠올리면 지붕에 공기구멍을 뚫어 더운 공기를 내보내는 석빙고의 구조에 대해 보다 잘 이해할 수 있습니다.

15 경주 석빙고의 과학적 구조에 대한 글이므로 ㉠ 안에는 '과학적'이 들어가는 것이 가장 어울립니다.

16 한글 배움터는 한글에 익숙하지 않은 사람들을 위해 마련하였다고 하였습니다.

17 ㉠과 ㉡은 체험한 내용이고, ㉢은 체험한 일에 대한 감상입니다.

18 신기하고 재미있었던 체험, 느낀 점이 많았던 체험을 선택하여 쓰는 것이 좋습니다.

19 체험에 대한 감상을 끝에만 써야 하는 것은 아닙니다. 각 체험한 일에 따라 생각이나 느낌을 쓰는 것이 좋습니다.

20 체험 내용에 대해서 친구들의 도움을 받을 수 있지만 친구들의 생각이나 느낌이 아닌 나의 생각이나 느낌을 써야 합니다.

3. 의견을 조정하며 토의해요

개념 확인하기   온라인 학습북 **16**쪽

1 ㉢   **2** ㉡   **3** ㉢
4 ㉠

서술형·논술형   온라인 학습북 **17**쪽

|연습|

1 (1) ① 마스크를 쓰고 생활하자.
     ② 학교 곳곳에 공기 청정기를 설치하자.
(2) 예 공기 정화 식물을 기르자. / 창문에 미세 먼지 방지 망을 설치하자.

|실전|

2 (1) 예 문제를 해결하는 데 무관심한 태도를 보였다.
(2) 예 자신의 생각을 적극적으로 표현한다. / 의견과 발언에 집중한다.

|연습|

1 (1) 그림에서 친구들은 미세 먼지에 대처하는 방안에 대하여 토의를 하고 있습니다. 이 주제에 대하여 마스크를 쓰고 생활하자는 의견과 학교 곳곳에 공기 청정기를 설치하자는 의견이 제시되었습니다.

> **더 알아보기**
> **의견을 조정하는 과정에서 필요한 태도**
> ① 의견과 발언에 집중합니다.
> ② 해결 방안을 끝까지 알아봅니다.
> ③ 자신의 생각을 적극적으로 표현합니다.
> ④ 결정한 의견에 따릅니다.

(2) 미세 먼지에 대처하는 방안을 떠올려 자신의 의견을 써 봅니다.

> **더 알아보기**
> **토의에서 의견을 말하는 방법**
> ① 토의 주제와 관련된 의견을 말합니다.
> ② 타당한 근거를 들어 의견을 말합니다.
> ③ 실천할 수 있는 의견을 말합니다.

채점 기준

	마스크를 쓰고 생활하자는 의견과 학교 곳곳에 공기 청정기를 설치하자는 의견을 찾아 썼는가?		**배점** 4점
(1)	두 가지 모두 찾아 썼다.	한 가지만 찾아 썼다.	두 가지 모두 찾아 쓰지 못했다.
	4점	2점	0점
(2)	토의 주제와 관련 있는 의견을 제시했는가?		**배점** 3점
	그렇다.		아니다.
	3점		0점

|실전|

2 (1) 이슬이와 같이 문제를 해결하는 데 무관심한 태도를 지니는 것은 바람직하지 않습니다.
(2) 의견과 발언에 집중하고 자신의 생각을 적극적으로 표현합니다.

> **더 알아보기**
> **토의 과정에서 의견을 조정하는 방법**
>
> | 방법 | 내용 |
> |---|---|
> | 문제 파악하기 | • 해결하려는 문제를 정확히 파악한다.
• 여러 사람의 다양한 의견을 들어 본다. |
> | 의견 실천에 필요한 조건 따지기 | • 문제를 해결하기에 적합한 의견인지 생각한다.
• 자료를 찾아 의견을 뒷받침한다. |
> | 결과 예측하기 | • 의견대로 실천했을 때 결과를 생각한다.
• 의견을 실천했을 때 일어날 수 있는 문제점을 예측해 본다. |
> | 반응 살펴보기 | • 의견에 대한 토의 참여자의 생각을 듣는다.
• 어떤 의견을 더 따르고 싶어 하는지 살펴본다. |

채점 기준

	토의에 적극적으로 참여하지 않는 태도와 관련하여 문제점을 썼는가?	**배점** 4점
(1)	그렇다.	아니다.
	4점	0점
(2)	토의를 하는 과정에서 필요한 태도와 관련한 내용을 썼는가?	**배점** 4점
	그렇다.	아니다.
	4점	0점

온라인 학습북 12~17쪽

정답을 확인하기 전에 자기가 푼 단원 평가의 정답을 **큐알**을 찍어 올려 보세요.

단원 평가

온라인 학습북 **18~21**쪽

문항 번호	정답	평가 내용	난이도
1	④	토의 주제 파악하기	보통
2	③	의견에 대한 근거 찾기	쉬움
3	④	토의 장면에 나타난 문제 파악하기	보통
4	④	토의 장면에 나타난 문제 파악하기	어려움
5	①	의견을 조정해야 하는 까닭 알기	보통
6	⑤	토의 장면 파악하기	보통
7	③	토의 장면 파악하기	쉬움
8	③	토의 과정에서 의견을 조정하는 방법 알기	보통
9	⑤	토의 절차 파악하기	어려움
10	⑤	의견을 조정할 때 알맞은 태도 알기	보통
11	④	그림의 내용 파악하기	보통
12	②	그림의 내용 파악하기	보통
13	①	의견에 대한 근거 파악하기	보통
14	①	그림의 내용 파악하기	쉬움
15	⑤	자료에 따른 읽기 방법 알기	어려움
16	②	자료의 출처 파악하기	쉬움
17	④	자료의 내용 파악하기	보통
18	③	자료의 내용 파악하기	보통
19	①	자료를 정리하여 표현하면 좋은 점 알기	어려움
20	②	자료를 알기 쉽게 표현하는 방법 알기	보통

1 미세 먼지 문제에 어떻게 대처해야 할지 토의하고 있습니다.

2 장면 ❷에서 여자아이가 말한 의견과 근거를 살펴봅니다.

3 장면 ❸, ❹의 친구들은 상대의 의견을 잘 듣지 않고 비판하기만 하였습니다.

4 장면 ❻에서는 상대의 말을 무시하는 듯한 말을 하며 예의를 지키지 않은 점이 문제입니다.

5 의견을 조정해 합리적인 문제 해결 방법을 찾아야 합니다.

6 토의로 해결할 문제를 정확하게 파악하기 위해 토의 주제를 다시 물어보았습니다.

7 의견 실천에 필요한 조건을 따지기 위해 자료를 찾아 의견을 뒷받침하기로 했습니다.

8 의견대로 실천했을 때의 결과를 생각해 보았습니다.

9 다른 친구들의 생각은 어떤지, 나온 의견에 대한 생각은 어떠한지 반응을 살펴봅니다.

10 의견을 조정할 때에는 다른 사람의 의견을 무조건 받아들이는 것이 아니라 의견과 근거가 알맞은지 판단하여 받아들여야 합니다.

11 초등학생의 건강 상태가 좋지 않다는 뉴스로 그 문제를 해결할 방법이 필요하다고 했습니다.

12 뉴스에서 제기한 문제를 보고 정한 주제로는 건강한 학교생활을 하는 방법이 알맞습니다.

13 교실에서 식물을 기르면 공기가 깨끗해지므로 식물 기르기를 하면 건강한 학교생활을 하는 데 도움이 될 수 있습니다.

14 교실에서 식물을 기르면 공기가 깨끗해진다는 자료를 찾기 위해 도서관에서 책을 찾아보았습니다.

15 차례를 먼저 살펴보며 필요한 내용이 있는지 확인합니다.

16 『○○신문』에 실린 기사입니다.

17 세계보건기구는 아동 비만을 21세기 최대 건강 문제 중 하나로 꼽고 있는데, 한국도 예외는 아닙니다.

18 건강 달리기의 효과에 대해 설명하는 기사입니다.

19 알기 쉽게 자료로 나타내었습니다.

20 강조하는 것은 글씨 크기를 더 크게 하거나 굵게 표현할 수 있습니다.

4. 겪은 일을 써요

온라인 학습북 22쪽

개념 확인하기

1 ㉡ **2** ㉡ **3** ㉡
4 ㉡ **5** ㉡

서술형·논술형

온라인 학습북 23쪽

|연습|

1 (1) 예 '내'가 동생 용준이를 울렸다고 오해하셔서 / '나' 때문에 용준이가 울게 됐다고 생각하셔서

(2) 예 시간을 나타내는 말과 서술어의 호응이 바르지 않아서 / 문장 성분의 호응이 이루어지지 않아서

|실전|

2 (1) ① ㉠
② 예 할아버지께서는 얼른 진지를 다 잡수시고 또 일하러 나가셨다. / 할아버지께서는 얼른 진지를 다 드시고 또 일하러 나가셨다.

(2) ① ㉡
② 예 어제저녁 우리 가족은 함께 동네 공원으로 산책을 나갔다.

(3) ① ㉢
② 예 우리가 환경을 보호해야 하는 까닭은 환경 파괴의 피해가 결국 우리에게 돌아오기 때문이다.

|연습|

1 (1) 아버지께서는 '내'가 동생을 울렸다고 오해하셔서 큰 소리를 내셨습니다.

(2) '어제저녁에 방에서 컴퓨터를 하는데 졸음이 밀려 온다.'는 문장 성분의 호응이 제대로 이루어지지 않아서 어색한 문장입니다.

채점 기준

	아버지께서 '내'가 동생을 울렸다고 오해하셨다는 내용이 되게 썼는가?		배점 2점
(1)	그렇다.	아니다.	
	2점	0점	
	문장에 어색한 표현이나 틀린 글자 없이 정확하게 썼는가?		배점 1점
	그렇다.	아니다.	
	1점	0점	

채점 기준 (실전 2)

	문장 성분의 호응이 어떻게 이루어지지 않았는지 구체적으로 썼는가?		배점 5점
(2)	예시 답안과 유사한 내용으로 썼다.	서술어가 어색하여 호응하지 않는다고 썼다.	호응이 이루어지지 않았다고만 썼다.
	5점	3점	1점
	문장에 어색한 표현이나 틀린 글자 없이 정확하게 썼는가?		배점 1점
	그렇다.	아니다.	
	1점	0점	

|실전|

2 (1) '할아버지'는 높임 대상이므로 높임 표현을 써서 문장 성분이 호응되게 고쳐 씁니다.

(2) '어제저녁'은 과거를 나타내는 말입니다.

(3) '우리가 환경을 보호해야 하는 까닭은 ~ 때문이다.'의 형태로 고쳐 씁니다.

채점 기준

	①에 ㉠을 썼는가?		배점 1점
(1)	그렇다.	아니다.	
	1점	0점	
	②에 높임의 대상을 나타내는 말과 서술어가 호응하도록 고쳐 썼는가?		배점 2점
	그렇다.	아니다.	
	2점	0점	
	①에 ㉡을 썼는가?		배점 1점
(2)	그렇다.	아니다.	
	1점	0점	
	②에 시간을 나타내는 말과 서술어가 호응하도록 고쳐 썼는가?		배점 2점
	그렇다.	아니다.	
	2점	0점	
	①에 ㉢을 썼는가?		배점 1점
(3)	그렇다.	아니다.	
	1점	0점	
	②에 주어와 서술어가 호응하도록 고쳐 썼는가?		배점 2점
	그렇다.	아니다.	
	2점	0점	

정답을 확인하기 전에 자기가 푼 단원 평가의 정답을 큐알을 찍어 올려 보세요.

단원 평가

온라인 학습북 **24~27**쪽

문항 번호	정답	평가 내용	난이도
1	⑤	시간을 나타내는 말과 서술어의 호응 관계 알기	보통
2	③	높임의 대상을 나타내는 말과 서술어의 호응 관계 알기	보통
3	⑤	호응에 맞게 문장 고쳐쓰기	보통
4	②	문장 성분의 호응 관계 알기	쉬움
5	④	호응하는 서술어가 따로 있는 낱말 알기	어려움
6	③	호응하는 서술어가 따로 있는 낱말 알기	어려움
7	⑤	호응에 맞게 문장 고쳐쓰기	보통
8	④	호응하는 서술어가 따로 있는 낱말 알기	보통
9	②	겪은 일이 드러나게 글 쓰기	쉬움
10	⑤	겪은 일이 드러나게 글 쓰기	보통
11	①	겪은 일이 드러나게 글 쓰기	보통
12	②	문장 성분 구별하기	보통
13	⑤	겪은 일이 드러나게 글 쓰기	쉬움
14	①	겪은 일이 드러나게 글 쓰기	보통
15	③	매체를 활용해 겪은 일이 드러나는 글 쓰기	보통
16	⑤	호응하는 서술어가 따로 있는 낱말 알기	어려움
17	①	매체를 활용해 겪은 일이 드러나는 글 쓰기	보통
18	⑤	매체를 활용해 겪은 일이 드러나는 글 쓰기	쉬움
19	④, ⑤	매체를 활용해 겪은 일이 드러나는 글 쓰기	보통
20	④	매체를 활용해 겪은 일이 드러나는 글 쓰기	보통

1 서술어가 '갈 것이다'이므로 미래를 나타내는 말이 들어가야 합니다.

2 높임의 대상을 나타내는 말과 서술어의 호응 관계가 바르지 않은 문장입니다.

3 높임의 대상에게 '께서'를 붙이고, '밥', '먹고'를 높임의 뜻을 나타내는 말 '진지', '잡수다' 등으로 고쳐 써야 합니다. 또한 '잡수다'에는 '-시-'를 붙여야 합니다.

4 '어머니께서는 전혀 내 말을 믿어 주지 않으셨다.'로 써야 문장 성분이 제대로 호응합니다.

5 '전혀'는 부정을 나타내는 말과 호응합니다.

6 '결코, 전혀, 별로'와 같은 낱말은 '-지 않다', '-지 못하다'와 같은 부정의 뜻을 나타내는 서술어나 '안', '못'이 꾸며 주는 서술어와 호응합니다.

7 '결코'는 부정을 나타내는 서술어와 호응합니다.

8 '도저히'는 부정의 뜻을 가진 서술어와 호응합니다.

9 '주제'는 자신이 글로 나타내고 싶은 생각을 말합니다.

10 자신이 겪은 일 가운데에서 글로 표현하기에 알맞은 내용은 읽는 사람이 흥미를 느낄 수 있는 것이어야 합니다.

11 '글 모음집에 실으려고'는 글을 쓰는 목적에 해당하는 내용입니다.

12 '누가, 무엇이'에 해당하는 말은 주어, '무엇을'에 해당하는 말은 목적어, '무엇이다, 어찌하다, 어떠하다'에 해당하는 말은 서술어입니다.

13 글쓰기를 계획하는 과정에서 글 쓸 장소를 정할 필요는 없습니다.

14 인물의 대화로 시작하는 글머리입니다.

15 매체를 활용해 겪은 일이 드러나는 글을 쓸 때에는 가장 먼저 어떤 매체를 활용할 것인지 정해야 합니다.

16 '전혀'와 '쉬워서'가 호응하지 않으므로, '전혀 쉽지 않아서'와 같이 고쳐야 합니다.

17 매체를 활용해 글을 쓰고 의견을 나누면 글을 고치기 편리합니다.

18 스마트폰이 없는 친구들은 단체 대화방에 참여하기 어렵습니다.

19 저작권을 침해하지 않으면서 읽기 쉽게 써야 합니다.

20 ④는 매체 대화의 단점에 해당합니다.

5. 여러 가지 매체 자료

온라인 학습북 28쪽

개념 확인하기

1 ㉡   2 ㉡   3 ㉡
4 ㉢   5 ㉢

서술형·논술형

온라인 학습북 29쪽

|연습|

1 (1) 영상 매체 자료인 텔레비전 영상물을 보고 있다.
/ 텔레비전으로 영상 매체 자료를 보고 있다. 등
(2) 예 어제 동생과 텔레비전으로 만화 영화를 보았다.
/ 오늘 오후 텔레비전으로 교육 방송을 보며 공부했다.
(3) 예 장면과 어우러지는 음악이나 연출 기법의 의미를 생각하며 보았다.
/ 화면에 어떤 연출이 이루어져 있는지 생각하며 보았다.

|실전|

2 예 유도지가 사건을 일으키는 인물이라는 것을 나타내기 위해서이다.
/ 유도지가 이야기 전개에 있어서 중요한 역할을 하고 있다는 점을 나타내기 위해서이다.
3 예 뇌물을 주고받는 일이 옳지 못하다는 것을 나타냈다.
/ 뇌물 때문에 분위기가 무거워졌다는 것을 나타냈다.

|연습|

1 (1) 텔레비전에서 나오는 영상을 보고 있습니다.
(2) 영상 매체를 본 경험을 떠올려 구체적으로 써 봅니다.
(3) 영상 매체를 볼 때 중점적으로 살펴야 하는 점을 생각하며 어떻게 보았는지 씁니다.

채점 기준

(1)	'텔레비전'을 포함하여 답안을 썼는가?		배점 1점
	그렇다.		아니다.
	1점		0점
	'영상' 매체를 보고 있다는 내용으로 정리하여 썼는가?		배점 2점
	그렇다.		아니다.
	2점		0점

온라인 학습북 24~29쪽

(2)	영상 매체를 본 경험에 대하여 구체적으로 썼는가?		배점 2점
	예시 답안과 유사한 내용과 형태로 썼다.	영상 매체를 보았다는 내용만 썼다.	느낌만 간단히 썼다.
	2점	1점	0점
	문장에 어색한 표현이나 틀린 글자 없이 정확하게 썼는가?		배점 1점
	그렇다.		아니다.
	1점		0점

(3)	영상 매체를 볼 때 중점적으로 생각해야 할 점이 드러나게 썼는가?		배점 2점
	예시 답안과 유사한 내용과 형태로 썼다.	자막이나 영상, 소리 중 한 가지만 언급하여 썼다.	다른 매체를 잘 이해하는 방법 등을 썼다.
	2점	1점	0점
	문장에 어색한 표현이나 틀린 글자 없이 정확하게 썼는가?		배점 1점
	그렇다.		아니다.
	1점		0점

|실전|

2 **채점 기준**

'유도지'를 포함하여 답안을 썼는가?		배점 4점
그렇다.		아니다.
4점		0점

사건을 일으키는 인물, 중요한 인물 등이라고 썼는가?		배점 6점
그렇다.		아니다.
6점		0점

3 **채점 기준**

'뇌물'을 포함하여 답안을 썼는가?		배점 4점
그렇다.		아니다.
4점		0점

심각한 사건이 일어나고 있다는 내용 등으로 썼는가?		배점 6점
예시 답안과 유사한 내용 등으로 썼다.	예시 답안과 유사한 내용이나 어색한 표현이 있다.	아니다.
6점	3점	0점

정답을 확인하기 전에 자기가 푼 단원평가의 정답을 큐알을 찍어 올려 보세요.

단원 평가

온라인 학습북 **30~33**쪽

문항 번호	정답	평가 내용	난이도
1	④	여러 가지 매체 자료 알기	쉬움
2	⑤	여러 가지 매체의 특성 알기	보통
3	③	영상 매체의 내용 파악하기	보통
4	④	영상 매체의 내용 파악하기	보통
5	⑤	매체의 특성을 생각하며 알맞은 방법으로 읽기	어려움
6	⑤	영상 매체의 내용 파악하기	보통
7	③	알맞은 방법으로 매체 자료를 읽고 주요 내용 정리하기	쉬움
8	⑤	알맞은 방법으로 매체 자료를 읽고 주요 내용 정리하기	보통
9	②	알맞은 방법으로 매체 자료를 읽고 주요 내용 정리하기	쉬움
10	③	알맞은 방법으로 매체 자료를 읽고 주요 내용 정리하기	보통
11	⑤	알맞은 방법으로 매체 자료를 읽고 주요 내용 정리하기	보통
12	⑤	매체의 특성을 생각하며 알맞은 방법으로 읽기	어려움
13	⑤	이야기의 내용 파악하기	쉬움
14	②	이야기의 내용 파악하기	보통
15	④	이야기를 읽고 현실 세계와 비교하기	보통
16	④	이야기의 내용 파악하기	어려움
17	⑤	이야기의 내용 파악하기	보통
18	②	이야기의 내용 파악하기	쉬움
19	③	이야기의 내용 파악하기	보통
20	③	이야기를 읽고 현실 세계와 비교하기	보통

1 텔레비전 연속극은 영상 매체 자료에 해당합니다.

2 영상 매체 자료는 장면과 어우러지는 음악이나 연출 기법의 의미를 생각하며 보는 것이 좋습니다.

3 허준은 시험장으로 가야 하지만 시간을 쪼개어 마을 사람들을 밤이 새도록 치료하여 주었습니다.

4 허준은 시험일이 촉박하지만 치료가 필요한 사람이 많아서 떠나지 못하였습니다.

5 자신을 희생하고 다른 사람을 먼저 위하는 허준의 태도를 강조하기 위해 비장한 느낌의 음악을 사용하는 것이 어울립니다.

6 돌쇠는 허준이 자기 어머니를 치료하게 하려고 거짓말을 한 것입니다.

7 주위 사람들은 김득신의 아버지에게 김득신이 우둔하다며 포기하라고 하였습니다.

8 김득신은 자신의 한계를 극복하기 위해 만 번 이상 읽은 책에 대한 기록을 남겼습니다.

9 김득신은 59세에 문과에 급제하여 성균관에 입학하였습니다.

10 김득신은 어릴 때에는 우둔하다고 여겨졌지만 훗날 당대 최고의 시인으로 추앙받았습니다.

11 김득신은 뛰어난 재능을 갖지는 못하였지만 엄청난 노력으로 자신에 대한 평가를 바꾼 인물입니다.

12 마무리 부분에서 김득신의 삶을 돌아보는 느낌을 주기 위해 고요하고 희망찬 분위기의 음악을 사용하면 좋을 것입니다.

13 미라는 전학 온 서영이가 성격이 좋아 금세 친구들과 잘 어울리는 점이 부러워서 서영이에 대한 거짓 글을 썼습니다.

14 미라는 핑공 카페에 흑설 공주라는 계정을 사용하여 글을 썼습니다.

15 부정확한 내용을 근거로 누군가를 공격하는 것을 '마녀사냥'이라고 합니다.

16 '하이디'는 흑설 공주 편에서 이야기하고 있습니다.

17 가는 증거를 내놓으라는 글을 본 서영이가 쓴 글입니다.

18 서영이는 부모님의 모습이 담긴 사진 두 장을 증거로 제시하였습니다.

19 서영이가 반박 글을 올리자 아이들이 흑설 공주를 비난하였습니다.

20 '매운 고추'는 민서영을 위로하는 댓글을 썼습니다.

6. 타당성을 생각하며 토론해요

개념 확인하기
온라인 학습북 34쪽

1 ㉡　　　2 ㉡　　　3 ㉡
4 ㉢　　　5 ㉡

서술형·논술형
온라인 학습북 35쪽

|연습|

1 (1) 예 서로 기분을 상하게 하면서 자신이 옳다고 우기기만 할 것이다.
/ 문제를 해결하기보다 서로 다투게 될 것 같다.

(2) 예 자신이 옳다고 우기기보다 타당한 근거를 들어 말해야 한다.
/ 의견만 말하지 말고 의견을 뒷받침하는 근거를 함께 말해서 설득해야 한다.

|실전|

2 (1) • 상대편의 주장이 타당하지 않다는 것을 밝히기 위한 예 질문을 한다.
• 상대편 주장에 대한 근거나 그에 대한 자료가 예 적절하지 않다는 것을 밝힌다.

(2) 예 우리 학교 선생님을 면담한 결과를 보여 주겠다고 하였다.
/ 우리 학교 사정과 관련이 있는 우리 학교 선생님 면담 결과를 보여 주겠다고 하였다.

|연습|

1 (1) 그림 ❶에서는 자신의 의견을 근거를 들어 말하고, 그림 ❷에서는 자신의 의견을 주장하려고 상대의 기분을 상하게 했습니다.

(2) 두 가지 상황이 어떻게 다른지, 내가 대화에 참여하고 있다면 어떻게 말하는 것이 좋을지 생각해 봅니다.

채점 기준

	대화가 잘 이루어지지 않을 것이라는 내용으로 짐작하여 썼는가?		배점 3점
(1)	그렇다.		아니다.
	3점		0점
	문장에 어색한 표현이나 틀린 글자 없이 정확하게 썼는가?		배점 1점
	그렇다.		아니다.
	1점		0점

	의견만 말하지 않고 적절한 근거를 들어야 한다는 내용으로 썼는가?		배점 3점
(2)	예시 답안과 유사한 내용을 구체적으로 썼다.	근거를 함께 말한다는 내용을 단답형으로 썼다.	부드러운 말투를 써야 한다는 내용 등으로 썼다.
	3점	1점	0점
	문장에 어색한 표현이나 틀린 글자 없이 정확하게 썼는가?		배점 1점
	그렇다.		아니다.
	1점		0점

|실전|

2 (1) 반론하기 절차에서는 상대편 토론자의 주장을 요약하고, 상대편 토론자의 주장이 타당하지 않다는 것을 밝히기 위해 질문을 합니다.

채점 기준

	첫 번째 빈칸에 질문을 한다는 내용을 썼는가?		배점 2점
	예시 답안과 유사한 내용으로 썼다.	'노력을 한다' 등으로 핵심에서 벗어난 답을 썼다.	아니다.
	2점	1점	0점
	두 번째 빈칸에 적절하지 않다는 것을 밝힌다는 내용 등으로 썼는가?		배점 2점
(1)	예시 답안과 유사한 내용으로 썼다.	'틀렸다고 한다' 등의 단정적인 내용을 썼다.	아니다.
	2점	1점	0점
	문장에 어색한 표현이나 틀린 글자 없이 정확하게 썼는가?		배점 2점
	두 답안 모두 정확하게 썼다.	한 군데에 틀린 부분이 있다.	아니다.
	2점	1점	0점
	우리 학교 선생님을 면담한 결과를 보여 주겠다는 내용을 썼는가?		배점 5점
	예시 답안과 유사한 내용으로 썼다.	"여기 ~ 보여 드리겠습니다." 문장을 옮겨 썼다.	아니다.
(2)	5점	2점	0점
	문장에 어색한 표현이나 틀린 글자 없이 정확하게 썼는가?		배점 1점
	그렇다.		아니다.
	1점		0점

정답을 확인하기 전에 자기가 푼 단원평가의 정답을 큐알을 찍어 올려 보세요.

단원 평가

온라인 학습북 **36~39**쪽

문항 번호	정답	평가 내용	난이도
1	③	근거 자료의 타당성 판단하기	보통
2	③	근거 자료의 타당성 판단하기	쉬움
3	②	근거 자료의 타당성 판단하기	보통
4	①	근거 자료의 타당성 판단하기	보통
5	⑤	글쓴이의 주장 파악하기	어려움
6	④	근거 자료의 타당성 판단하기	어려움
7	③	토론 주제 파악하기	쉬움
8	④	토론의 절차 파악하기	보통
9	④	토론의 내용 파악하기	쉬움
10	④	토론의 내용 파악하기	보통
11	①	토론의 절차와 방법 알기	보통
12	①, ②	토론에 참여한 사람 파악하기	쉬움
13	①, ②	토론의 절차와 방법 알기	보통
14	②	토론의 내용 파악하기	보통
15	⑤	토론의 내용 파악하기	보통
16	⑤	근거 자료의 타당성 판단하기	보통
17	②, ④	토론의 절차와 방법 알기	어려움
18	④, ⑤	근거 자료의 타당성 판단하기	보통
19	④	시의 주제 파악하기	보통
20	⑤	시를 읽고 독서 토론하기	어려움

1 '연예인'이라는 응답이 가장 많았습니다.

2 반 친구들을 대상으로 한 설문 조사 결과입니다.

3 나와 다는 각각 학생과 직업 평론가를 면담한 내용에 해당합니다.

4 글 나에 제시된 면담 내용은 글쓴이의 주장과 관련이 있으므로 ①은 틀린 내용입니다.

5 글 다에 글쓴이가 말하고자 하는 내용, '유행보다는 자신의 흥미와 적성, 특기를 알고, 그것을 바탕으로 하여 직업을 고르려고 노력해야 한다'가 잘 나타나 있습니다.

6 해당 분야의 전문가인 직업 평론가의 말이 더 신뢰성이 높다고 볼 수 있습니다.

7 학급 임원이 필요한가에 대해 토론하고 있습니다.

8 토론의 절차 중 '주장 펼치기' 단계에 해당합니다.

9 글쓴이가 사는 지역의 초등학교를 대상으로 한 설문 조사 자료를 제시하였습니다.

10 반대편은 학급 임원을 뽑을 때 능력보다 친분을 기준으로 뽑는 것이 문제라고 하였습니다.

11 주장 펼치기 단계에서는 근거를 들어 주장을 펼치고 근거에 대한 구체적인 자료를 제시합니다.

12 이 토론에서 심판이나 선생님은 나타나 있지 않습니다.

13 반론하기 절차에서 자신의 주장을 바꾸거나 자신이 말한 근거를 비판하는 것은 적절하지 않습니다.

14 반대편은 찬성편에게 "누구나 학급을 위해 봉사할 수 있지 않을까요?"라고 반론하였습니다.

15 반대편의 반론에 대해 찬성편은 학생 대표는 모범적이면서 봉사 정신이 뛰어난 학생이 스스로 참여해야 한다며 반박하였습니다.

16 최근의 자료, 출처가 분명한 자료, 여러 사람에게 해당하는 자료가 타당성이 높다고 할 수 있습니다.

17 ②는 주장 펼치기 단계, ④는 반론하기 단계에서 하는 일입니다.

18 ①~③은 설문 조사 자료의 타당성을 평가할 수 있는 기준에 해당합니다.

19 사람보다 기계를 더 믿는 것에 대한 안타까움이 드러난 시입니다.

20 시의 주제와 관련이 있는 토론 주제를 구별해 봅니다.

7. 중요한 내용을 요약해요

개념 확인하기

온라인 학습북 **40**쪽

1 ㉡　　　　**2** ㉡　　　　**3** ㉠

4 ㉠

서술형·논술형

온라인 학습북 **41**쪽

|연습|

1 (1) 예 호통

(2) 예 긴장했을 때 삼키는 침

|실전|

2 ㉠의 뜻을 짐작할 수 있는 부분: 재미와 웃음을 주지만

㉠의 뜻: 예 엉뚱하고 황당한

3 ① 예 어떤 것을 대표하는 상징

② 예 다보탑과 석가탑은 통일 신라 시대 문화재의 대표 얼굴이다.

|연습|

1 (1) 아이들이 종이를 꺼내 끼적이자 켈러 선생님께서 여기서 숙제를 하지 말라며 호통을 치고 있는 상황입니다.

(2) 켈러 선생님께서 호통을 치는 상황에서 '내'가 꿀꺽 삼킨 침이므로 마른침이 무엇일지 짐작해 볼 수 있습니다.

> 더 알아보기
> '마른침'은 '애가 타거나 긴장하였을 때 입 안이 말라 무의식중에 힘들게 삼키는 아주 적은 양의 침.'이라는 뜻입니다.

> 채점 기준

(1)	선생님께서 호통을 치시는 긴장되는 상황이라는 내용이 드러나게 썼는가?		배점 2점
	그렇다.		아니다.
	2점		0점
(2)	짐작한 말을 '마른침'의 자리에 넣어 보았을 때 문장의 뜻이 자연스럽게 통하는가?		배점 4점
	그렇다.	조금 어색하다.	아니다.
	4점	2점	0점

|실전|

2 '재미와 웃음을 주지만'에 밑줄을 긋고, '뜬금없는'의 뜻을 짐작합니다. 낱말의 앞뒤 내용을 살펴보고, 이미 아는 친숙한 낱말로 바꾸었을 때 문장의 뜻이 자연스러운지 살펴보며 뜻을 짐작할 수 있습니다.

> 더 알아보기
> • 낱말의 뜻을 짐작하는 방법
> ① 낱말이 쓰인 앞뒤 내용을 살펴보고 해당 낱말의 뜻을 짐작할 수 있습니다.
>
> > 사오정이 <u>뜬금없는</u> 말로 우리에게 재미와 웃음을 주지만
>
> 뜬금없는 말로 우리에게 재미와 웃음을 준다는 내용에서 '뜬금없는'이 '엉뚱한, 황당한'과 비슷한 뜻을 가졌음을 짐작할 수 있습니다.
>
> ② 해당 낱말과 비슷한 뜻으로 짐작되는 다른 낱말을 넣어 보고 문장이 자연스러운지 살펴봅니다.
>
> > 사오정이 뜬금없는 말로 우리에게 재미와 웃음을 주지만
> > → 사오정이 엉뚱한 말로 우리에게 재미와 웃음을 주지만
>
> '뜬금없는' 대신 '엉뚱한'을 넣어도 문장이 자연스러우므로 '뜬금없다'가 '엉뚱하다'와 비슷한 뜻을 가졌음을 짐작할 수 있습니다.

> 채점 기준

6점	뜻을 짐작할 수 있는 부분: 재미와 웃음을 주지만 짐작한 뜻: 갑작스럽고도 엉뚱한 → 낱말의 뜻을 짐작할 수 있는 부분을 찾아 밑줄을 긋고, '뜬금없는'과 바꾸어 써도 자연스러운 뜻을 짐작하여 씀.
4점	밑줄을 알맞게 그었지만 짐작한 뜻이 원래의 뜻과 달라 어색함.
2점	'재미와 웃음을 주지만'에 밑줄을 알맞게 그었지만 낱말의 뜻을 짐작하지 못함.

3 그림 속 상황과 '얼굴' 앞뒤에 쓰인 낱말을 살펴보면 낱말의 뜻을 짐작할 수 있습니다.

> 더 알아보기
> • '얼굴'의 여러 가지 뜻
> ① '눈', '코', '입'이 있는 머리의 앞면.
> 　예 가면으로 얼굴을 가리다.
> ② 주위에 알려진 평판이나 명예. 또는 체면.
> 　예 내가 무슨 얼굴로 형을 대하겠느냐?
> ③ 어떤 사물의 진면목을 단적으로 보여 주는 대표적인 표상.
> 　예 고려청자는 고려 시대 문화재의 대표적인 얼굴이다.

> 채점 기준

①	짐작한 말을 '얼굴'의 자리에 넣어 보았을 때 문장의 뜻이 잘 통하는가?		배점 4점
	그렇다.	조금 어색하다.	아니다.
	4점	2점	0점
②	그림에 쓰인 뜻과 어울리는 '얼굴'을 넣어 짧은 문장을 썼는가?		배점 4점
	뜻에 알맞은 문장을 씀.	짧은 문장을 썼지만 내용이 어색함.	
	4점	2점	

정답을 확인하기 전에 자기가 푼 단원평가의 정답을 큐알을 찍어 올려 보세요.

단원 평가

온라인 학습북 42~46쪽

문항 번호	정답	평가 내용	난이도
1	④	글 내용을 바탕으로 추론하기	보통
2	②	글의 내용 파악하기	쉬움
3	②	낱말의 뜻 짐작하기	보통
4	③	낱말의 뜻 짐작하며 읽기	어려움
5	⑤	글 내용을 바탕으로 추론하기	보통
6	③	글의 내용 파악하기	보통
7	③	낱말의 뜻 짐작하기	보통
8	④	글의 종류 알기	보통
9	②	비슷한 뜻의 표현 알기	어려움
10	④, ⑤	글의 내용 파악하기	보통
11	⑤	글의 내용 파악하기	보통
12	④	글의 내용 파악하기	보통
13	③	글 요약하기	어려움
14	⑤	글의 중심 내용 파악하기	쉬움
15	⑤	글의 내용 파악하기	보통
16	③	글의 내용 파악하기	보통
17	③	글의 구조에 따라 요약하기	어려움
18	④	글의 중심 내용 파악하기	보통
19	③	글의 내용 파악하기	보통
20	⑤	시간 순서를 나타내는 말을 통해 글의 구조 파악하기	보통

1 켈러 선생님이 '사냥감을 홱 낚아챌 듯 노려보는 매처럼 매서워' 보였다고 했습니다.

2 켈러 선생님이 내 주신 첫 번째 과제는 수필 쓰기입니다.

3 ㉠과 뜻이 비슷한 낱말은 '쉽게'입니다. ㉠은 '부담스럽거나 무서울 것이 없어 쉽게 다루거나 대할 만하다.'라는 뜻으로 쓰였습니다.

4 켈러 선생님께서 호통을 치는 상황에서 '내'가 삼킨 침이므로 긴장된 상황에서 삼키게 되는 침이란 뜻으로 짐작하는 것이 알맞습니다.

5 '사랑'이라는 낱말을 마구 써서는 오히려 그 진심이 잘 느껴지지 않는다는 것을 역설하고 있습니다.

6 켈러 선생님이 학생들의 수업 태도에 대해 어떤 생각을 하였는지는 나와 있지 않습니다.

7 '쏜살같이'는 '쏜 화살과 같이 매우 빠르게.'라는 뜻입니다.

8 자신의 주장을 펼치는 글은 논설문입니다.

9 ㉡과 바꾸어 쓰기에 알맞은 표현은 '눈 위에 서리 치는 격'입니다. ㉡은 어렵거나 나쁜 일이 겹치어 일어난다는 뜻으로 쓰였습니다.

10 햇빛을 잘 끌어모으고 그림자에 가려지지 않기 위해 식물은 특별한 기술을 바탕으로 잎을 피운다고 했습니다.

11 식물은 햇빛을 잘 끌어모으기 위해 저마다 다른 방법으로 잎을 피우며 위에 난 잎과 겹치지 않게 아래 잎을 피웁니다.

12 갈퀴꼭두서니는 '돌려나기'로 잎이 납니다.

13 잎차례의 종류로 어긋나기, 마주나기, 돌려나기, 모여나기에 대해 설명한 글입니다.

14 ❶은 사람들이 종이를 만든 까닭을 설명한 부분입니다.

15 바위나 동굴은 다른 곳으로 옮길 수 없었습니다.

16 사람들은 좀 더 쓰기 쉽고 그리기 편한 것, 옮기기 쉽고 간직하기 좋은 것을 찾다가 종이를 발명하게 되었습니다.

17 제시된 글의 구조는 순서 짜임을 나타내고 있습니다. ❷는 한지를 만드는 방법을 순서대로 전개하는 짜임이므로 한지를 만들기 위해 닥나무의 속껍질을 모은 뒤 할 일이 이어질 것입니다.

18 한지가 만들어지는 과정을 차례대로 설명한 글입니다.

19 잇꽃은 한지에 물을 들이기 위해, 닥풀은 속껍질이 잘 엉겨 붙으라고 넣는 것입니다.

20 '먼저, 그러고는, 이제, 그런 다음, 마지막으로'와 같은 순서를 나타내는 말을 통해 글의 구조를 파악할 수 있습니다.

8. 우리말 지킴이

개념 확인하기   온라인 학습북 **47**쪽

1 ⓒ   **2** ⓒ   **3** ㉠
4 ⓒ

서술형·논술형   온라인 학습북 **48**쪽

|연습|

1 (1) 예 줄임 말

(2) 예 공부를 열심히 했더니
     삼각김밥

(3) 예 줄임 말은 원래의 뜻을 알지 못하는 사람에게 뜻이 통하지 않을 수 있다.

|실전|

2 예 한 화면에 너무 많은 내용을 제시하지 않는다.

3 예 우아하게 옷을 입으세요.

|연습|

1 (2) '열공'과 '삼김' 대신 바꾸어 쓴 말을 넣었을 때 원래의 의미에서 벗어나지 않아야 합니다.

(3) '열공'이나 '삼김'과 같은 말은 '열심히 공부하다', '삼각김밥'을 줄여서 표현한 말입니다. 이와 같은 줄임 말은 그 뜻을 모르는 사람과 대화할 때 상대를 난처하게 할 수 있습니다.

채점 기준

(1)	'줄임 말'이라는 내용을 정확하게 찾아 썼는가?		배점 3점
	그렇다.	아니다.	
	3점	0점	

(2)	줄임 말로 표현한 원래 말의 뜻이 잘 드러나게 풀어 썼는가?		배점 4점
	두 낱말 모두 알맞게 바꾸어 씀.	두 낱말 중 한 가지만 알맞게 바꾸어 씀.	
	4점	2점	

(3)	말을 줄여서 사용할 때의 문제점을 예시 답안과 같이 알맞게 썼는가?		배점 4점
	줄임 말을 사용했을 때의 문제점을 알맞게 씀.	줄임 말과 관련 없는 문제점을 씀.	
	4점	0점	

|실전|

2 여진이가 발표할 때 제시한 자료는 내용이 지나치게 많고 복잡합니다. 발표할 때 보여 줄 자료는 발표를 듣는 이가 쉽게 알아볼 수 있도록 단순하고 간단하게 준비하는 것이 좋습니다.

채점 기준

8점	예 자료를 모두가 잘 알아볼 수 있도록 복잡하지 않게 제시한다.
	→ 자료를 제시할 때 주의할 점을 알맞게 씀.
3점	예 자료를 큰 화면으로 보여 준다.
	→ 여진이가 제시한 자료에 나타난 문제점을 정확하게 쓰지 못함.
1점	예 사진이나 동영상을 활용한다.
	→ 여진이가 제시한 자료의 문제점과 관련이 없는 내용을 씀.

[부족한 답안] 자료를 크게 제시한다.
               └→ 복잡하지 않게

→ 자료를 복잡하지 않게 제시한다는 내용을 써야 좋은 점수를 받을 수 있어요.

3 '엘레강스하다', '스타일하다'는 쉽고 편한 우리말이 있는데도 과도하게 사용한 외국어 표현입니다. '우아하다, 고급스럽다 / 옷을 입다, 꾸미다'와 같은 우리말을 넣어 그 뜻이 자연스럽게 바꾸어 봅니다.

채점 기준

9점	예 고급스럽게 옷을 입으세요.
	→ 모범 답안과 같이 밑줄 그은 두 낱말을 모두 같은 의미를 지닌 우리말로 바꾸어 씀.
6점	예 우아하게 옷을 꾸밉니다.
	→ 낱말을 모두 우리말로 바꾸었지만 문장이 자연스럽지 않거나 그림의 상황과 어울리지 않음.
3점	예 우아하게 스타일하세요.
	→ 두 외국어 낱말 중에서 한 가지만 우리말로 바르게 바꾸어 씀.

온라인 학습북 **42~48**쪽

정답을 확인하기 **전**에 자기가 푼 단원평가의 정답을 **큐알**을 찍어 올려 보세요.

단원 평가

온라인 학습북 **49~52**쪽

문항 번호	정답	평가 내용	난이도
1	⑤	우리말이 훼손된 사례 살펴보기	쉬움
2	⑤	바른 우리말 표현으로 고치기	보통
3	①	우리말 훼손 현상의 까닭 생각하기	보통
4	④	바른 우리말 사용 알리기	보통
5	⑤	바른 우리말 표현으로 고치기	보통
6	③	바른 우리말 표현으로 고치기	보통
7	③	잘못된 높임 표현 알기	보통
8	①	무분별한 신조어나 외국어 사용의 문제점 알기	쉬움
9	⑤	바른 우리말 표현으로 고치기	보통
10	④	자료를 활용하여 발표하기	어려움
11	③	조사 주제 정하기	보통
12	②	조사 주제 검토하기	보통
13	④	조사 주제 검토하기	어려움
14	⑤	조사 계획에 맞게 조사하기	쉬움
15	⑤	발표할 때 주의할 점 알기	보통
16	③	글의 내용 파악하기	보통
17	⑤	글의 내용 파악하기	보통
18	⑤	글의 내용 파악하기	보통
19	④	조사 방법의 장단점 알기	어려움
20	④, ⑤	발표 원고 구성하기	보통

1 '노잼'은 영어와 우리말을 섞어 만든 국적 불문의 신조어입니다.

2 사과주스는 사물이므로 높이지 않습니다.

3 ①은 우리말을 훼손시키는 것과 관련 없는 내용입니다.

4 '열공'은 열심히 공부하다, '삼김'은 삼각김밥을 무분별하게 줄인 말입니다.

5 '4U음식점'을 영어로 바꾸어 읽으면 '포유 음식점'이므로 당신을 위한 음식점으로 바꿀 수 있습니다.

6 '마음이 쿵 하고 놀랄 만큼 설레고 감동적이다.'라는 표현으로 쓰곤 하는 '심쿵'은 무분별한 신조어 중 하나입니다.

7 '여기 거스름돈이 있으세요.'는 거스름돈을 높인 표현이고, '반려견이 정말 귀여우시네요.'는 반려견을 높인 표현이 됩니다.

8 '핵꿀잼', '판타스틱하다'와 같이 무분별한 신조어나 외국어의 사용은 원활한 소통을 어렵게 하고 말에 담긴 정신까지 해칠 수 있습니다.

9 영어 'real([리얼] 사실의, 진짜의)'을 장난스럽게 발음한 표기인 '레알'은 무분별한 영어 사용의 예입니다.

10 발표 주제에 알맞은 자료를 고르고 자료의 출처를 밝힙니다. 사실이 아닌 내용이나 과장된 내용은 사용하지 않습니다.

11 '잘못 사용하는 우리말'은 그 예나 범위가 너무 넓기 때문에 구체적인 조사 주제를 정해야 합니다.

12 '우리나라 사람들'이라고 하면 조사 대상과 범위가 너무 막연하여 구체적인 조사 방법을 정할 수가 없습니다.

13 조사하려는 지역이 도시라면 모든 간판을 일일이 조사하기는 힘듭니다.

14 해외에서 그곳의 말을 사용하는 것은 잘못 사용하는 우리말과 관련이 없습니다.

15 자료의 한 화면에 너무 많은 내용을 담으면 발표를 듣는 사람이 알아보기 어렵습니다.

16 여진이네 모둠은 '우리말이 있는데도 영어를 사용하는 예'를 조사하기로 했습니다.

17 수입된 옷이라면 옷에 영어가 있는 것이 당연할지도 모른다며 조사 대상으로 알맞지 않다고 했습니다.

18 방송이 아이들에게 영향을 많이 주기 때문에 방송을 조사하기로 했습니다.

19 면담을 하면 자세한 정보를 수집할 수 있지만 시간이 오래 걸리고 원하는 인물과 면담을 하지 못할 수도 있습니다.

20 발표한 내용, 모둠의 의견이나 전망은 끝맺는 말에 들어가는 것이 자연스럽습니다.

'주장'과 관련된 어휘

『똑똑한 하루 어휘 5단계』 발췌

Q. 그림과 이어지는 해시태그(#)를 보고 알맞은 어휘를 골라 □에 V표 하시오.

① 강요 □ / 강조 □ ⋯

#주장 #강하게 #중요_표시 #밑줄_짝
#꼭_기억해

② 긍정 □ / 부정 □ ⋯

#주장 #태도 #반대 #싫어 #고개를_설레
설레 #NO!

③ 비난 □ / 비판 □ ⋯

#주장 #상대방 #공격 #기분_나쁘게
#마음_상함 #ㅜㅜ

④ 차이 □ / 차별 □ ⋯

#주장 #구별 #다르게_대우 #남녀○○
#싫어요

정답 ① 강조 ② 부정 ③ 비난 ④ 차별

'말'과 관련된 속담

『똑똑한 하루 어휘 5단계』 발췌

Q. 그림과 이어지는 해시태그(#)를 보고 알맞은 속담을 골라 ☐에 V표 하시오.

말이란 아 해 다르고 어 해 다르다 ☐ / 가마가 솥더러 검정아 한다 ☐

간을 내놓지 않으면 너는 죽은 목숨이야!

이봐, 말을 꼭 그렇게 해야겠어? 좋게 말해도 들어줄까 말까 한데?

#말말말 #속담 #같은_말도 #달리_들리지 #이왕이면_말을_곱게

말이란 아 해 다르고 어 해 다르다

말이란 같은 내용이라도 표현하는 데 따라서 아주 다르게 들린다는 말. 즉 이왕이면 곱고 좋은 말을 골라 쓰자는 뜻.

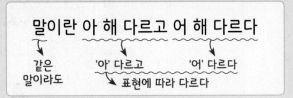

말이란 아 해 다르고 어 해 다르다

| 같은 말이라도 | '아' 다르고 | '어' 다르다 |

표현에 따라 다르다

너 언제까지 청소 안 하고 잠만 잘 거야? 얼른 안 해?

말이란 아 해 다르고 어 해 다르다고 했어. 같은 말이라도 좀 부드럽게 할 수 없어?

가마가 솥더러 검정아 한다

더 시커먼 가마솥이 덜 시커먼 솥을 보고 검다고 한다는 말로 제 흉은 모르고 남의 잘못만 흉보는 것을 비유하는 말.

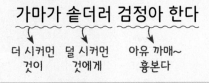

가마가 솥더러 검정아 한다

| 더 시커먼 것이 | 덜 시커먼 것에게 | 아유 까매~ 흉본다 |

우헤헤, 너 왜 이렇게 까매?

어이없군.

정답 말이란 아 해 다르고 어 해 다르다

영어 알파벳 중에서 가장 위대한 세 철자는
N, O, W
곧 지금(NOW)이다.

The three greatest English alphabets are N, O, W,
which means now.

월터 스콧

언젠가는 해야지, 언젠가는 달라질 거야!
'언젠가는'이라는 말에 자신의 미래를 맡기지 마세요.
해야 할 일, 하고 싶은 일은 지금 당장 실행에 옮기세요.
가장 중요한 건 과거도 미래도 아닌 바로 지금이니까요.

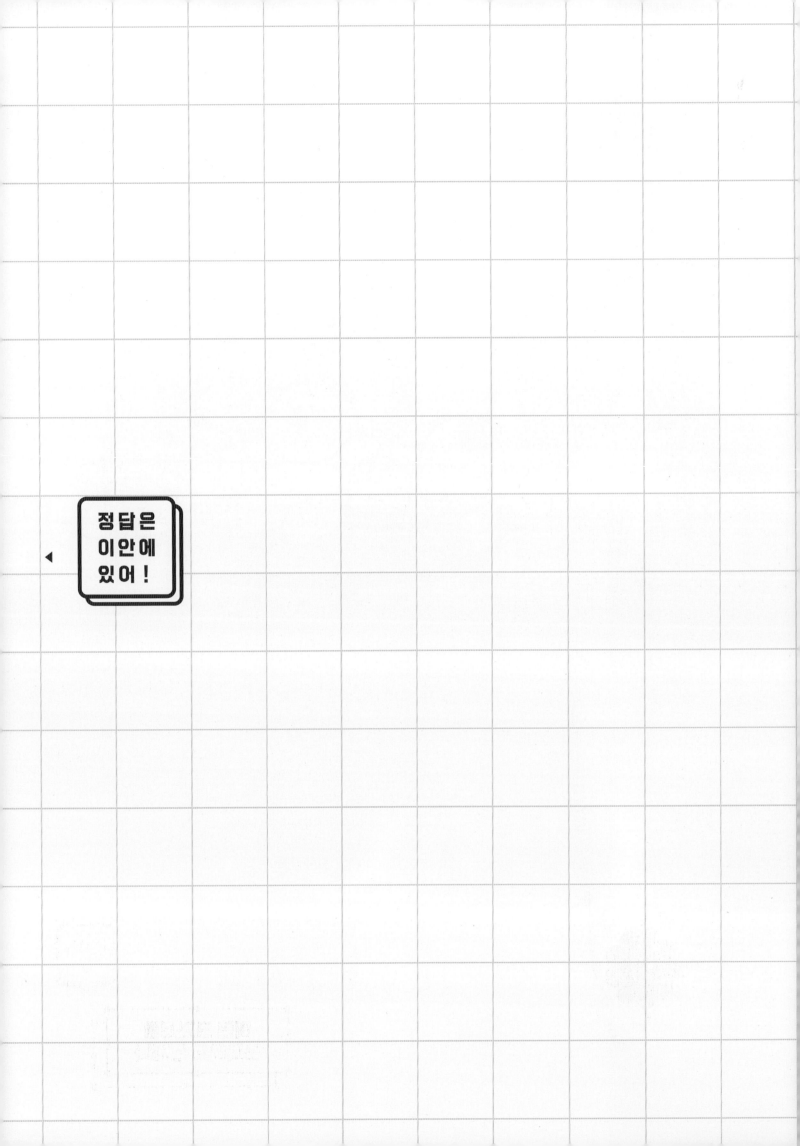

어떤 교과서를
쓰더라도 언제나

우리 아이만
알고 싶은
상위권의
시작

최고를
경험해 본 아이의 성취감은
학년이 오를수록
빛을 발합니다

완 성

최고수준

초등수학

5-2

* 1~6학년 / 학기 별 출시
동영상 강의 제공